读客®

全球顶级畅销小说文库

全球文化，尽收眼底；

顶级经典，尽入囊中！

JODI PICOULT

第十层地狱

THE TENTH CIRCLE

[美] 朱迪 · 皮考特 著
林淑娟 译

献给尼克和亚力克斯，

和他们的父母，乔恩和莎拉，

因为我答应过有一天会把我的书献给他们。

致谢

写这本书是个大工程，如果没有我的梦幻团队帮忙搜集资料，我不可能完工。

我经常向他们请教：贝蒂·马丁、丽萨·施尔梅尔、尼克·吉阿考恩、弗兰克·摩伦、戴维·托布、詹妮弗·斯特尼克、詹妮弗·索贝尔、克莱尔·迪麦拉斯、约安·马普森、简·皮考特。

承蒙劳里·柯瑞亚和安尼勒·女士帮助强奸受害者找到脆弱的平静。

梅瑞狄斯·奥森、伊利斯·巴克斯特和安德里亚·德索尔尼尔斯，这三位了不起的年轻女人让我得以窥见青少年的生活。

感谢阿垂亚图书和金伯格·麦克达菲公司的整个团队，尤其是朱迪斯·可儿、凯伦·曼德、朱迪·丽普尔、萨拉·布莱汉姆、珍艾妮·李、安吉拉·斯黛妮斯、贾斯汀·路拜尔和卡米莉·麦克达菲。

劳拉·格劳斯不只是一位尽责的经纪人，她还每天给我打电话。

艾米丽·贝斯特勒给这本特别的书稿提了中肯的意见。

乔安妮·莫里西替我补习但丁的作品，是我受困于“地狱”时最想拉着作伴的人。

我的私人漫画超级英雄：吉姆·李、怀亚特·福克斯和詹可·范·李。

潘姆·福斯帮忙找了开场诗篇。

感谢我住在阿拉斯加时的房东：安妮特·瑞尔登、瑞思和珍·甘农。

唐·瑞尔登，他不只是个很优秀的作家（他可能会一直后悔自己说了：“嘿，如果你想去阿拉斯加冰原……”），他慷慨地与我分享知识和经验。他在阿拉斯加冰原做我的向导，直到几个月后我完成了本书的最后一页。

本书的漫画作者达斯汀·威佛说，他觉得书配上漫画很有趣。当然，你画出了这本书的灵魂。

最后，感谢蒂姆、凯尔、詹可和萨米，给了我完美的结局。

在天地初开之时，
人类与动物共同生活在大地上，
人类愿意的话可以变成动物，动物也可以变成人类。
他们有时候是人，
有时候是动物，
没有区别，
全都说着同样的语言。
那是语言如同魔术的时代。
人类的大脑有着神秘的力量，
无意中说的一句话，
可能导致奇怪的结果。
它会突然活过来。
人们希望发生的事可能会成真——
你要做的只是说出来。
没有人能解释这个现象，
但它就是这样。

——《神奇的语言》爱德华·菲尔德 著
灵感来源于爱斯基摩人的传说

序　曲

2005年12月23日

当你发现你的孩子不见时，你会感到胃很快发凉、两腿发软，一记蓝调低音重击心脏。孩子的名字像铁屑一样卡在齿间，你想用力呐喊却出不了声。害怕的声音像一只妖怪在耳边回荡：*我最后一次是在哪里看到她的？她是不是走失了？谁可能带走她？*然后，终于，你承认已经犯下了永远无法弥补的错误，吞下恶果，喉咙紧缩。

丹尼尔·史东第一次这样，是十年前他去波士顿的时候。太太劳拉要去哈佛大学参加学术研讨会，于是全家趁这个好机会去度假。当劳拉在参加专题讨论小组时，丹尼尔正推着翠克西的儿童车走在铺着鹅卵石的自由步道上。他们去公共花园里喂鸭子，到水族馆观赏有着黑色大眼睛的海龟跳水中芭蕾。然后，翠克西说她饿了，丹尼尔就朝芬威广场走去，那里有数不清的吃的。

那个特别的四月天，是入春以来第一个温暖到能够让新英格兰人拉开他们外套拉链的日子，那天让他们想起一年里除了冬季还有别的季节。除了很多排成蜈蚣般的学校队伍和以按相机快门为乐的观光客外，似乎整个金融区的人都涌了进来。穿着西装、打着领带的与丹尼尔年龄相仿的男人们，闻起来有股剃须水的味道。他们拿着希腊羊肉烤饼、杂烩汤和夹着咸牛肉的黑麦面包，坐在被称作“红衣主教”的已故NBA篮球传奇教练铜像旁的长板凳上，带着嫉妒的神情斜眼偷瞄着丹尼尔。

丹尼尔对别人的这种反应已经习以为常——一位父亲独自照顾四岁的女儿，的确不寻常。女人看到他带着翠克西，会认为他太太过世了，或者他刚离婚。男人看到他会立即尴尬地将目光移开。但丹尼尔乐于当奶爸，即使拿全世界跟他交换，他也不屑一顾。他很享受按翠克西的作息表来安排他的工作。他喜欢她提的问题：狗狗知道它们没穿衣服吗？大人的监护权是一种打败坏蛋的威力吗？他喜欢翠克西只能坐在车子的儿童安全座椅上，但又想引起大家注意的时候，开口就叫“爸爸”？即使是劳拉在开车。

“你午餐想吃什么？”丹尼尔问翠克西，“比萨？汤？汉堡？”

坐在儿童车里的翠克西抬头看着他，她简直像她妈妈的迷你版，她们有着相同的蓝色眼睛和草莓色的头发。她对三种食物都点点头。丹尼尔把车抬上阶梯来到美食广场的中央，空气里弥漫着食物的油味、洋葱味和炒菜味，咸咸的海风味早已闻不到了。他决定给翠克西买汉堡和薯条，再到另一个摊头上替自己买海鲜拼盘。他站在摊头前排队，儿童车在队伍中分外显眼，像河流中的一块石头改变了人流。“一个芝士汉堡。”丹尼尔向厨师喊道，希望他听得到。厨师递给他纸盘，他歪着身子把皮夹从口袋里抠出来，决定不买自己的午餐了，不值得他再排一次队。他和翠克西可以一起吃。

丹尼尔再次把儿童车推进人潮中，想尽办法挤出去到圆顶篷下用餐。等了几分钟，一个坐在长桌前的年长的男士收拾他的餐盘后离开了。丹尼尔放下汉堡，把儿童车转过来，准备喂翠克西——可车里是个有着深色头发和皮肤的婴儿。婴儿一看到他便哇哇大哭起来。

跳入丹尼尔脑海的第一个想法是：这个婴儿为什么在翠克西的车里？第二个想法是：这是翠克西的儿童车吗？是的，它是黄色和蓝色相间的，上面印着一些相同的小熊图案。底下还有一个放东西的篮子。可奇哥公司一定卖出了上百万辆同样的儿童车，光是在美国的东北部就有数千辆。仔细看，丹尼尔发现这辆儿童车前面多了个塑料活动把手。翠克西的旧防护毯——以备发生危机时用的——没有折起来铺在最底下。

而现在就是发生危机时。

丹尼尔再低头看看眼前的婴儿，这不是他的孩子。他立即推着儿童车，跑向摊头。那里站着一个脸长得像卷心菜的波士顿警察和一个歇斯底里的女人，丹尼尔用儿童车把群众像红海分开了欧亚和非洲大陆那样拨了开来。女人盯着儿童车，五六步冲了过来，把孩子从安全带后抱了起来，拥进怀里。丹尼尔想解释，可从他口中冒出来的却是："她在哪里？"他歇斯底里地想，这是个露天市场，不可能封锁出入口，也不可能对这里的人们广播。已经过了五分钟，女儿可能被精神病人偷了，正一起搭地铁，去往波士顿最远的郊区。

然后他看到了另一辆儿童车——他的儿童车——翻倒在地，安全带解开着。翠克西上个星期已经会解开安全带了。那时候很滑稽——他们出去散步，她突然从车里站了起来对着丹尼尔，她洋洋得意地笑着，她能够聪明地自行离开儿童车了。她今天为了去找他，自己从儿童车里出来了吗？还是谁抓准机会，解开了她的安全带，拐了她？

这之后的一段时间丹尼尔即使到现在都回忆不起来了。譬如，一大群警察花了多久聚集在芬威广场帮他找女儿；或当他喊着女儿的名字经过时，其他妈妈赶紧把自己的孩子拉近身边，好像坏运会传染一样。警官不断地问他问题，像是在检验他是不是一名好家长：*翠克西身高？体重？今天穿了什么衣服？有没有教她要小心陌生人？*最后一个问题，丹尼尔无法回答。他有没有教过，或者打算要教？翠克西知道该尖叫或者跑开吗？她叫得够大声，跑得够快吗？

警察要他坐下来，这样必要的时候能找到他。丹尼尔点头答应着，但等他们一转身，他就站了起来。他在广场的每个摊头后面找，在圆顶篷下的每一张桌子底下找。他冲进女厕所，叫翠克西的名字。他搜查各种推车的垂下的帘子下面，卖人造假钻耳环的、卖印着麋鹿的袜子的，还有能把你的名字刻在一粒米上的。他跑到广场外面去。

广场上都是人，他们不知道就在二十英尺外，有个人的世界已经天翻地覆了。显然，当丹尼尔磕磕绊绊地经过他们时，他们一无所知，正笑着购物、闲逛。午餐时间过去，许多上班族离开了。鸽子啄食着人们掉在鹅卵石间的面包屑。丹尼尔突然看到了，蜷缩在“红衣主教”铜像旁正在吸吮大拇指的小女孩，是翠克西。

直到丹尼尔见到翠克西，他才明白，她不见了的时候，心魂宛如一点一点地被凿掉。讽刺的是，他现在和发现她失踪的时候症状一样：双腿颤抖、无法言语、动弹不得。“翠克西。”他终于唤道，她在他怀里，是近三十斤的甜蜜放松。

现在，已是十年后了，丹尼尔再一次把别人误认成了自己的女儿。不过这次她不再是那个坐在儿童车里的四岁幼儿。这次，她失踪的时间远远长于二十四分钟。这次，是她离开他，而不是他离开她。

丹尼尔强迫思绪回到现在。他遇到岔路了，松开雪地摩托车的油门踏板减速。暴风雪在他眼前形成了漏斗状，他看不见前面两英尺的地方，往后看，来时的路已经被大雪覆盖，了无痕迹。尤皮克族的爱斯基摩人有个词形容这种大雪，这种会刺痛你的眼睛后面，像冰箭射到你皮肤上的雪：pirrelvag。这个词居然就在嘴边，他像看见了第二个月亮那样吃惊。这是他来过这里的证据，不管他如何说服自己他没有。

他眯起眼睛，这是十二月的阿拉斯加，虽然是早上九点，但并没有多少阳光。他呼出的气息像根带子一样凝结在他面前。有一瞬间，透过如帘的大雪，他以为他看到了她头发的光亮，那是从一顶舒适的毛帽里溜出的像狐狸尾巴般的马尾辫，但只是惊鸿一瞥，就不见了。

尤皮克人还有个词：cikuq'erluni，来形容这样一个场景——极寒的天气，一杯水洒到空中还没落地之前就已在一瞬间冻得像玻璃那样坚硬。丹尼尔想，*只要一个错误的举动，周遭的一切就会崩溃*。他闭上眼睛，踩下油门，把一切交给直觉。几乎就在同时，过去的那些长者的话回荡在耳边——*云杉朝北的一面针叶比较尖；浅的沙洲使得冰弯曲*。这些都暗示着，当周围的世界改变时，如何找到自我。

他突然想起在芬威广场，与翠克西在分离后重逢，她融进他怀里的那一刻。她的下巴搭在他的肩膀后面，软绵绵的身体充满信任。不管他做什么，她还是相信他会保障她的安全，会带她回家。回想当初，丹尼尔觉得那天他所犯的真正的错误是，没有随时回头看。大家都觉得你是在一刹那失去那个你爱的人的，但其实走到这一步是因为之前的许多个日月、许多年，甚至一生。

天冷得睫毛在走出室外的那一刻结冰，鼻孔里面感觉像有碎玻璃；冷得仿佛觉得风能穿透自己，仿佛身体是一张网，千疮百孔。翠克西·史东在学校的建筑物下冰冷的河岸上发抖，这里是吐鲁克萨克雪橇犬检查站的总部，离她爸爸开着借来的雪地摩托车在冰原上留下的痕迹六十英里。她试着想出要待在这里的理由。

不幸的是，她有更多、更好的理由马上离开。首先，待在一个地方太久是不明智的。其次，人们迟早会猜出，她不是他们以为的那个人，尤其是如果她继续搞砸每一件他们交给她的工作的话。可是话说回来，她怎么知道所有雪橇手在K300的赛程中，都有权利在几个检查站，包括吐鲁克萨克这里，拿免费的干草喂他们的雪橇犬？还有你可以带雪橇手到储存食物和饮水的地点，可是不准帮忙喂狗？两次挫败后，翠克西被降职到去照顾被丢出狗队的雪橇犬，直到冰原飞行员抵达，把它们运回贝瑟尔。

到目前为止，唯一被丢弃的是一只叫做裘诺的哈士奇。冻伤是雪橇手抛弃它的堂而皇之的理由。这只狗一只眼睛是棕色的，另一只是蓝色的，它委屈地看着翠克西。

在刚才的一个小时里，翠克西偷偷地多喂了裘诺一把粗磨粉和一些饼干，那是从兽医的补给品那儿偷来的。她想用偷来的皮夹里剩下的一些钱，从雪橇手那里买下裘诺。如果有条可以信赖、不会告发她的狗，那么继续逃亡会简单一些。

她想知道丽芙儿、摩斯，还有其他在家乡贝瑟尔——缅因州的贝瑟尔，不是阿拉斯加州的贝瑟尔——的朋友们，如果看到她坐在积雪的河岸上吃鲑鱼肉干，听一支预告狗队即将抵达的狗吠狂响曲，他们会怎么说。他们会认为她疯了。他们会说，你到底是谁？你把翠克西·史东怎么了？问题是，她也想问同样的问题。

她想穿上她最喜欢的法兰绒睡衣，它们因为经常洗而柔软得像玫瑰花瓣；她想打开冰箱，看着满满当当的食物却找不到想吃的东西；她想厌烦收音机播放的一首歌，厌烦爸爸的洗发水气味，厌烦被走廊上卷起角的地毯绊倒。她想回去——不只是回到缅因州，而是回到九月初。

翠克西可以感觉到眼泪像波特兰码头的水位，已经涌到喉咙口了。她害怕会有人注意到，所以她躺到铺了干草的地上，鼻子顶着裘诺。“你知道吗？”她轻声说，“我有一次也这么失踪过。”

她爸爸以为她不记得在芬威广场发生的事了，可是她记得——回忆一点一滴在奇怪的时候浮现出来。就好像当他们夏天去海滩，她闻到了海洋的味道就会突然喘不过气来；或是当她去看冰球赛、去电影院或其他地方，混在人群里，有时候就感到一阵反胃。翠克西也记得，爸爸把那辆儿童车丢在了芬威广场，直接把她抱了回去。等他们度假结束回到家，买了新的儿童车，翠克西却拒绝再坐进去了。

翠克西不记得的是那天她是怎么走失的。她想不起来安全带是如何解开的，她如何穿过移动的人腿走到广场外。接着她看到一个看起来像爸爸的人，那尊坐着的铜像。翠克西走到长凳那里，爬上去坐到它旁边，它金属的皮肤因为太阳一直照着所以很温暖，她蜷起来倚着铜像，每颤抖着呼吸一次就在心里渴望被找到。

那一小段时间，是她最害怕的。

不灭的野爪

丹尼尔·史东

第十层地狱

我被称为英雄。

我或许是英雄。

我被称为野兽。

我或许是野兽。

但我确定的是……

咚
咚咚

爸爸！五分钟了！你如果再不让我用浴室，我就杀了你！

……我是个父亲。

那是我唯一确定的事。

啊啊啊！

他虽然听话，但也已经不存在啦。

你……
怪物啊！
对，
你倒是……

通过怪物的眼睛才看得到。
不！
崔西！

爸爸！
救命！
对不起，
邓肯，我们得走了……

……得留下你在冰与火之中。

必须与痛苦抗争到底……
女儿才是最重要的。
不要

必须在通道关上之前冲进去……

嘭
喔！……
我到底在哪里？

的确如此。
进入的人
请放弃所有的希望
故事&绘图：
丹尼尔·史东
着墨：
怀亚特·福克斯
上色：
杰克·温理尔
字体：
漫画盒子公司
编辑：
达斯汀·威佛

1

劳拉·史东清楚地知道如何下地狱。

她可以在参加系里的鸡尾酒派对时，在餐巾纸上画出地狱的地形图；她能够在心里默诵地狱所有的通道，以及河流和山脉的起伏；她对那里头罪人的名字非常熟悉。身为国内研究但丁的顶尖学者之一，她被门罗大学授予终身教职，每年都教这门课。她的课程编号是364，但在课程手册里还有其他名字："燃烧吧！宝贝"或"地狱到底是什么鬼东西？"。即使但丁的史诗《神曲》一点也不有趣，它依然是学校第二学期最受欢迎的课程之一。就像丈夫丹尼尔的作品，既不只是画也不只是文字，《神曲·地狱篇》涵盖了各种流行文化元素：浪漫、恐怖、神秘、犯罪。就像所有最棒的故事一样，它的核心人物是一个普通人，然后不知怎的就成了英雄。

她看着一排排安静的学生挤满讲堂。"不要动，"她说，"连肌肉抽一下都不行。"她旁边的讲台上，一个蛋型定时器正在计时一分钟。她注视着这些大学生，他们被她这么一说都突然特别想打喷嚏、抓头或扭动，她忍住没笑。

但丁的名作分三篇，劳拉最喜欢教《地狱篇》——还有谁能比青年人更适合思考行动的本质和结果？故事很简单：一共三天——从耶稣受难日（星期五）到复活节（星期天），但丁艰苦地跋涉九层地狱，每一层都充满了比上一层更恶劣的罪人，直到他终于走了出去。长诗中充满了怒吼、哭泣和恶魔，有情人打架，还有叛徒吃受害者的大脑——换句话说，非常生动，足以吸引现在的大学生的注意力，也能分散她对她真实人生的注意力。

蛋型定时器发出时间到的鸣声，全班同时舒了一口气。“怎么样？”劳拉问，“感觉如何？”

“度日如年。”一个学生叫道。

“有人想猜猜看刚才计时了多久吗？”

有人臆测两分钟，有人说五分钟。

“六十秒。”劳拉说，“现在想象你腰部以下都在冰湖里。如果稍微动一下，你脸上的泪水和你周围的水就会结冰。但丁说，上帝最在意行动力和精力，所以对路西法最终极的惩罚是不能动。在最底层的地狱里没有火，没有硫磺，只有绝对的不能动。”她的目光扫过所有学生的脸，“但丁是对的吗？毕竟，这是地狱的最底层，这里的恶魔比前面的都凶残。夺走你任何时候做任何事的权利，是你能想象的最可怕的惩罚吗？”

简而言之，这就是劳拉喜欢但丁的《地狱篇》的原因。的确，它是关于救赎的叙事诗，还可以被看成宗教或政治研究，可是把它剖开来，它讲述了这样的故事：一个处于中年危机的家伙，痛苦挣扎着重新评估他的人生一路走来所做过的选择。

这与劳拉自己没什么不一样。

丹尼尔・史东坐在车内等待，前面有一长排要在高中校门口停下的车子。他瞄了眼坐在他旁边的人，试着回想她还是他乖女儿时的情景。

“今天马路堵得很严重。”他对翠克西说话，只为填满他们之间的空间。

翠克西没有反应。她乱转收音机的选台钮，从优柔的交响乐转到刺激的歌曲，然后用力地把收音机关掉。她的红头发像是肩膀上的一道伤口；她的双手藏在乐斯菲斯牌高档运动夹克的袖子里。她转头凝视窗外，沉浸在她的千千万万个想法里，而丹尼尔连其中的一个也猜不到。

这些日子他们之间说话，仿佛只是为了勾勒出沉默。丹尼尔比任何人都明白，一眨眼，你就可能已经重新改变了自己。昨天的那个你，可能已和明天的你完全不同。但这次，他想要把握住已经拥有的，不再放手。

“爸。”她叫出声，眼睛往前眨了眨，提醒他前面的车已经向前开了。

说来像是陈词滥调，但丹尼尔以前觉得，大家说的青少年和父母之间的代沟，对他和翠克西来说不是问题。毕竟，他们的关系比大部分父女更亲密。理由很简单，他是她每天回家都会看到的人。他频繁检查她浴室的药品柜，桌子抽屉和床垫下面——没有毒品，没有用过的安全套。翠克西只是渐渐与他疏远，不知为何这样感觉更糟。

这几年她每天回家就飘进屋里通往她那一层楼的一侧，不再跟他说，比如，班上孵化的一只蝴蝶的一根触须如何被一个粗鲁的男孩扯下来；今天学校的午餐是比萨，而不是之前说的鸡丝炒面，早知如此，她就不会自己带饭而在学校买午餐；“我”这个字的草写跟爸爸说的不一样。他们以前的交谈很轻松，丹尼尔不时点头，因为他经常走神，所以总心怀愧疚。当时他不知道这些琐事都应该保存起来，像把海玻璃片藏在冬天外套的口袋里，提醒他曾经去过海边的夏天。

这个九月——这又是一个陈词滥调——翠克西交了一个男朋友。

丹尼尔当然有过这种想象：当男友上门来接她去参加她的第一次舞会时，他若无其事地擦着手枪；在网上买贞操带……不过，在所有的这些想象里，他从未想过当自己看到一个男孩用他的手环绕着女儿腰际的画面，会让他想要狂奔到肺炸开。当那个男孩来到他家门口，他看到翠克西的脸充满光彩，用曾经看着自己的神情那样看他。一夜之间，在家庭录像带里即兴伴奏的小女孩不费吹灰之力就狐媚起来。一夜之间，女儿的行为和习惯不再可爱，开始变得有点可怕。

他的太太提醒他，他把翠克西拴得越紧，她就会越反抗这令她窒息的束缚。劳拉说，正是因为喜欢与规则抗衡，她才开始和杰森约会。所以当翠克西和杰森出去看电影时，丹尼尔强迫自己祝她玩得愉快；她溜进房间跟男朋友私下讲电话，他没有到她的门口徘徊。他给她呼吸的空间，但不知怎的，这空间却变成了无边无际的隔阂。

“嘿？！”翠克西叫道，打断了丹尼尔的沉思。他们前面的车子开走了，十字路口的交警猛烈地做着手势，指挥丹尼尔快将车子往前开。

“喔，”他说，“终于不堵了。”

翠克西握着车门把手：“可以让我下车了吗？”

丹尼尔乱摸着电动门锁：“三点见。”

“你不用来接我了。”

丹尼尔试着露出明显的笑容：“杰森会开车送你回家？”

翠克西拿起背包和外套。“对，”她说，“杰森会送我。”她用力关上卡车门，混进一大堆走向高中大门的青少年里。

“翠克西！”丹尼尔探出车窗喊道，惹得其他同学也转过头。翠克西的手在胸口握成拳头，好像紧握着一个秘密。她看着他，等着。

翠克西还小的时候，他们常常玩一个游戏。他在工作室里画画，她在旁边看他收藏着用来研究的一些漫画书。她会考考他：**最牛的交通工**

具？丹尼尔会说蝙蝠车。翠克西答，差远了，神奇女侠的隐形飞机。

最酷的装扮？金刚狼，丹尼尔说。可翠克西投给了黑凤凰。

现在他向她倾身。“最炫的超能力？”他问。

他们一致同意的唯一的答案是：会飞。可这次翠克西看着他，仿佛觉得他一定是疯了才会提起一千年前的愚蠢游戏。“我要迟到了。”翠克西说完迈步走开。

后面的车按喇叭了，但丹尼尔没有发动卡车。他闭上眼睛，试着回想他在她这个年纪时是什么模样。十四岁的丹尼尔在一个和她完全不同的世界里，他打架、说谎、欺骗、偷窃，闹腾着想要逃离。十四岁的他，是翠克西从来没有见过的样子。丹尼尔永远不会让她见到。

“爸爸。”

丹尼尔转头看到翠克西站在卡车旁边。她用手抓着打开的车窗下边，粉红色的指甲油在阳光下闪闪发亮。“能隐形。”她说。然后融进了后面的人潮中。

翠克西·史东已经做了十四天七个小时三十六分钟的隐形人，虽然她也没有刻意去计算时间。她像往常一样在学校里走动、微笑；假装听代数老师讲交换律；甚至和其他九年级的学生一起坐在学校的自助餐厅里。可是当他们嘲笑打菜阿姨的发型（或者没有发型可言）时，翠克西正望着自己的手。不知别人是否曾注意到，如果阳光从某个角度照射手掌，就可以透过皮肤，看见血管里头有东西在忙碌地到处活动。血球。她把这个词滑进嘴巴，像吮吸糖一样抵着脸颊内侧的高处，所以如果现在刚好有人问她问题，她就可以摇摇头，因为她无法讲话。

知情的学生（谁会不知道？消息像大火燎原那样流传开）都等着

看她失去她小心维持的镇定。翠克西甚至无意中听到一个女孩打赌她何时会在公开场合崩溃。高中生是食人族，他们会当着你的面吞食你破碎的心，然后耸耸肩，给你一个该死的、歉意的微笑。

“优能牌”眼药水可以消除眼中的血丝，再把一种痔疮药擦在眼睛下面可以消肿，那种感觉有多恶心可想而知。翠克西早上五点半就起床，谨慎地选双层长袖运动衫和棉绒裤穿，把头发绑成一个凌乱的马尾。花一个小时让她看起来好像刚刚起床，好像一点都没因为最近发生的事失眠。这些日子，她的整个人生都在想让别人相信她还是老样子，但其实她早已不是以前的那个她。

翠克西在一片嘈杂声中抵达走廊的尽头。储物柜像牙齿一样一开一合发出碰撞的声音；几个家伙对着学弟学妹吼着下午的计划；有人从口袋里掏出零钱扔进自动贩卖机。她进了教室，要自己坚强地挺过接下来的四十八分钟。心理学是她唯一和高三的杰森同班的课。这是节选修课，就好像在说：*是你自己选的*。

他已经到了。她从她身体周围的电场中判断出来。他穿着她曾借了穿过一次的褪色牛仔布衬衫，那天他们一起看书，他还不慎把可乐洒在了上面。他的黑发乱七八糟的。*你应该分头路*，她曾跟他说。他大笑着说，*我这样更好看*。

她可以闻到他的味道，洗发水、薄荷口香糖，还有——信不信由你——冰块上面一层白霜的清凉味道。这和她藏在睡衣抽屉最底下的那件运动衫的味道一样。他不知道她拿走了那件运动衫，不知道她每天睡觉前会把它拿出来包住她的枕头。它会在她的梦里加入细节：杰森手腕边缘，被冰球手套磨出来的老茧；当她打电话叫他起床，他被法兰绒毛毯闷住的声音；他紧张或者太努力地想事情的时候，绕着五个手指头转笔的样子。

他跟她分手的时候，就在做那个动作。

她做了个深呼吸向前走，经过懒洋洋的杰森，他正看着课桌上多年来无聊的学生留下的脏话。她可以感觉他因努力避免直视她而发烫的脸颊。直接走过他感觉有些不自然，以往他会拉她的背包带，直到他引起了她的全部注意力。他会说："你是来做练习的，对吧？"好像没有别的问题可以问了一样。

托克尔森老师指定座位，翠克西被安排坐在第一排。这一学年的前三个月她痛恨坐在那里，但现在她非常感激，因为这意味着她可以盯着黑板，不用瞄到杰森或其他人。她滑进椅子，打开书，避免去看原本写着杰森的名字，如今被修正液涂成蜈蚣状的地方。

当她感觉到一只手按在她肩膀上——一只宽大的、温暖的、男生的手，她顿时无法呼吸。杰森要向她道歉了。他明白他犯了错误，要问她是否愿意原谅他。她转头，像吹笛子那样噘起嘴巴，就要吐出"愿意"二字，可眼前不是杰森，是杰森最好的朋友，摩斯·明顿。

"嗨。"他往后瞄了眼在他桌前弓着背的杰森，"你还好吗？"

翠克西抚了下作业本的边缘："我怎么会不好？"

"我只是想让你知道，我们都觉得他是个白痴。"

"我们"可能是指获全州冠军的冰球队，摩斯和杰森在里面担任副队长，"我们"也可能指高三的所有同学；也可能是指除了她以外的任何人。要搞清楚谁是"我们"，几乎和与杰森划清界线一样困难：她得成功越过他们的共同朋友的地雷区，然后再看谁还站在她那边。

"我想她只是他叛逆的时候搭上的东西。"摩斯说，他的话像一块石头丢下悬崖，没有回声。

翠克西的字开始在面前的本子上游动。*"请你走开，"*她强烈地祈祷，想用念力来分散注意力，*"就这么一次让我人生的一些事*

情顺利点吧。”托克尔森先生走进来，关上门，走到前面：“各位同学，”他说，“我们为什么会做梦？”

一个坐在后排喝醉了的学生回答：“因为安吉丽娜·朱莉不来贝瑟尔高中。”

老师笑道：“那是个理由。弗洛伊德甚至可能会同意你的话。他把梦称之为通往潜意识的捷径，是由所有你被禁止的和没有实现的愿望组成的。”

翠克西想，梦就像肥皂泡。隔着点距离看它们，它们是可爱的。但如果太靠近它们，眼睛会被破掉的肥皂泡刺痛。她想知道杰森是否跟她做着同样的梦，那种一旦醒来，就感到呼吸停止，心被压得像一角硬币一样平的梦。

“史东小姐？”老师又叫了一次。

翠克西羞红了脸。她不知道托克尔森问了什么。她可以感到杰森的目光正往上移，像一条鞭子打在她的后颈上。

“老师，我知道。”摩斯从她后方叫道，“我梦见我参加冰球区域赛的时候，有人传球给我，可是我的球棍突然间变得像意大利面那么细……”

“这显然符合弗洛伊德的理论。不过，摩斯，我真的想听翠克西怎么说。”

就像她爸爸画笔下的超级英雄，翠克西的精神集中了些。她可以听到班上坐在后面的女孩越过走道传秘密的纸条给她朋友，她看到托克尔森先生的双手握在了一起。最糟糕的是，她感觉到杰森闭上了眼睛中断了他们之间的感应。她用笔在她的大拇指指甲上乱画：“我不记得任何一个梦。”

“你人生的六分之一都在做梦，史东小姐。以你为例，你大约已经花了两年半的时间用来做梦。你不可能完全忘记你两年半的人生吧？”

她摇摇头，抬头看着老师，张开了嘴。“我……我快要吐了。”翠克西终于说出了这句话。全班同学都看着她，她抓起书逃了出去。

她冲到洗手间，把背包丢在像巨人牙齿一样的白色方形洗手台下，然后蹲到一个马桶前。她敢打赌她的胃里没什么东西，但她还是吐了。她坐到地上，把热烘烘的脸颊贴在隔间的金属墙上。

不是因为杰森在他们交往三个月的纪念日那天跟她分手；不是因为高一的翠克西失去了灰姑娘的身份，因为她似乎中了大奖，由于交往的对象而由一个小人物提升到王后级的地位。而是因为她真的相信可以在十四岁的时候了解到，爱能改变血液在身体里流动的速度，爱能让梦变得像万花筒般美妙；而是因为翠克西知道，杰森也是爱她的，否则她不可能陷得这么深。

翠克西走出厕所的小隔间，在洗手台前打开水龙头。她捧起水泼在脸上，用棕色毛巾擦干。她不想回教室，再也不想回去了。她拿出眼线笔、睫毛膏、唇蜜和粉饼。她遗传了妈妈浓密的红铜色头发和爸爸的深色皮肤。她的耳朵太尖，下巴太圆。她想她的嘴唇长得还可以。有一次上艺术课的时候，老师说她的嘴唇有古典美，要同学们画她的唇。她的眼睛吓到她了。它们以前是深青苔色，但现在像罩了一层霜，淡得几乎没有颜色。翠克西怀疑，人是否可以把色素哭掉。

她“啪”的一下合上粉饼盖，然后转念一想，又把它打开来，放在地板上。她用力踩了三次，才把里面的镜子踩碎。翠克西把塑料粉饼盒和其他东西丢掉，只留下一块玻璃碎片。它像一滴泪，一端是圆的，另一端尖锐得像匕首。

她靠着厕所的瓷砖墙往下滑到了洗手台下的地上。然后她拿起那碎片在手臂内侧的白色皮肤上割了下去。瞬间她就后悔了。看青少年小说、走路像僵尸一样的疯狂女孩才会做这种事。

可是。

肌肤裂开，翠克西感到刺痛，鲜血涌出。

好痛，不过还是不如其他的一切痛。

“你必须做些很可怕的事才会被发落到地狱的最底层去。”劳拉环视全班学生，夸张地说，“路西法曾是上帝的得力助手。他犯了什么错？”

劳拉想，就和普通人与朋友决裂一样，一开始都是从简单的意见不合开始的。“有一天上帝对他的哥们儿路西法说，他在考虑要给那些他创造的挺酷的小玩具——换句话说就是人类——自由意志，让他们有选择要做什么事情的权利。路西法认为那种权利只属于天使。他发动政变，结果惨败。”

劳拉开始在课桌间的走道走动——大学让学生免费上网的负面效应是，如果教授不看着点的话，有的学生会利用上课时间网购或下载色情片。“《地狱篇》能如此精彩，就是因为它在罪与罚之间找到了平衡。但丁认为，罪人们应该为他们在世时做过的坏事付出相应的代价。路西法不想让人类有选择，背叛了上帝，他最后在冰里瘫痪；算命师的脸转到背后走路；通奸者永远结合在一起，却得不到满足。”劳拉摇头甩掉在她脑中浮现的最后一个画面。“显然，”她开玩笑道，“伟哥的临床试验是在地狱里完成的。”

学生们笑了，劳拉走回讲台。“14世纪10年代，在意大利人经历电影《星球大战：西斯的复仇》或《魔戒》之前，《神曲》代表了善与恶的最终对决。”她说，“我喜欢邪恶（evil）这个词。把它的字母颠倒顺序，你会得到卑鄙（vile）和活着（live）。而善良（Good），只是去做事（go do）的命令。”

四名研究生助教都坐在前排，他们中的三个把笔记本电脑平放在膝盖上。阿尔法自诩“复古女权主义者”，就劳拉了解，阿尔法经常演讲，提倡现代女性应该回归家庭，否则她们会因为与家庭疏离而困扰。坐在她旁边的艾妮，正在自己雪白的手臂上写字，可能在写诗。打字速度比劳拉的呼吸还快的纳拉扬，目光越过手提电脑看着劳拉，犹如乌鸦看着面包屑。希斯懒散地斜坐在椅子上，闭着眼睛，长发散落在脸上——他在打鼾吗？

劳拉感到后颈发烫。她转过身，不再看希斯·杜玛史顿，瞄向讲堂后面的钟。“今天就上到这里。请课后读完第五首诗。”劳拉说，“下周三，我们会谈诗的正义和神学上的报应。大家周末愉快。”

学生们收起背包和笔记本电脑，聊起了等下要表演的乐团，ΒΘΠ兄弟会准备载来一卡车真正的沙子，狂欢“加勒比海之夜”。他们脖子上的围巾像鲜艳的绷带。他们排着队离开了讲堂，早已将劳拉的课全抛到脑后。

劳拉下堂课都不用备课，她就活在《地狱篇》里。*说话要小心*，她想，*说不定就一语成谶*。

六个月前她觉得自己没有错，红杏出墙自然发生了，阻止它比让它蓬勃发展更罪孽深重。当他的手在她身上游移，她变了：她不再是理智的史东教授，而变成了一个感觉走在思考前面的女人。现在，劳拉明白她做了什么，她想要归咎于脑子坏了、一时糊涂或者任何其他借口，但她不承认自己自私。现在她只想控制事态发展：分手，在家人发现之前，溜回家庭里。

讲堂没什么人了，劳拉关掉了天花板上的灯，手伸进口袋找办公室钥匙。该死，她把钥匙落在手提电脑包里了吗?

“面纱（veil）。”

劳拉听出了是希斯·杜玛史顿那柔软的南方口音。他站起来，瞌睡后舒展着修长的身体。“邪恶（evil）还有另一个变换字母的组合。”他说，“我们要藏在面纱后面。”

她冷冷地看着他：“你在我讲课的时候睡着了。”

“我昨天睡得太晚了。”

“怪谁呢？”劳拉问。

希斯用劳拉常常看他的方式凝视着她，然后向前弯身，嘴唇轻刷过她的唇。“你说呢？”他耳语。

翠克西走过转角看到了他们。杰森正把杰西卡·雷吉利靠在视听教室门上吻她。她有着长长的金发和光洁的皮肤，就像是皮肤科医师的女儿一样。

翠克西瞬时像石头般不能动了。走来的学生都纷纷绕过她。杰森的手滑进了杰西卡的牛仔裤后口袋。她看到他嘴巴左边露出了酒窝，那酒窝只会在他甜言蜜语时凹下去。

他在告诉杰西卡，他最喜欢的声音是洗衣机脱水时发出的“砰砰”声吗?他在告诉她，有时他走过电话旁，心想她就要打电话来了，结果铃声真的响起了吗?他在告诉她，他十岁的时候，有一次打破一个糖果贩卖机，是因为想知道那些铜板被塞进机器后去了哪里吗?

杰西卡到底在听吗?

突然，翠克西感觉有人抓着她的手臂，拖着她在走廊上走，出了一道门，走到楼外。她闻到点燃火柴的刺鼻气味，然后一根香烟塞进她的嘴巴里。“抽烟。”丽芙儿命令道。

丽芙儿·盛托瑞利–温斯坦是翠克西从小到大的朋友。她有一双像小鹿一样的眼睛和橄榄色的皮肤，她还有这个星球上最酷的妈妈。她妈妈给她的卧室买熏香，带她去穿脐环，仿佛那是青春期的仪式。她也有爸爸，但爸爸和他的新家庭住在加州。翠克西知道最好别提起那个话题。“你等下什么课？”

“法语。”

“莱特太太老糊涂了。我们逃课吧。”

贝瑟尔高中的校园是开放的，不是因为学校热情地提倡给青少年自由，而是因为附近实在没什么地方可去。翠克西和丽芙儿在校园里走着，风很大，她们低着头，双手插在乐斯菲斯牌的运动外套里。一个小时前她在手臂上画的十字形图案就已经不再流血了，可冷风刺痛了她的伤口。从北面，雇用了贝瑟尔大部分成年人的造纸工厂那里传来臭鸡蛋的气味，翠克西不自觉地开始用嘴巴呼吸。“我听说你在心理学课上出了什么事。”丽芙儿说。

“太好了，”翠克西咕哝，“现在全世界都觉得我是个废物加怪胎。”

丽芙儿拿走翠克西手里的香烟，抽剩下的：“干吗在乎别人怎么想？”

“不是别人。”翠克西感觉泪水涌了上来，她用连指手套擦了擦眼泪，“我要杀了杰西卡·雷吉利。”

“如果我是你的话，我会想杀杰森。”丽芙儿说，“你怎么会那样想？”

翠克西摇头：“跟杰森在一起的人应该是我，丽芙儿。我就是知道。”

她们经过停私人轿车转搭大众运输工具的地方，走到安德罗斯柯金河转弯的地方，这时节它已经快结冰了，蹲伏在河床底的岩石周围形成了涡流冰雕。河上有座桥。再走个四百米，就到镇上了，那里基本上只有中国餐厅、杂货卖场、银行和玩具店，此外便乏善可陈。

丽芙儿看着翠克西哭了几分钟，她靠着桥的栏杆说："你要听好消息还是坏消息？"

翠克西拿出口袋里的旧餐巾纸擤了擤鼻涕："坏消息。"

"真是烈士。"丽芙儿笑着说，"坏消息是我最好的朋友两周的失恋哀悼期已经过了，从现在开始要受罚了。"

翠克西微笑了："好消息是什么？"

"我和摩斯·明顿算在约会了。"

翠克西觉得胸口又被刺了一刀。她最好的朋友和杰森最好的朋友在约会？"真的吗？"

"嗯，或许我们不能算真的在约会。今天上完英语课后他等我，问我'你还好吗'……我想，他可以去问任何人，但他问了我，对吗？"

翠克西擦擦鼻子："太好了。我很高兴我的失恋对你的爱情生活有了奇妙的帮助。"

"你这样对你自己的爱情生活一点帮助都没有。你不能再为杰森流眼泪了。他知道你陷进去了。"丽芙儿摇摇头，"男生不要很难搞的女人，翠克西。他们要……杰西卡·雷吉利那种。"

"他该死地看上她哪里了？"

丽芙儿耸耸肩："谁知道。胸大无脑？"她把斜挎包拉到面前，找出一包M&M巧克力。包边上挂着二十个串在一起的粉红色回形针。

翠克西知道女孩们会写日记，或者把别针别在运动鞋的鞋舌上，来记录她们有过多少性交对象。对丽芙儿来说是用回形针。"你如果不让他伤害你，他就没法伤害到你。”丽芙儿用手指拂过那些回形针，它们跳跃了起来。

现在，有固定的男女朋友已经不流行了，大部分青年人随意换男女朋友。想到自己对杰森而言可能只是这种意义，翠克西感到一阵反胃。“我做不到。”

丽芙儿撕开巧克力袋子，递给翠克西：“男生要的是可以上床的朋友，翠克西。”

“那女生要的东西怎么办？”

丽芙儿耸耸肩：“哈，我的代数烂透了，我五音不全，我是最后一个被挑进体操队的……但说到钓男人，我显然相当有天赋。”

翠克西转过身，大笑：“男人这么说的？”

“没有调查就没有发言权。没有负担你就会得到所有的乐趣。第二天你就像什么也没发生过。”

翠克西拉了拉回形针链：“如果你像什么都没发生过，那你为什么还要记录呢？”

“达到一百个，我可以拿它们换免费的解码环。”丽芙儿耸肩，“我不知道。我想我只是想记得我的第一次是从什么时候开始的。”

翠克西摊开手掌，看着M&M巧克力。它外层的糖衣已经融化了，流了开来。“广告上为什么说‘只融你口，不融你手’，它明明会在手里融化？”

“因为大家都说谎。”丽芙儿回答。

所有的青少年都知道这个事实。成长就是一直吃闭门羹，直到找到那扇向你敞开的门。多年来，翠克西的父母告诉她，她可以自由发展，拥有任何东西，做任何事。所以她如此急于长大——直到青春期，撞上一道现实世界的巨大的墙。她发现她无法拥有任何她想要的东西。不可能只因为想要，就能得到美貌、聪明、人缘。人非但不能控制自己的命运，还得疲于奔命，忙着适应环境。就在现在，她站在那里的这一瞬间，就有百万对父母害得他们的孩子失望心碎。

丽芙儿望向栏杆外："这是我这个星期第三次翘掉英语课。"

翠克西错过了一次法语课对"假设语气"的测验。动词显然也有脾气：如果它们要在从句里表达想要、怀疑、希望、判断，它们必须以完全不同的方式做词形变化。昨天晚上她背了重点句式：……令人怀疑。……不够清楚。……似乎如此。或许是……。即使……。不论如何……。没有……。

她不需要上堂愚蠢的课来教她某些她早就已经知道的事：就算要否定或者有不确定性，也有规则要遵守。

如果有得选，丹尼尔每次都会画一个反派角色。

画英雄人物实在变不出多少花样来。他们有一套统一的标准：四方的脸、完美的牙齿、过于发达的四肢。他们比一般人高十五厘米。他们是解剖学上的奇迹，总是展现令人难以理解的肌肉组织。他们穿着荒谬可笑的及膝长靴，除了那些女超人，没人会穿成这样。

另一方面，通常坏蛋的脸就长得像洋葱、铁砧、煎饼。眼睛可能凸出或凹陷进皱纹里。可能脑满肠肥或瘦骨嶙峋，可能毛发浓密或者像涂了橡胶一样没一根体毛，或者有蜥蜴鳞甲般的皮肤。他可以说话会闪电，会扔火球或吞下一座山。反派人物能让你的创造力挣脱桎梏。

问题是，不能只有好人或者坏人。有好人来设立标准，才会有坏人。除非有坏人表现得离谱得偏离正道，否则凸显不出好人。

今天，丹尼尔躬身坐在画桌前，画不出来。他转着自动铅笔，手掌里捏着橡皮，苦思着想把主角画成雄鹰。他画好了展翅的鹰翼，但似乎没法把拥有锐眼和尖嘴的鹰脸画得像个人。

丹尼尔是漫画书铅笔画家。劳拉拿了文凭，得到了门罗大学的终身教职时，他在家里为DC漫画公司画插画，一边照顾翠克西。他的画风引起了漫威漫画公司的注意，他们问了他好多次，想请他到纽约工作，加入《终极X战警》的漫画团队，可丹尼尔把家庭放在比事业更重要的位置。他做平面设计来偿还贷款，画一些商标和商务报纸的插图。直到去年，就在他过四十岁生日前，漫威漫画公司与他签约，让他可以既在家工作，又能画自己创作的漫画书。

他在工作间摆了一张翠克西的照片，这不只是因为他爱她，也因为这本特别的漫画书——《第十层地狱》。她是他的灵感。呃，应该说翠克西和劳拉都是。劳拉对但丁的着迷，提供了这个故事最基本的背景。翠克西推动情节发展。丹尼尔则负责塑造主角“野爪”，他是一个新型英雄。

从历史上来看，漫画比较适合青少年看。丹尼尔竭力向漫威漫画公司推销一个不同的概念：他的角色设定都是为这类成年人设计的：他们曾因为缺钱戒掉漫画书，但现在他们有了消费能力；他们会穿由迈克尔·乔丹代言的运动鞋，爱看像MV一样的新闻，坐商务舱，在飞机上用任天堂的掌上游戏机玩俄罗斯方块。他们会立马代入“野爪”的另一面，邓肯：一个四十几岁的父亲，知道变老很可怕，想维护家人的安全。他的超能力控制着他，而不是他能控制超能力。

这个故事讲述了邓肯，一个平凡的父亲寻找被恶魔绑架到但丁的地狱的女儿的故事。当受到刺激，愤怒或害怕的时候，邓肯就会变形成“野爪”，一个野兽。问题在于，超能力总会让邓肯丧失几分人性。如果邓肯变成了一只鹰、一头熊或者狼，来对付某个危险的生物，他变回人后，一部分兽性还会留着。他最害怕的是，当他真的找到了失踪的女儿，她可能已经认不出他为了救她而变成的模样了。

丹尼尔看着目前画的，叹了一口气。难的不在于画老鹰——他睡觉的时候也画得出来——难的是要让读者看到老鹰背后的人性。英雄变成动物不是新鲜的题材，不过丹尼尔亲眼见过。他在阿拉斯加的一个原住民村长大，全村只有他一个白人男孩，他妈妈是村里的老师，爸爸早就不见了。住在阿基亚克村的尤皮克族爱斯基摩人，对人与兽的界线分得没有那么清楚。他们轻松地说起孩子跟海豹，男人和黑熊住在一起的故事。有个女人嫁给了一条狗，她生下小狗，只为了剥下皮看看，毛皮下面是不是真正的孩子。动物只是不是人，但同样有意识，人性在它们的毛皮下滋生。你可以从它们围在一起吃饭，陷入爱情或悲伤时看出来。这也是双向的：有时候，在一个人身上，你也可以看到些许兽性。

丹尼尔在村里最好的也是唯一的朋友，是个叫肯恩的尤皮克族男孩。他爷爷教丹尼尔打猎捕鱼，还有每一件应该由爸爸教他的事。他教他，杀死一只野兔后必须安静，不要阻挠动物的灵魂过来；在捕鱼的营地，应该把鲑鱼的骨头放回河里，低声说：Ataam taikina，再回来。

丹尼尔童年的大部分时光都在等待离开。他是个kass'aq——白人小孩，光是这个理由就足以使他被戏弄、欺负或挨打。到了翠克西这个年纪，他喝酒、搞破坏，要让那个世界里的每个人都知道，他绝对不是好惹的。他没有在干那些事的时候，他就画画——画里的角色，尽管遇到重重困难，总是奋战到胜利。他在教科书空白的地方画，在他手掌上画。他计划着逃走，终于在十七岁那年，做到了。

一旦离开，丹尼尔就不再回头。他学会不再用拳头解决问题，学会将怒气发泄到纸上。渐渐地，他在漫画界有了一席之地，但他几乎从来不谈他在阿拉斯加的生活，翠克西和劳拉都知道最好别问。他成了一个循规蹈矩的模范爸爸，做小区的义务足球教练、烤牛肉饼、修剪草坪……你永远都想不到，他曾因劣迹斑斑被指控。那种过去太糟糕了，他想逃。

丹尼尔捏着橡皮，把老鹰草图擦了。或许他应该从邓肯这个人开始画，而不是先画“野爪”这个野兽？他拿起自动铅笔，开始画椭圆的脸，再画其他，不像英雄的主角成形了。没有紧身衣，没有长靴，没有遮一半脸的面具。邓肯的日常装束是一件旧夹克、一条牛仔裤，成天说着风凉话。和丹尼尔一样，邓肯有一头蓬乱的深色头发，皮肤也是深色的。邓肯也有个青春期的女儿。事实上，邓肯做的每一件事都和丹尼尔不愿提起的过往相关。

深究下去，丹尼尔其实是在悄悄地画自己。

杰森的车是他奶奶过世前开的老沃尔沃。椅面被换成粉红色，她最喜欢的颜色。那是他爷爷送给她的八十五岁生日礼物。杰森对翠克西说过，他曾考虑把椅面换回原本的肉色，可是怎么可以糟蹋那种爱情呢？

冰球校队的训练十五分钟前结束了。翠克西在寒风中等着，她把手缩进外套袖子里，直到杰森从溜冰场里出来。他笑着走在摩斯旁边，大冰球袋搭在肩膀上。

希望是青春期的一部分问题所在，就像粉刺和荷尔蒙激增。你可能愤世嫉俗，但其实这只是出于自我保护机制，就像用化妆品掩饰青春痘一样。因为承认不管吃了多少亏，还是不肯完全放弃希望这件事，实在太尴尬了。

杰森注意到了翠克西，翠克西试着假装她没有看到他脸上的表情——后悔、顺从。她把注意力放在他正独自走向她这件事上。

“嘿，”她平稳地说，“你可以载我回家吗？”

他犹豫的时间久得让她的内心又死了一次。他点点头，打开车门。杰森把包放进车里，发动引擎，打开暖气，她趁机溜进副驾驶座。翠克西想问一千个问题——**冰球练习得怎样了？你觉得还会再下雪吗？你想我吗？**可她无法开口。她快受不了了，她坐在粉红色的座椅上，离杰森只有三十厘米，就像以前她坐在他旁边无数次那样。

他把车开出停车位，清了清嗓子：“你觉得好点了吗？”

什么好点？她想。

“你今天早上心理学课上离开了教室。”杰森提醒她。

那堂课似乎已经是上辈子的事了。翠克西把头发塞到耳后。“好多了。”她垂下目光说。翠克西想，她以前经常抓着换挡杆，所以当杰森要换挡时，他自然会握住她的手。她把手掌压到大腿下，抓着座椅，那样她才不会做什么傻事。

“你到底要做什么？”杰森说。

“我想问你，”翠克西做了个深呼吸，鼓起勇气，“你是怎么做到的？”

“做到什么？”

“所有的事。你知道的，去上课、练球、度过一天，表现得好像……好像你一点都不在乎。”

杰森低声骂了句脏话，把车开到路边。他倾身越过驾驶座，用拇指轻轻拂过她的脸颊。她才知道自己在哭。“翠克西，”他叹了口气，“我在乎。”

她的泪奔涌了出来。“可是我爱你。”翠克西说。没有开关可以让她简单地拨一下就止住感情。记忆像胃里的一池胃酸无法排掉，她的心已经不知道该拿它们怎么办了。她不怪杰森，她也不喜欢自己这样。可是她无法回去了，回到那个还没认识他时候的女孩。那个女孩消失了。她把她抛在哪里了？

她看得出杰森在犹豫。他伸手过来，把她拉进了怀里，安慰她。她把头埋在他的颈窝，嘟起唇贴在他咸咸的皮肤上。谢谢，她呢喃，感谢上帝，感谢杰森，感谢他们。

他说话吐出来的气息吹动了她耳旁的头发："翠克西，不要再这样了。我们的关系已经结束了。"

这句话，这个审判，是那么的清楚明白，像一把铡刀，斩断了他们之间的关系。翠克西从他怀抱里挣脱出来，用她外套肥大的袖管擦着眼泪。"如果是我们的关系，"她低语，"为什么由你一个人决定？"

他没回答，他无法回答。她转头看着挡风玻璃，发现他们还在停车场里。他们根本没有任何进展。

在开车回家的路上，劳拉想着怎么跟希斯说分手。一个二十几岁的男人被她这个三十几岁的女人所吸引，她固然深感荣幸，但终究是错的：劳拉是他的老师，她结婚了，还有个女儿。她的现实世界是参加教师会议、发表论文、参加在人类学系主任家举办的智库论坛，更别提出席翠克西学校的家长会，担心自己的新陈代谢趋缓，考虑如果换一家手机运营商是否可以省钱。她告诉自己其实有些事情并不重要，比如希斯让她觉得自己年轻得像夏天即将从树上掉下来的新鲜葡萄，她想不起来过去十年间和丹尼尔在一起的时候有过这种感觉。

做坏事其实能让人肾上腺素激增。希斯肤色黝黑，喜怒无常，难以预测——喔，天哪，光是想到他，就害得她把车开得飞驰起来。但另一方面，丈夫丹尼尔却是全缅因州最稳重可靠、态度温和的男人。

他从来不会忘记把垃圾桶放出去；他会在前一晚设定咖啡机定时自动冲泡，因为当她早上喝不到咖啡时，她会变成一头暴躁的熊；他从来没抱怨过，因为他守在家里做家长而花了十多年才在漫画界扬名。荒谬的是，有时候他越完美，劳拉就越生气，好像他的无私无悔只是为了凸显她的自私。然而，她只能怪自己——不是她对他下了最后通牒，说他必须痛改前非吗？

问题是（如果她能诚实地面对自己的话），当她要求他改变时，她只注意到她要什么，而忘了列出她会因此失去什么。她最喜欢和希斯在一起的地方就是尝禁果的刺激感。照理像她这样的女人不会和希斯那样的男人发生关系，但那正是当年她迷恋丹尼尔的原因。

她没认真考虑过要把婚外情告诉丹尼尔，那么做除了伤害他之外还有什么好处？相反，她希望能对他过度补偿。她会对他好到令他受不了。她会做个最好的太太，最棒的妈妈，最体贴的情人。她要把婚姻还给他，希望他永远不要察觉他曾失去过。

连但丁也说，如果你走过地狱，你就会去往天堂。

劳拉从后视镜看到了闪烁的警车灯。“该死。”她咕哝。警察的巡逻车利落地停在了她的丰田车的后方，她将车停到路边。

警车的前灯照出警察的轮廓，一个高大的警察走向她：“小姐，你好，你知道你超速了吗？”

显然不知道，劳拉想。

“给我看下你的驾照……史东教授？是你吗？”

劳拉抬眼仔细看警察的脸。她认不出来，不过他看上去很年轻，她可能教过他。她摆出最谦卑的表情。当年上课的时候，她给他的分数高到可以让她免收罚单吗？

“我叫伯尼·艾雷斯伍思。”他低头对劳拉微笑，“我大四的时候，就是2001年，上过你的但丁课。大三时都报不上你的课。”

她知道她是个受欢迎的老师——她的但丁课甚至比杰布·韦瑟比老师用大炮发射猴子来解释斜抛运动的物理课得到的评价更高。门罗大学的非官方简介里说，劳拉是学生最想邀请一起喝啤酒的教授。她突然想，希斯读过那个调查吗？

“这次我只给你一个警告处罚。”伯尼说。劳拉想，六个月前她真的需要警告的时候，他在哪里。他递给她一张脆脆的纸，微笑道：“你急着要去哪里？”

她想，不是去，而是回。“回家，”她告诉他，“我要回家。”她等他回到警车里，给他打了个信号车灯以表歉意——不管是不是真心的——然后上了小弯道。她规矩地不超速，眼睛直视前方，就像知道有人在看着的时候那样小心谨慎。

“我等下要出去。”劳拉一走进门就说。丹尼尔从灶台前抬起头，他正在剁花菜准备晚餐。炉子上炖着蒜香鸡。

“你才刚到家。”他说。

“我知道。”劳拉掀开锅盖，深吸一口气，“好香。真希望我能留下来吃。”

他无法准确地说出哪里不对。但她说她想留在家里，他相信她。大多数时候，如果她致歉说要出门，那都是她必须要做的事。

“怎么了？”他问。

她转身背向丹尼尔，开始把信件分类：“我告诉过你，是系上的事。”

她没有告诉过他，他很清楚她没有。她解开围巾，从外套里拉出来，挂在椅子上。她穿着黑色套装和冰熊牌的靴子，厨房的地上被她踩得到处都是融化的雪水洼。“翠克西呢？”

“在她房里。”

劳拉打开冰箱，给自己倒了一杯水。“我们系那个疯狂的诗人想要造反。”她说，“她已经在和终身教授们谈了。我觉得她不知道……”突然一个爆裂声，丹尼尔转身，看到玻璃杯在瓷砖地上摔得粉碎。水流得满地，渗入冰箱的边缘。“该死！”劳拉叫道。她蹲下来捡玻璃碎片。

“我来。”丹尼尔说。他抽了几张厨房纸巾吸水，“你要慢一点。你流血了。”

劳拉看着大拇指指腹的伤口，好像在看别人的手指。丹尼尔用干净的擦盘子毛巾帮她把手包起来。他们跪在瓷砖地上，只隔了几英寸远。她的血渗出了格子毛巾。

丹尼尔想不起上一次他和劳拉靠得如此近是什么时候。他想不起很多事情，比如她熟睡时的呼吸声，或者她惊喜时嘴角若隐若现的笑容。他告诉自己劳拉很忙，尤其这学期刚开始。他没有问她是否只是在忙工作，他不想听到答案。

“必须处理下伤口。”丹尼尔说。他握着她轻盈纤细，精致得像瓷器的手腕。

劳拉挣开他的手。“我没事。”她站了起来，“只是擦伤而已。”她看了他一眼，仿佛也知道，他说必须处理，并非只是指伤口，但他们谁也不想说明白。

“劳拉。”丹尼尔站起来。

可她转过身去。“我真的该去换衣服了。”她说。

丹尼尔目送她走开，听着她上楼的脚步声在头顶响起。你已经换了一个人了，他想。

“你不会吧！”丽芙儿说。

翠克西拉高袖管，看着手臂上的割伤，像一张红色的伤痕累累的网。“那个时候觉得那是个好主意，”她说，“我走着走着，就到了溜冰场……我想那是个征兆。如果我们能谈一谈……”

“翠克西，现在杰森不想谈。他想摆脱禁止令。”丽芙儿叹气，“你就像《致命的吸引力》[①]里的……”

“致命什么？”

“是一部老电影。你难道只看保罗·沃克演的电影？”

翠克西把电话筒夹在肩膀和耳朵间，小心地松开从她爸爸的工作室拿来的笔刀上的螺丝。一片小小的银色梯形刀片掉了下来。“我会做任何能使他回心转意的事。”翠克西闭上眼睛，拿起刀片朝左手臂划了下去。她吸了口气，想象自己开一个口子，释放出巨大的压力。

“你要一直哀怨到我们毕业吗？”丽芙儿问，“如果是这样的话，我可就要插手了。”

要是爸爸现在敲门怎么办？要是任何人，甚至丽芙儿，发现她现在在做的事会怎么样？或许她感受到的不只是放松，还有羞耻。两者都会让你从里到外都烧起来。

“那么，你需要我帮忙吗？”丽芙儿问。

翠克西把手压在伤口上，不让血流下来。

“喂？”丽芙儿说，“你还在听吗？”

翠克西举起手。手掌上都是鲜红的血。“是的，”她叹气，“我想我需要帮助。”

---

① 电影《致命的吸引力》里，女主角艾利克斯不断骚扰与她有一段露水情缘的丹和他的家庭，最后升级成了犯罪。——译注（本书中的注释，如无特别说明，均为译注）

“正好。”丹尼尔听到翠克西下楼的咚咚脚步声时说。他在餐桌上摆好两个盘子，转身看到她穿着外套，背着包，一顶有条纹的绒线帽下是她瀑布般的头发。

“喔，”她对食物眨眨眼睛，“丽芙儿请我去她家过夜。”

“你可以吃完再去。”

翠克西咬咬下唇：“她妈妈以为我会过去吃饭。”

丹尼尔在丽芙儿七岁时就认识她了。以前下午她和翠克西玩耍的时候，他常坐在客厅，看她们表演自己编的拉拉队动作，跟着收音机对口型，或者翻跟头。他仿佛还能依稀听到她们在玩一种拍手游戏：黑桃一，黑桃二，跳出隆比岛的小矮人……

上星期，丹尼尔抱着一袋杂货进厨房时，发现有个陌生人弯身在看目录。屁股很漂亮，他想。直到她直起身来，他才发现是丽芙儿。“嗨，史东先生，”她说，“翠克西在浴室。”

她没有注意到他脸红了，也没注意到他在自己女儿回来之前就离开了厨房。他抱着杂货袋坐在沙发上，推测其他父亲遇到翠克西是否也会犯同样的错误。袋子里的冰淇淋因为靠着他的胸膛化了。

“好吧。”他对翠克西说，“我把剩菜放进冰箱。”他站起来，找他的车钥匙。

“喔，没关系。我可以走路过去。”

“天很黑了。”丹尼尔说。

翠克西迎着他的目光，用挑战的语气说：“我想我可以走到离我们三个路口远的房子。爸，我已经不是小孩子了。”

丹尼尔不知道该说什么。对他而言，她还是个小孩子。“或许在你去丽芙儿家之前，可以先去投票、参军、帮我们租车……喔，等等，对了，你还不能做那些事。”

翠克西翻了翻白眼，脱下帽子和手套，坐下了。

“我以为你要去丽芙儿家吃饭。”

“我是要去，”她说，“可我不想让你一个人吃饭。”

丹尼尔坐在她对面，脑中突然闪过翠克西小时候上芭蕾舞课的画面。他们在上课前，努力要把她的一头秀发塞进网髻里。他一直都是唯一在场的父亲，其他男人的太太会上前教他如何夹发夹，还有如何用发胶把刘海弄得漂亮。

翠克西在她的第一次也是仅有的一次芭蕾舞表演中，饰演带头的麋鹿，拉着由糖果仙女驾着的雪橇。她穿着白色的紧身舞衣，戴着有鹿角的发饰，鼻子被漆成了红色。翠克西站在舞台上的三分二十二秒，丹尼尔眼睛一眨也不眨地紧盯着她。

现在他的目光也不想离开她，但青春期，就意味着部分表演得在后台演出。

“你们今天晚上要做什么？”丹尼尔问。

“不知道。我们洗完盘子后会看部租来的电影。你会做什么？”

“喔，就跟我平常独自在家的时候一样。裸着身子跳舞，打‘算命热线’，治疗癌症，商谈世界和平。”

翠克西微笑：“你可以再打扫下我的房间吗？”

“不知道我有没有时间，得看朝鲜肯不肯合作。”他把食物在盘子绕来绕去，吃了几口，把剩下的倒进垃圾桶，“好了，你正式自由了。”

翠克西跳起来，抓着背包，朝前门走去：“谢啦，爸爸。”

“不客气。”丹尼尔说。最后一个字很大声，好像想抓住她在他身旁的最后一秒钟。

这不算说谎。就算是的话，也不会比翠克西小时候，爸爸说他们会养狗，但直到现在还没养，来得更夸张。她只不过说了他想听和需要听的话。每个人都说最好的亲子关系是坦诚的沟通，可翠克西知道那是个笑话。她认为最好的是，爸妈和孩子都用他们的方式不让另一方感到失望。

她没说谎，不算真的说谎。她是去丽芙儿家，也的确打算在那里过夜。

可是丽芙儿的妈妈这个周末去卫斯理公会大学，看望在那里念书的丽芙儿的哥哥，而且翠克西不是当晚唯一受邀的客人。一大堆人会去，包括某些冰球队员。

比如杰森。

翠克西躲在阿格贝西太太家的篱笆后面，打开背包，拿出低腰牛仔裤。这是她一个月前买的，低得她没法再穿内裤。必须藏起来不让爸爸发现，因为她知道，他要是看到她穿着它，会发心脏病的。她脱下运动长裤和内裤——天哪，冷得要命——套上牛仔裤。她又翻出从妈妈衣柜偷来的东西，现在她的身材和妈妈差不多了。翠克西想“借”黑色细高跟的马靴，可是找不到。她只好勉强接受另一件，透明黑色上衣配链子腰带，内搭一件天鹅绒小背心。那是妈妈有一年穿去参加教职员圣诞大餐的。袖子不是很透明，看不到她手臂割伤的地方包着的绷带，但可以看到这黑色薄纱般的上衣里只穿着黑色丝质胸罩。

她将外套的拉链拉好，戴上帽子，走进去了。翠克西真的没把握她能够做到丽芙儿建议她做的事。丽芙儿说，要让他嫉妒，让他来找你。

或许如果她喝得够醉，或者磕了药的话，就可以做到。

不妨这么想：那时候，就几乎不是自己了。

但或许这会比预期的简单。去做某个人，去做任何人，即使只是一个晚上，都会胜过做翠克西·史东。

心越高，跌下来的时候摔得越重。希斯躺在榻榻米上，它闻起来有卷烟和劳拉的气味，他很喜欢。他还能感觉到她的话像霰弹枪的后坐力一样猛。结束了。

劳拉到浴室去，想恢复平静。希斯知道，在责任和欲望之间有一道看似发丝般细微的裂缝，你可能以为你走在它的一边，后来发现其实自己牢牢地守在另一边，根本没有跨过来。他愚蠢地相信，他们不是那样的。他相信即使有年龄差距，他也可以是劳拉的未来。但他没料到，她要的可能是她的过去。

“不管你要我怎么样，我都可以。”他向她保证，“拜托。”他半探询、半要求地说。

门铃响起，他差点不想去应门。现在他完全不想被打搅。可门铃又响了，希斯打开门，看到有个小孩站在阴影里。“晚点再来。”希斯说着，就要关上门。

一张二十元的钞票塞进他手里。“听着，”希斯叹了口气，“我没货了。”

“你一定还有一点点。”又两张二十元钞票塞给他。

希斯犹豫了。他没说谎，他真的没有大麻了。可是当那个星期每天晚上都只吃拉面，那就很难拒绝六十元了。他想着在劳拉从浴室出来前，他还有多少时间。“等一下。”他说。

他把东西藏在一把旧吉他的肚子里，它一半的弦已经不见了。吉他盒上盖了几个去伊斯坦布尔，巴黎和曼谷旅行的印章，还有一张通常贴在汽车保险杆上的贴纸，上面写着：如果你看到这行字，滚远点儿。

劳拉第一次到他的公寓时，他去找酒，回来的时候发现她在拨弄剩下的几根弦，吉他还搁在打开的盒子里。她问："你会玩吗？"

他僵住，但马上反应过来。他拿走吉他盒，合上放到一边。"要看是玩什么游戏。"他这样回答。

现在他伸手进吉他的音孔里摸索。他从哲学的角度来看待这份兼职：念研究生得花一大笔钱；他在兽医诊所里当技工的薪资都付不起房租；卖大麻和卖六罐装的啤酒对于这堆青少年来说没多大的不同。他又不是在卖会出人命的可卡因或海洛因。不过他还是不想让劳拉知道他的这一面。他可以说出她对政治、种族与性别平等法案的看法，也知道抚摸她细致的脊椎骨时她的感觉，可他不知道，如果她发现他在做这种生意，会有什么反应。

希斯找到了一个小瓶子。"这东西很厉害的。"他递出去时警告道。

"怎么厉害法？"

"会让你飘飘欲仙。"希斯回答。他听到浴室的水声停了。"你到底要不要？"

那孩子拿走瓶子，消失在夜色中。希斯关上门，劳拉正好走出浴室。她的眼睛红红的，脸有些肿。她僵住了："你在跟谁说话？"

虽然希斯愿意向全世界宣布他爱劳拉，但劳拉有工作、有家庭，她赌不起。他早该知道她那么小心，不想被人发现他们的关系，就不可能真的公开和他在一起。

"没有谁。"希斯苦涩地说，"你的小秘密很安全。"

他转身走开，受不了看着她离开。他听到开门声，感觉冷空气灌了进来。"我不会以你为耻。"劳拉走出他的生命时喃喃地说。

丽芙儿递出几管口红——艳粉红，哥特黑，鲜红，紫红。她把一管塞进翠克西的手中。那是金色的，翠克西把它翻过来看底下的字：光彩夺目。“你知道怎么做，对吧？”丽芙儿低语。

翠克西知道。她从来没有玩过“彩虹”游戏，她以前不需要。她一向都只跟杰森在一起。

翠克西一到丽芙儿家，她的朋友就为了翠克西当晚非成功不可，展开教授。第一，要看起来够火辣；第二，不管什么时候，都要喝酒；第三，也是最重要的一点，撑满两个半小时后，翠克西才可以跟杰森说话。同时，翠克西必须跟除了杰森的每个人调情。据丽芙儿推断，杰森觉得翠克西一定还会追求他，接着当今晚出现相反的事实，当他看到火辣的翠克西频频勾搭其他家伙，他却出局了，他会震惊，然后发现他错了。

杰森还没来。丽芙儿告诉翠克西，按照计划的第一点和第二点去做，那样杰森到了的时候，他会看到她已经醉了，正在尽情享受。为了达到这个目的，任何一个人要是想和翠克西跳舞，她都不拒绝，找不到舞伴的时候她就自己一个人跳。她醉到感觉地板在摇晃。她倒在一点都不喜欢的男孩们腿上，假装她喜欢他们。

她看着窗玻璃上，抹着金色唇膏的自己的影子，看起来像MV里的模特儿。

现在的派对里流行三种游戏。“菊花链”的意思是像跳康加舞那样性交，一个接一个，接成一圈。你和一个男孩做，他再和别的女孩做，那个女孩又和别的男孩做，以此类推，直到你回到一开始做的性伴侣。还有另一个游戏叫“石头脸”，一群男孩围着一张圆桌坐下，把他们的裤子拉下来，一个女孩钻到桌子底下对其中一个男孩口交，每个男孩都要面无表情，大家猜到底谁是那个幸运儿。

“彩虹”游戏是这两种的混合。十几个女孩在跟男生口交之前擦不同颜色的口红，最后当晚得到最多颜色的男生是赢家。

一个翠克西不认识的高年级学生，十指交握着丽芙儿的手，拉着她往前走来。翠克西看到他坐在沙发上，丽芙儿像一朵低垂在他腿间的花。翠克西转开头，脸上热烘烘的。

丽芙儿说过，*这不代表任何意义*。

觉得有意义才会受伤。

“嘿。”

翠克西转头发现一个家伙在凝视着她。“嗯，”她说。“嗨。”

“你想要一起……坐下来吗？”

他一头金发，杰森的发色很深。他的瞳孔是棕色的，杰森是蓝色的。她发现自己看他的时候，不是看他是谁，而是他不是谁。

她想象着如果杰森走进门，看到她在为别的男孩口交，会怎么样。她都怀疑他是否能立刻认出她。他是否会像她每次看到他和杰西卡·雷吉利在亲热的时候那样万箭穿心。

翠克西做了个深呼吸，领男孩到沙发那里。他叫什么名字？有所谓吗？她伸手拿起旁边桌上的一罐啤酒，咕噜咕噜一饮而尽。她跪到男孩的腿间。她亲吻他。他们的牙齿碰在了一起。

她的手向下伸，解开他的皮带，低头看了很久才发现他穿着四角内裤。她闭上眼睛，想象音乐的低音穿透她肌肤的毛孔。

他的手插进她头发中，把她往下按。她的头碰到了一根肉柱。她闻到他身上的麝香味，听到屋里另一头其他人的呻吟声。他在她的嘴里，她想象她唇上的金色口红微粒，像仙尘那样围绕着他。

翠克西突然想吐，她扭动着移开了身子，呆在了那里。她嘴里还有他的味道，她仓促地跑出都是呼吸声的客厅，跑出前门，吐在了盛托瑞利–温斯坦太太的绣球花丛上。

只要没有感觉地胡搞，就不代表什么……所以，还有感觉，就没资格胡搞。翠克西怀疑她是不是有问题，她无法像丽芙儿那样冷静又漠然，好像这一切都无所谓。男人们真的想要那样吗？还是只是女孩们这样以为？

翠克西用颤抖的手抹了抹嘴，坐到前门的台阶上，远处有关车门的声音。她听到每晚魂牵梦萦的声音："好啦，摩斯。她是个菜鸟。今晚就及时行乐吧？"

翠克西盯着人行道，她看见了杰森，路灯的光晕环绕着他。他和摩斯正朝丽芙儿家的前门走来。

她转过身，从口袋里拿出口红，重新涂了一层。嘴唇在夜色中闪闪发亮。感觉像蜡，像面具，像所有这一切没有一样是真的。

劳拉打电话来说，她既然在学校了，就继续待在那里批改作业。她可能要在办公室过夜。

你也可以在家里工作，丹尼尔说。其实他想说，你为什么听起来像哭过？

不了，我在学校可以改更多作业，劳拉回答。其实她想说，拜托别问了。

我爱你，丹尼尔说。可劳拉没有回应。

当另一半不见了，床也变了。床的另一半就是空的，一个无限巨大的黑洞。你不能滚得太近，否则会掉入记忆的深渊。丹尼尔躺在床上，被子拉到下巴。电视屏幕依旧发着绿光。

他一直相信，在和劳拉的婚姻里如果有人会背叛，那应该是他自己。劳拉从不会恣意妄为，她甚至从未收到过一张该死的交通罚单。

但他却有很长的不当行为史，如果他当时没有爱上她，他大多最终锒铛入狱了。他本来以为，隐藏背叛，就像塞在衣服里或者袖口上的皱褶，就像一个知道它的存在的瑕疵，可还是可以藏起来避人耳目。然而，背叛有它自己的味道，即使劳拉刚刚洗完澡，它仍附着在她的皮肤上。丹尼尔过了很久才发现那强烈的柠檬香味代表着什么：一个迟来的、没有想到的秘密。

几天前吃晚饭的时候，翠克西念了一题心理学作业里的逻辑问答：一个女人在她妈妈的葬礼上遇到一个男人而一见钟情，但因为是妈妈的葬礼，她忘了问他的电话号码，之后就找不到他了。几天后，她杀了自己的妹妹。为什么？

劳拉猜妹妹可能和那个男人有染。丹尼尔猜可能和遗产继承有关。恭喜，翠克西说，你们两个都不是精神病患者。她谋杀她妹妹是因为，她希望那个家伙也会来参加妹妹的葬礼。大部分连环杀手都猜对了。

那天晚上他躺在床上，劳拉在他身边睡熟了，丹尼尔想到了一个不同的解释。根据翠克西说的，那个在葬礼里的女人恋爱了。爱，像任何催化剂一样，会改变均衡状态。因为爱，一个人可能做出疯狂的事。因为爱，所有对与错之间的界线就会消失。

凌晨两点半，翠克西还在虚张声势。

现在派对已至尾声。只剩四个人还在：丽芙儿、摩斯、翠克西和杰森。翠克西不想玩“彩虹”游戏，她在厨房和摩斯与杰森玩“硬币”游戏①。丽芙儿发现翠克西在那里，就生气地把她拉到一旁。翠

① 一种喝酒游戏。玩家在桌上将二十五分硬币拍得跳进小酒杯算赢，否则罚酒。

克西干吗装得那么贞洁古板？她今晚的目的不就是为了逼杰森嫉妒吗？于是翠克西走回摩斯和杰森那里，建议大家玩“脱衣扑克牌”游戏。

他们玩了好一会儿，到了关键的一局。杰森早就退出这局了，他靠着墙站着，双手在胸前交叉，看着这一局的走向。

丽芙儿欢欣鼓舞地摆出牌：两对，一对三，一对勾。坐在她对面沙发上的摩斯轻敲着自己的牌，得意地笑：“我有顺子。”

丽芙儿已经脱掉了鞋子、袜子和长裤。她站起来脱运动衫。她穿着胸罩走向摩斯，拿她的运动衫绕着他的脖子，然后慢慢地吻他，慢到他脸上白皙的肌肤变成了粉红。

当她回座时，瞄了眼翠克西，好像在说，你就该这么做。

“洗牌作弊，”摩斯说，“我要看她是不是真正的金发女郎。”

丽芙儿转向翠克西说：“洗牌作弊。我要看他是不是真正的男人。”

“嘿，翠克西，你呢？”摩斯问。

翠克西转着头，她可以感觉到杰森的目光。或许这正是她该使出杀手锏的时候。她看向丽芙儿，希望她给她个暗号，可丽芙儿正忙着吸引摩斯的注意力。

喔，上帝，好聪明的计策。

如果努力整个晚上的目的是要引起杰森嫉妒，最保险的办法当然就是对他最好的朋友下手。

翠克西站起来，跌到摩斯的腿上。他的双臂环抱她，她的扑克牌掉到沙发桌上：红心2、方块6、梅花12、梅花3、黑桃8。摩斯开始大笑着说：“翠克西，这是我见过最烂的牌。”

“是啊，翠克西。”丽芙儿瞪着她说，“你自找的。”

翠克西盯着她看。丽芙儿知道她的用意的，不是吗？丽芙儿应该了解，她和摩斯调情只是为了令杰森嫉妒。可在她用心灵感应向丽芙儿传递这个信息的时候，摩斯就拉下了她胸罩的肩带。“我想你输了。”他笑着说，看她准备脱下身上的哪一件东西。

翠克西身上只剩下黑色的胸罩、绑伤口的绷带和低腰牛仔裤了——那条她没法穿内裤的超低腰牛仔裤。她不打算脱下现在身上的任何一件。她之前想着输了可以摘下耳环。她抬起左手摸耳垂，这才发现她忘了戴耳环。她将金色的圆圈耳环留在了房间的梳妆台上。

翠克西已经拿掉了手表、项链、发夹。她甚至剪断了有流苏的脚环。她紧张得发热，从光着的肩膀一路红到脸上。“我退出。”她说。

“你不能输了才退出。”摩斯说，“得按规矩来。”

杰森不再靠着墙，走了过来：“摩斯，饶了她吧。”

“我想，她也想刺激一点……”

“我退出。”翠克西说，她的声音有着如履薄冰的恐慌。她双手在她胸前交叉。她的心跳得剧烈得快要跃进她手掌。这似乎比玩“彩虹”游戏还糟糕，因为她没法匿名。她如果表现得像个骚货，大家都知道她是谁。

“我来帮她脱好了。”丽芙儿靠向摩斯说。

那一刻，翠克西看向杰森，想起她来丽芙儿家的目的。如果这样能使得他回心转意，她想，那就值得的。“我自己来，”她说，“等一下。”

她转身背对他们三个，把胸罩的肩带从手臂上脱了下来，她的乳房解放了。她做了个深呼吸，转过身。

杰森看着地上。摩斯拿高了手机，在翠克西反应过来之前，他已经拍下了她的照片。

她扣好胸罩，扑向手机：“给我！”

他把它塞进裤子里：“来拿呀，宝贝。”

翠克西突然被拖离了摩斯。杰森的拳头重重地击向摩斯，那声音令她害怕。“天哪，别打了！”摩斯叫道，“你说你跟她玩完了。”

翠克西抓起上衣，真希望它的料子是像棉绒或毛呢那样不透明，可以遮住她。她把衣服抱在胸前，跑进走廊尽头的浴室。丽芙儿跟她进去，关上门。

翠克西颤抖着穿进上衣的袖子：“叫他们回家。”

“可才刚开始变得有趣呢。”丽芙儿说。

翠克西错愕地抬头看她：“什么？”

“哎哟，看在上帝的份上，翠克西。就算他拍了照，也没什么大不了。不过是个玩笑。”

“你为什么站在他那边？”

“你为什么这么混蛋？”

翠克西感觉她的双颊发热：“这是你的主意。你说我如果照你说的去做，我就能挽回杰森。”

“对啊，”丽芙儿回嘴，“那你干吗挑逗摩斯？”

翠克西想到丽芙儿背包上的回形针。她对那些她勾搭上的“不在乎”的男人或许并不那么“不在乎”，尽管你这样告诉自己，告诉最好的朋友。

敲门声响起，摩斯推开了门。他的嘴唇划开了，左眼也留下了挨揍的痕迹。“喔，天哪。”丽芙儿叫道，“看他是怎么对待你的。”

摩斯耸耸肩：“他抢球的时候更过分。”

“你得躺下来。”她说，“最好是跟我一起躺。”她拉着摩斯离开浴室上楼去，没有回头看。

翠克西坐到马桶盖上，双手遮脸。远处有人关掉了音乐。她的太阳穴在抽痛，她之前割伤的手臂也在痛。她的喉咙干得像皮革。她伸手拿放在洗手台那里半空的可乐罐，把它喝完了。她想回家。

“嘿。”

翠克西抬头看到杰森在看着她：“我以为你走了。”

“我想确定你没事。你要搭便车吗？”

翠克西抹了抹眼睛，糊了的睫毛膏落在了掌根。她跟爸爸说她今天晚上会在丽芙儿家过夜，可那是在她跟丽芙儿吵架之前。“那太好了。”她说。然后她开始哭。

他拉她站起来，搂进怀里。今晚发生了那么多事情后，她觉得自己好蠢，她只想找个适合她窝着的地方。此刻的杰森正合适，他皮肤的温度，他们一致的心跳，一切都恰恰好。她把头埋进他的颈窝，将唇印留在他的锁骨上：这像是个吻，但又不全是。

她努力思考，然后抬起头看着他。她要自己记住摩斯说的：你说你跟她玩完了。

杰森吻她。他的吻犹豫不决，尝起来有朗姆酒的味道。她回吻他，直到屋子在旋转，直到她不记得过了多久。她想永远活在这一刻。她想要世界围着他们生长，犹如一片肥沃的泥土上只有紫罗兰开放。

翠克西把额头搁在杰森身上。“我不用马上回家。”她说。

丹尼尔梦到了地狱。那里有冰湖和连绵的冰原。有只狗被绑在铁棍上，它的鼻子伸进一碟鱼汤里。有个雪融了的土丘，地面上露出糖果包装纸、空的百事可乐罐和一个坏掉的玩具。他听到篮球在光滑的木板路上拍击的沉闷声音，和盖在雪地摩托车座位上的绿色防水布在风中拍打发出的啪啪声。一轮明月悬在夜空中，像一个醉汉不愿离开酒吧里最好的位置一样迟迟不愿离去。

突然，他听到一声撞击，醒来发现自己还是一个人，躺在床上。凌晨三点三十二分。他走到门廊，打开灯。“劳拉，”他叫道，“是你吗？”

他光着脚站在木质地板上，感到寒冷。楼下似乎没什么不寻常，但他走到厨房时，几乎感到有人入侵了。过去的警戒心回来了，唤醒了肌肉对打架的记忆，一段他以为自己早已忘记的过去。

地下室没有人，洗手间没有人，饭厅也没有。电话还在客厅它原来的位置上。但前厅里的东西让他知道，是翠克西提早回家了：她的外套在这里，脱下来的靴子丢在瓷砖地上。

“翠克西？”他叫着，朝楼上走去。

可她不在卧室，他到了浴室，门锁着。丹尼尔敲了敲门，没有回应。他用尽全力撞门，门撞开了。

翠克西在颤抖，整个人缩在墙角。“宝贝。”他说着单膝跪下来，“你病了吗？”翠克西慢慢地转头看他，好像他是她最不想见到的人。她眼神空洞，眼睛周围睫毛膏晕开了。她穿着黑色透明的薄上衣，从肩膀处被撕开了。

“喔，爸爸。”她叫着开始哭泣。

“翠克西，出了什么事？”

她张开嘴巴要说话，又抿紧嘴唇摇摇头。

“你可以告诉我。”丹尼尔说。他将她拥进怀里，好像她又回到了小时候。

她的双手缠在一起，好似一颗破碎的心。“爸爸，”她耳语，“他强奸了我。”

变形是一件很有意思的事。
啪
我们从来不确定我们会变成什么……甚至为什么要变形也搞不清。
但有一天，我们看着自己，怀疑自己到底是谁，不明白我们怎么会变成这样了。
关于变形，只有一件事是不变的……
是什什什么？
毁毁毁灭吧！
……变形的过程是非常痛苦的。

嗷嗷嗷
嗞嗞嗞

就像开始一样突然，变形完成了。
崔西……宝贝……你在哪里？
—?!
你是谁？我在哪里？该死的，说！
呃……我是维吉尔……唉……唷……很……高兴……认识……你。
对不起，维吉尔。我以为你是那些……东西的同伙。我是……
……邓肯。我知道，我知道你女儿的事。
你怎么知道我的名字？我女儿现在在哪里？
呃……消息……在地狱……总是传得很快……
地狱？那个恶魔也是这么说的。我以为……那是个隐喻。
地狱里没有隐喻，只有明喻。
这一切都太混乱了。
没错。

没有多少时间了。我们得赶快……去找你女儿，你必须信任我。拿着。
我不信任他。可是我一定得找到崔西，我对这里完全陌生。我没有选择。
不要怕。这是一件尼布隆斗篷，它会让你变回原形。
它还能保暖。地狱里常常很冷。
这很好笑吗？
地狱里没有好笑的事情。只有嘲讽。
我们要离开第一层地狱了。在那里和你对打的恶魔是不信上帝的人的灵魂，他们注定要永远待在这里，做虚无缥缈的影子。
我觉得你女儿在撒旦手里，在第九层地狱——地狱的最后一层。我也说不上来为什么我这样觉得。我们俩可能在找到她之前就已经死了。
路途凶险。地狱共有九层，越往下走越恐怖。
你先走。
啊，谢谢。

2

翠克西回吻他。她睡着了一会儿，醒来时他倾身在她身上，唇抵着她脖子。她感到被他触到的肌肤在发烫。

她将自己拉回现实。爸爸伸手去转仪表盘上的暖气控制钮：“你热吗？”

翠克西摇头。“不，”她说，“还好。”可是并不好，不会好了，不可能会好了。

丹尼尔又转动了下控制钮。这是场咬住每个父母的脖子的噩梦。*你的孩子受伤了，你能在多短的时间内让他好受一点？*

要是你不能呢？

他在浴室里从身心俱疲的翠克西嘴里听到了那个名字，那个名字现在一直盘踞在他脑中。

他是谁？

杰森。杰森·安德希尔。

在龙卷风般的狂怒中，丹尼尔抓起离手边最近的东西——香皂盒——用力丢向浴室的镜子。翠克西开始尖叫、发抖、歇斯底里，他花了五分钟才使她平静下来。他不知道这样脾气发作谁会比较震惊：从来没有见过他这个样子的翠克西，还是忘了还有这一面的自己。从那之后，他问女儿问题的时候小心多了。不是他不想跟她细谈，他只是怕听到答案，还更怕自己会再度发飙吓到她。他从来没学过如何这么做。它超越安慰，超越父母对孩子的教导。它意味着他必须把他现在感受到的，足以吐出火来摧毁车子挡风玻璃的愤怒，转换成无形的镇痛药膏般的安慰话语，涂抹在她太大的以至于已经看不见的伤口上。

突然，丹尼尔猛地踩下刹车。他们前面载原木的卡车在公路上双车道的中间蛇行。“他这样会害死人的。”丹尼尔说。翠克西想，那就害死我吧。她的腰部以下没有感觉，像一条在冰柜里的美人鱼：“妈妈会跟我们在医院见面吗？”

“希望如此，宝贝。”

爸爸把她用毛毯包起来轻摇，告诉她他们要去医院时，翠克西还在轻声哭着要找妈妈。爸爸告诉她妈妈不在家。“但这是半夜三点半，”翠克西说，“她去哪里了？”一瞬间，痛苦从翠克西那儿，到了丹尼尔那儿。他转身去给她拿毯子，那时翠克西才明白，她不是今晚唯一受伤的人。

卡车突然切到左边，后门保险杆上的贴纸印着：我做得怎么样？还有一个免费投诉热线，鼓励发现卡车莽撞驾驶的人致电举报。丹尼尔想：*我做得很好，我很强壮，完整无缺，但坐在我身边的，世界上我最爱的人，已经千疮百孔了。*

爸爸加速超过前面的卡车时，翠克西看到旁边的卡车司机猛按喇叭。在这静谧的清晨时分，喇叭声响得似乎能把天空震裂成两半。她掩住耳朵，可是即使那样她还是能听到，像是发自她体内的尖叫。

穿回右边车道，丹尼尔的目光越过座位瞄了翠克西一眼。她蜷成一团，脸色苍白。她把双手藏在袖子里。丹尼尔想她一定都不知道自己在哭。

她忘了穿外套，丹尼尔觉得这是他的错。他应该提醒她，应该带一件他自己的外套来。

翠克西可以感受到爸爸担心的分量。谁会想到那些你从未想过会说出口的话竟如此沉重？她忽然想起十一岁的时候，她打破了一个吹制的玻璃糖果盘工艺品，那是妈妈的祖母留下的传家宝。她把所有的碎片天衣无缝地黏在一起，可还是没瞒过妈妈。现在，她想自己就是那个黏回去的糖果盘。

丹尼尔想，如果这是个寻常的日子，现在他差不多该叫翠克西起床，准备上学了。她如果在浴室里花太多时间弄头发，他会叫喊着催促她，说她快迟到了。他会在餐桌上帮她放好装麦片的碗，然后她自己倒入“生活牌”麦片。

从那件事情结束那一刻，到她进入自己的家，翠克西只在她踏出车门时说了两个字，**谢谢**。

丹尼尔从后视镜看着逐渐变小的载原木卡车。危险总以不同的面目，在人生不同的时间点出现。葡萄、弹珠或其他东西，可能会导致噎死。树太高了，爬上去可能会跌下来摔死。火柴、摩托车和放在厨房桌上的菜刀，都有危险性。丹尼尔一直在担心翠克西能够开车的那天。他可以教她这地球上最安全的驾驶方式，可他依旧不能担保三天没睡觉的傻瓜卡车司机不闯红灯。他不能阻止酒鬼在上路回家前再喝一杯。

翠克西从副驾驶座看出去，窗外的景色不断地流动，没有任何一个画面留下了印象。她忍不住想：如果她没有回吻他，这件事是不是就不会发生了？

劳拉的办公室不过是个像壁橱那么大的房间，电话已经响了十声了，可丹尼尔似乎不愿意挂断电话。他试过所有地方了。劳拉没有接办公室的电话；她不在家；她的手机自动转到语音留言。她故意失联。

丹尼尔以前会自己帮她找借口，可是为了翠克西，他不能再帮她编造借口了。因为生平第一次，他不认为他可以提供女儿需要的一切。

他大声骂完粗话，再打到劳拉的办公室留言："我是丹尼尔。现在是清晨四点。我把翠克西送进了史提芬斯纪念医院的急诊室。她……她昨晚被强奸了。"他迟疑了下说，"请你过来。"

翠克西很想知道枪伤的感觉是不是就像这样。当子弹射穿肌肉和骨头后，你是不是也会超然地低下头看看自己，评估损伤的程度，好像中枪的人不是你，而是某个受邀给出评价的人。她怀疑麻木是不是有资格成为一种慢性疼痛。

坐在这里，等爸爸从厕所回来。翠克西给周围发生的事情分类：护士的白鞋走过的吱吱声；一台应急小推车急促地滚过亚麻油地板上发出的喀啦喀啦声；水绿色的炉渣砖墙；指定坐在这里等待的变形虫形状的椅子；亚麻布、金属和恐惧的味道；做验伤分类的护士背后的圣诞花环、长筒袜和金属病历匣旁的圣诞树装饰。翠克西看着所有这些东西，她吸收它们。她决定努力去感觉，来弥补她几个小时前那失去知觉的三十分钟。

她知道，她已经把她的生命划分为，这个事件发生前和发生后。

嗨，我是劳拉·史东，她的声音说，*请留言，我稍后回电*。

留下我。

我稍后回来。

丹尼尔再次挂断，走回医院里。医院里禁止打手机。他回到等候区，翠克西不见了。他走近验伤分类护士："我女儿去了哪一间？翠克西·史东？”

护士抬头看他：“对不起，史东先生。我知道她是优先患者，可是我们人手不足，而且……”

“她还没有被叫进去？”丹尼尔说，“那她在哪里？”他知道他不该让她独处，他甚至知道，刚才他问她自己一个人在那儿一会儿没关系吧？她对他点头，但她其实根本没把他的话听进去。离开U形桌，他推开急诊室的双开门，喊翠克西的名字。

“先生，”护士站起来说，“你不能进去！”

“翠克西？”丹尼尔喊道，病人们都从帘子后的私人隔间盯着他，他们要么脸色苍白，要么流着血，相当虚弱。“翠克西！”

一个护工来抓他的手臂，他把那个粗壮的男人甩开。他走过转角，撞到一个穿着白得像鬼的袍子的住院医师身上，然后发现自己无路可走了。他转过身继续叫翠克西的名字，然后，他听到了翠克西叫他的声音。

他循声走进迷宫般的走廊，终于看到了她。“我在这里。”他说，她看到他，泪水夺眶而出。

“我迷路了，”她在他的怀里哭，“我不能呼吸。他们都盯着我看。”

“他们是谁？”

“候诊室里所有的人。他们都在猜我有什么毛病。”

丹尼尔握起她的双手：“你没有毛病。”他心疼得像裂了开来。

一个浓妆艳抹的女人靠近他们。“翠克西·史东？”她说，“我是贾尼丝，性侵害顾问。由我来回答你和你的家人的问题，帮助你们了解接下来的事。”

丹尼尔无法透过浓妆看清这个女人。如果这个女人是来为翠克西服务的，她浪费了多少时间在粘假睫毛、抹艳丽腮红上？她本来多快就可以赶到？

“我先说重点，”贾尼丝看着翠克西说，“这不是你的错。”

翠克西瞅着她：“你根本还不知道发生了什么事。”

“我知道任何人都不该被强奸，不管她是谁或她做了什么。”贾尼丝说，“你洗过澡了吗？”

丹尼尔不明白她为什么会问这个问题。翠克西还穿着被撕破的上衣，眼睛下面有浣熊般的睫毛膏污渍。她想洗澡——那就是为什么丹尼尔会在浴室找到她——可是丹尼尔知道不能让她那么做。证据，这个词像一条鲨鱼一样蹿进他的脑袋。

“要报警吗？”丹尼尔吃惊地发现是他在问这句话。

贾尼丝转向他说：“任何性侵案件，医院都会自发报警。”她说，“至于翠克西要不要起诉，则由她自己决定。”

她会对那个狗娘养的浑小子起诉，丹尼尔想，*她不愿意我也必须说服她。*

他紧接着想：如果我强迫翠克西做她不想做的事，那我和杰森·安德希尔有什么两样？

贾尼丝简要地讲了接下来要做的检查，翠克西摇头，双手抱住自己。“我改变主意了。”她声如蚊蝇地说，“我要回家。”

“翠克西，你必须看医生。我会全程陪着你。”她转头问丹尼尔，“有没有史东太太……？”

这问题好极了，丹尼尔想，“她在路上了。”他说。现在这句话或许不是谎言。

翠克西抓他的手臂：“我爸爸呢？他可以陪我进去吗？”

贾尼丝看看丹尼尔，再看看翠克西，然后看回丹尼尔。“是骨盆腔内诊。”她含蓄地说。

上一次丹尼尔看到翠克西的裸体，是她十一岁的时候，她正准备洗泡泡澡。他走进浴室，以为她只是在刷牙，他们同时愣住了，盯着镜子里她正在发育的身体看。在那以后，他会小心地敲门，如同在她周围拉上隐形帘子一样保持距离，给她隐私。

他小时候住在阿拉斯加，常遇到只因为他是个kass'aq（白人）就讨厌他的尤皮克族爱斯基摩人。不管他还只是个六七岁的孩子，不管他从未骗走他们的土地、工作失职或做其他令他们不满的事。他们只是看到丹尼尔是个白人，联想这个他们痛恨的种族，他便成了磁铁，吸引他们的愤怒。他现在想象着，身为一个性侵检查室里唯一的男性会是什么样子。

“拜托，爸爸。”

翠克西的眼神透着恐惧，她知道即使现在有贾尼丝陪着她，她也会孤单，贾尼丝毕竟是陌生人，她不要再冒这个险。丹尼尔做了个深呼吸，走在翠克西和贾尼丝之间，朝走廊去了。进入诊疗室，他扶翠克西爬上一张轮床。医师立刻就进来了，她是个娇小的女人，穿着刷手衣和白袍子。“你好，翠克西。”她说。她有点惊讶看到丹尼尔，一个父亲，而不是母亲，但她没说什么。她直接走向翠克西，捏捏她的手。“你已经非常勇敢。我对你要求的只是继续保持。”

她递了一张表格给丹尼尔，请他签名，解释说因为翠克西未成年，家长或监护人必须授权医师采集信息。她量翠克西的血压和脉搏，在病历板上做记录。然后开始问翠克西一连串问题。

地址？

你几岁？

性侵是哪一天发生？大约几点？

加害者的性别？加害者的人数？

丹尼尔感觉衣领下冒出一层汗。

被性侵后你有没有冲洗、洗澡、排尿或排便？

被性侵后你有没有呕吐、进食或进水、换衣服或刷牙？

他看着翠克西对这些问题都摇了摇头。她每次回应前，都先瞥丹尼尔一眼，仿佛他的眼睛里有答案。

你在过去五天内是否曾有双方情愿的性交？

翠克西僵住，这次她的目光避开了他的审视。她咕哝了一句。

“对不起，”医师说，“我没听到。”

“这是第一次。”翠克西重复道。

丹尼尔感觉诊疗室膨胀、膨胀，然后爆炸了。他依稀知道他自己退了出去，看着翠克西的脸渐渐模糊，她白皙的椭圆的脸边上还在流血。他试了两次才转开门把。

他一拳打在外面的砖墙上。他流着泪一次又一次地猛捶墙上的水泥，直到一位护士领他走开，清洗从指节流出来的血，再用绷带把他受伤的手掌包扎起来。他任护士摆布，突然明白翠克西不是唯一受伤的人。

翠克西不在诊疗室。她的身体可能在，可她的灵魂飘着，盘旋在天花板上的左上角，看着医生和一个女人，在帮助一个可怜、伤心、崩溃的女孩。

她不知道他们是否知道，眼前的病人只是个躯壳，像一个被蜗牛遗弃的壳，那个壳已经不适合她了。本以为上过医学院的人，能够用听诊器听出病人的身体里是空的。翠克西看着自己僵硬笨拙地站到一片白色的纸上面。她听到罗斯医生要求她把衣服脱下来，对她解释，衣服上可能有警方用得上的证据。她听见自己说："我可以拿回来吗？"

"恐怕不能。"医生回答。

"你爸爸会回家帮你拿替换的衣服。"贾尼丝补充说。

翠克西低头看着妈妈的透明上衣。*她会杀了我*，翠克西想，然后她差点笑了出来。妈妈得知出了什么事时，还真的会注意到这件古怪的上衣吗？翠克西缓慢地、机械地把衣服脱下来。她突然想到手腕上的绷带。已经来不及了。

"这是怎么回事？"罗斯医生问，她轻柔地碰了碰固定绷带的金属别针。

翠克西慌了。医生如果知道她割自己的手腕会怎么说？她会被丢进精神病院吗？

"翠克西，"罗斯医生说，"是瘀伤吗？"

她低头看她的脚："算割伤。"

医生开始拆她左手腕的绷带，翠克西没有反抗。她想象在精神病院里会是什么样子。在那件事情发生后，与真实世界隔离，用很多药，或许不是一件坏事。

罗斯医生戴着手套轻抚过伤口，伤口新得翠克西可以看到皮肤还皱在一起："他用刀了？"

翠克西眨了眨眼睛。她的灵魂还没回来，她花了好一会儿才明白医生在暗示什么，她又花了好一会儿才想到，这也是个不错的解释。

"不……不是的。"翠克西说，"我想是我在反抗的时候，他抓伤了我。"

罗斯医生在夹板上写下几个字，翠克西继续脱衣服。她脱下牛仔裤，穿着胸罩和内裤在发抖。"事情发生的时候，你穿着这套内衣吗？”医生问。

翠克西摇头。她事后发现自己在流血，才穿上内裤，垫上厚卫生巾的。“我那时没穿内裤。”翠克西呢喃。她立即发现她听起来多么像个淫荡的女人。她看着地上透明的上衣。这会是起因吗？

“低腰牛仔裤。”贾尼丝同情地说。翠克西点头，感激不用她解释。

翠克西觉得她从未如此疲倦过。诊疗室的四周似乎在流动，就像一只煎得半生不熟的早餐蛋。贾尼丝递给她一件供病患穿的后开式罩衫，她的背依然裸着。“你可以坐下来了。”罗斯医生说。

接下来是采血。就像他们八年级上科学课的时候一样，分组分析自己的血型。那时候翠克西看到血差点晕倒，她的老师送她去护士那里，给她用纸袋呼吸了半个小时，她觉得很没面子，还打电话跟爸爸说她病了，即使她其实已经觉得好多了。她和爸爸玩大富翁游戏，翠克西像平常一样，买下“公园广场街”和“木板路”，盖饭店打败爸爸。

不过这一次，翠克西的灵魂从天花板上俯瞰自己，针头刺了进去，她没感觉到痛，也没有眩晕，当然，因为这已经不是她了。

罗斯医生关掉诊疗室的灯，贾尼丝上前说：“医生现在会打开一种特别的灯，是检验灯。你不会有感觉的。”

即使是一千根针，翠克西知道她还是会没感觉。然而，这种像太阳灯一样的东西竟令她毛骨悚然。它正发出紫外光，翠克西看着自己赤裸的身体，上面出现了紫色线条和斑点。罗斯医生用一根沾湿的长棉花棒，轻触她肩膀上的一个斑点。然后把棉花棒放在工作台上晾干，再放进一个袋子里。她在上面写道：*右肩可疑唾液*。

医生用棉花棒从翠克西口腔和舌头上采集唾液。她轻轻地梳翠克西的头发，让落发掉到一张纸巾上，再包起来。罗斯医生在翠克西身下铺另一张纸巾，用另一把梳子梳她的阴毛。翠克西转头不再看了——太难为情了。“快好了。”贾尼丝轻声说。

罗斯医生从诊疗台的末端拉来一对脚架。“翠克西，你看过妇产科医生吗？”她问。

翠克西预约了明年二月，是妈妈的妇科医生。只是做健康检查，妈妈跟她保证。那没关系，因为翠克西不打算公开谈论她的性生活，尤其不想跟她妈妈谈。而且事实上，几个月前预约挂号时，翠克西还没跟男生亲吻过。

“你会感到有点压力。”罗斯医生说。她打开翠克西的双腿放到脚架上。她现在像暴露着下体的人形折纸。

一瞬间，翠克西感觉她那离开了身体的灵魂从天花板那里往下沉，深深地扎进了她疲惫的身体。她感觉到贾尼丝的手轻抚她手臂，感觉到医生的橡皮手套迫使她的心撕裂开来。从她进医院后，她第一次完全地、强烈地意识到她是谁，她在被如何对待。

冰冷的金属刮着她的下体。她的身体挣扎着要把阴部扩张器弄出去。翠克西蹬着脚，但她的大腿被按住，她感觉到了痛和暴力：*你把我分裂成两半了*。

“翠克西，”贾尼丝急切地说，“翠克西，亲爱的，不要动。没关系的，是医生在检查。”

门突然打开，翠克西看到了妈妈坚定得像头狮子一样的眼神。“翠克西。”劳拉说，她一字一顿地叫女儿的名字。

翠克西宁愿她现在没有感觉。唯一比什么都感觉不到更糟糕的事是，什么都感觉得到。她开始无法控制地颤抖，像一个原子承受不住自己的重量要分裂了：然后她发现自己窝在妈妈的怀抱里，她们的心贴在一起猛烈地跳动着。医师和贾尼丝给她们一点私下的时间。

“你去哪里了？”翠克西哭着说。那是问题，也是控诉。她大哭起来，几乎无法呼吸。

劳拉轻抚翠克西的颈背、头发，环抱着翠克西的身体。“我应该在家的。”她说，“对不起，对不起。”

翠克西不确定她妈妈是在道歉，还是只是意识到了自己的过错。她应该在家的。或许那样的话翠克西就没有机会骗她说要去丽芙儿家过夜，或者偷那件半透明的上衣。或许她昨天晚上就会睡在自己的床上。或许最糟糕的伤害会是另一道剃刀割痕，一道自残的伤口。

翠克西很惊讶自己会那么愤怒。或许这些都不是妈妈的错，可是翠克西假装就是。因为妈妈应该要保护她的孩子。因为如果翠克西生气了，她就不会那么害怕了。因为如果是妈妈的错，那么就不是她的错了。

劳拉将翠克西抱得非常紧，想让她们之间没有怀疑的空间。“我们会度过这一切的。”她保证。

“我知道。”翠克西回答。

她们都在说谎，翠克西想。或许现在是必须说谎的时候。在灾难发生后，你最不应该去做的是，引爆另一颗炸弹；相反，你应该走过废墟，然后告诉自己看起来似乎没那么糟。翠克西咬着下唇。在今夜之后，她不能再做个孩子了。今夜之后，她的人生没有那么多地方可以留给诚实了。

丹尼尔很感激他有事可做。“她需要一套替换衣服。”贾尼丝对他说。他担心他会来不及赶回医院，但贾尼丝保证她们得在医院待上好一会儿。

但他还是尽快从医院开车回家。

等到他回到贝瑟尔，天已经大亮。他沿着冰球场开车，那里陆陆续续走出一群七八岁的小球员，每个都跟着一个家长，吃力地扛着一个超大的球具袋。丹尼尔经过一个穿着拖鞋的老人，他正出来拿报纸，小心地避开车道上的冰。丹尼尔绕过一辆停在路边的拖车，车主一定进树林去猎寻冬鹿了。

他之前匆忙离开家时没上锁。油烟机的灯还亮着——那是他昨晚本来为了晚归的劳拉开的灯。流泻进来的阳光照亮了整个厨房。丹尼尔关灯，然后朝楼上翠克西的房间走去。

几年前，她告诉他，她要像他画的漫画里的人一样会飞，他就给她画了一片天空。翠克西卧室的墙和天花板上都画着云朵，硬木地板也是缥缈的涡状卷云。不知为何，虽然翠克西长大了，她没有不喜欢这些壁画。它们似乎在告诉她，一个生机勃勃的女孩不会被墙限制。可现在，这些原本看起来非常自由的云，却使丹尼尔感觉他在坠落。他抓着家具稳住他自己，扶着床、梳妆台，蹒跚地走到衣橱前。

他试着回想翠克西喜欢在下雪的周末穿什么。通常他星期天唯一的日程安排是坐在沙发上看报纸还有打盹。对她的衣服，此刻他唯一能想到的是，昨晚他发现她时她穿着的衣服。翠克西和丽芙儿还是小孩子的时候，她们打开劳拉的化妆品抽屉，浓妆艳抹一番，看起来像波士顿红灯区最劣等的妓女，然后到楼下招摇过市。画蛇添足，劳拉当时说。他记得有一次，她们把嘴唇抹得苍白得像尸体，她们问劳拉她为什么有白色的口红。那不是口红，她笑着答，那是遮瑕膏，用来遮青春痘和黑眼圈，还有所有你不想让别人看到的东西。翠克西摇头不解：可你为什么不想让别人看到你的嘴唇呢？

丹尼尔打开衣柜的一个抽屉，拉出一件钟形袖的衣服，他觉得这小得只适合翠克西八岁的时候穿。她在公开场所穿过这件衣服吗？

他坐到地上，怀疑这一切是不是都是他的错。他禁止翠克西买一些衣服，像她昨晚穿的低腰裤，但事实上，她一定买了之后藏了起来不让他看到。流行杂志上模特儿穿着暴露的衣服，在丹尼尔看来，那些画面已形同色情照片。女人看到了，希望自己看起来像那样；男人看到了，希望女人看起来像那样。悲哀的是，那些模特儿大部分根本都还不是成熟女人，只是和翠克西年纪相仿的孩子。

女孩们可能穿着她认为性感的衣服去参加派对，而没有想过，如果一个男人也觉得她性感，代表了什么意思。

他觉得一个还抱着毛绒玩具睡觉的孩子，不可能同时穿着丁字裤。可现在丹尼尔觉得，在任何漫画家构想出《新变种人》里的模仿猫、《X战警》里的变形人、魔形女之前，青春期女孩早就会变形了。上一分钟你发现女儿拿走一块饼干烤板去后院当雪橇玩，下一分钟她就在网上和男孩聊天；上一分钟她倾身过来给你一个吻道晚安，下一分钟她告诉你她恨你，恨不得马上离家上大学；上一分钟她还在玩妈妈的化妆品，下一分钟她已经买了自己的。翠克西不停地在女孩和少女之间变来变去，轻易得让丹尼尔觉得那条界线模糊不清，难以辨认。他干脆放弃，不想再看清了。

他在翠克西的一个抽屉里面翻找，拉出一条宽松的羊毛裤和一件粉红色的长袖运动衫。他闭着眼睛在内衣抽屉里抓出一条内裤和一个胸罩。他匆匆赶回医院，想起他曾和翠克西玩的一个游戏。他们在缅因州的收费站前堵车时，努力想出每个英语字母开头的超能力。两栖、防弹、千里眼、预知危险、电磁力、会飞、夜光、热感应视力、无敌战斗。

跳过高楼间的空隙、超强韧皮肤、激光视力、心灵控制、长生不老、无所不知。

驭火术、超快反应、再生、超人力量、心电感应。

在水中呼吸、突然消失、控制天气、X光穿透力、声若洪钟。

零地心引力。

但没有一种能力可以使你的孩子不长大。如果一个超级英雄都做不到，一般人又怎么可能？

诊疗室外传来敲门声。“我是丹尼尔·史东。”劳拉听到他说。“我……呃……带了翠克西的衣服来。”

在贾尼丝走到门口前，劳拉就打开了门。丹尼尔头发蓬乱，脸上有胡茬，眼睛里透着风暴，那一刹那她仿佛看到了十五年前的他。

“你来了。”他说。

“我收到了手机留言。”她从他手里接过一包衣服，递给翠克西。“我出去一下跟爸爸说话。”劳拉说。贾尼丝上前站到了她的位置。

丹尼尔在门外等着。“是杰森干的吗？”她转向他，眼中冒火，“我要他被捕。我要他受罚。”

“排在我后面吧。”丹尼尔用手抹脸，“她还好吗？”

“快检查完了。”劳拉靠着旁边的墙，他们之间隔了半米不到。

“她还好吗？”丹尼尔再问一次。

“很幸运，医生说没有内伤。”

“她不是……她流血了。”

“只有一点点。现在血止住了。”劳拉抬眼看丹尼尔，“你没告诉我，她昨天晚上要去丽芙儿家过夜。”

“你出门后她才受到邀请。”

“你打电话给丽芙儿的妈妈……”

“没有。”丹尼尔打断她的话，“换成你也不会打。她都去过丽芙儿家一百次了。”他的目光闪烁，“劳拉，如果你要指责我什么，就说出来。”

“我没有指责你……”

“同住玻璃房子里的人不应该互相扔石头[①]。”丹尼尔轻声说。

“什么？”

他接近她，她退到角落里：“我打电话到你的办公室时，你为什么不接？”

劳拉脑中像冒泡泡一样涌出许多借口：*我在厕所。我吃了安眠药睡着了。我不小心电话没挂好。*“我不认为现在是说这些的时候……”她说。

“如果现在不是，”丹尼尔说，他的声音透着痛苦，“那你至少给我一个电话号码，让我可以联系到你，万一翠克西哪天又被强奸了。”

劳拉一动也不动地僵站着，既羞愧又生气。她想到了地狱的最深一层，越想挣扎，越想得到自由，就在冰湖里陷得越深，冻得越厉害。

“不好意思。”

劳拉感激有人分散了他们的注意力，她朝那个声音转过头去。一个高大、眼神忧郁、浅棕色头发的男人站在她后面，他可能听见了她跟丹尼尔说的每一句话：“对不起，我不是有意打搅。我找史东先生和史东太太。”

“我们就是。”劳拉说。*至少，名义上是。*

男人亮出警徽：“我是迈克·巴索雷米警官。我想跟你们的女儿谈一谈。”

---

① 谚语。暗喻自身有短，勿批他人。

丹尼尔只去过贝瑟尔警察局一次，那次是为了陪当时上二年级的翠克西，学校组织全班同学去那里学习。他记得挂在警局大厅的百衲被，上面缝了许多用小星星拼出来的“保护和服务”字样。他记得全体同学在建档室，笑着合拍了一张嫌犯档案的合照。他今天早上才见识到侦讯室——一间小小的、灰色的隔间，窗是向外反光的镜子，某个白痴承包商把它放置在后面，丹尼尔可以从里面看到走廊上来来往往的警察照镜子。

他专注地看着录音机的磁带转动，这比专心听翠克西说话更容易，她正详尽地描述昨晚的经过。她解释自己何时离开家，更换衣服，到丽芙儿家时，已经有一群冰球队员在场，到了深夜只剩下四个人。

翠克西的陈述只能由一位家长陪同。因为劳拉已经在医院陪她做过检查了，或者可能是因为丹尼尔在走廊上对她说的话，劳拉决定由丹尼尔陪翠克西进侦讯室。他进去后才知道，这比较像审讯，而不是保护。他得倾听翠克西述说令人难以忍受的细节，得坐得稳稳的，给她鼓励的微笑，告诉她做得很好。其实他真正想做的是抓起警官，问他在搞什么鬼，为什么到现在还没把杰森·安德希尔抓起来。

他怀疑，自己怎么会在短短一个小时内，倒转回了像上辈子，那种情绪冲到理智之前的人，而理智只不过是事后的附笔。他怀疑是不是所有爸爸都会这样：女儿长大，他们的理智便倒退了。

巴索雷米泡了杯咖啡。他拿了盒卫生纸进来，放在靠近翠克西的地方，以备不时之需。丹尼尔希望巴索雷米以前办过这种案子，他希望除了他至少还有人经历过这事。

“昨晚你喝了什么？”警官问翠克西。

她穿着丹尼尔带给她的粉红色运动衫和长裤，还有他的外套。

他回家时还是忘了带她的外套。“可乐，”翠克西说，“加了朗姆酒。”

“你有没有吸毒？”

她垂头看着桌子，摇摇头。

“翠克西，”警官说，“你必须说出来。”

“没有。”她回答。

“接下来发生了什么事？”

丹尼尔听翠克西在说话，但好像在说一个他不认识的女孩——跳贴身艳舞，玩脱衣扑克牌。她说到自己判断失误的事时，声音显得单调平板。“丽芙儿和摩斯上楼了，我以为大家都走了。我准备回家，可想先坐下来一会儿，因为头很痛。结果杰森没走。他说他想知道我是不是没事了。我开始哭。”

“为什么？”

她的脸扭曲了：“因为我们两个星期前分手了。再次和他亲近……很难过。”

丹尼尔突然抬头：“分手？”

翠克西转头看他，警官关掉录音机。“史东先生，”巴索雷米说，“我必须要求你保持沉默。”他点头示意翠克西继续说。

她的目光滑到桌下。“我们……我们后来接吻了。我想，我睡着了一会儿，因为当我醒来时，我们已经不在之前靠近浴室的地方……我们在客厅的地毯上。我不记得我们是怎么到那里的。就是那时候……他强奸了我。”

丹尼尔最后一次喝酒是在1991年，第二天他说服劳拉他是个值得她嫁的人，之后就再也没喝过酒。在那之前，他多次亲身经历、深切了解酩酊大醉之际是多么神志混沌，然后做出草率的决定。他早上在一间屋子里醒来，却想不起来自己是怎么到那里的。翠克西可能不记得她怎么到客厅的了，不过丹尼尔可以告诉她就是这么个过程。

巴索雷米警官严肃地看着翠克西。“我知道接下去要说的难以启齿，”他说，“但我需要你告诉我，你们两人之间具体发生了什么事。比如说，你们两个人有没有脱掉衣服。或者他抚摸你身体的哪一部分。你对他说了什么，他又对你说什么。像那样的事。”

翠克西来回拉着她身上那件丹尼尔的旧皮夹克的拉链。“他想要脱我的上衣，可我不想让他那么做。我告诉他这是丽芙儿家，我觉得不该在这里乱来。他说我伤了他的心。我听了后觉得心疼，所以我让他解开我胸罩的搭扣抚摸我……我的胸部。他一直吻我，那是我觉得舒服的，我想要的部分，可接着他把手伸进我的裤子里。我想把他的手拉出来，可他力气比我大得多。”翠克西咽了下口水，“他说：‘别告诉我你不想要。’”

丹尼尔抓紧桌子的边缘，用力到以为会把表面的塑料抓破。他深吸一口气进去，屏住。他在想所有可能杀掉杰森·安德希尔的方法。

“我想要逃脱，可是他的块头比我大得多，他把我推倒。那对他来说像个游戏。他把我的双手举高越过我头顶，拉下我的裤子。我要他停下来，但他没有。然后，”翠克西结结巴巴地说，“然后他用力进到我里面，强奸了我。”

丹尼尔想一枪毙了他，但那样太便宜他了。

“你曾有过性生活吗？”

翠克西瞄向丹尼尔。“没有。”她回答，“我开始尖叫，因为很痛。我想踢他，但那样更痛，所以我不再挣扎，等它结束。”

淹死，丹尼尔想。慢慢地，淹死在阴沟里。

“你的朋友听到你尖叫吗？”巴索雷米警官问。

“我想没有，”翠克西说，“有音乐，很大声。”

不……找一把生锈的刀。用力刺进去，开膛破肚。丹尼尔看过一篇报道说，一个男人眼看着自己感染了的内脏被细菌吃掉，撑了好几天。

“他用安全套了吗？”

翠克西摇头：“他结束之前就抽了出来。血溅到地毯还有我身上。他有点担心。他说他不是故意伤害我的。”

丹尼尔沉思着，他或许会对杰森·安德希尔做所有的这些事。两次。

“他起身，找来一卷纸巾，让我把自己擦干净。然后他从厨房的水槽下拿了地毯清洁剂，用力擦地毯上的血污。他说我们很幸运，没有毁了地毯。”

那翠克西呢？有什么神奇的溶剂可以擦去那个混蛋留给她的永久的污点？

“史东先生？”

丹尼尔眨了眨眼，意识到他刚才已经变成了别人——他许多年都没有再变成的那个人——而警官在对他说话。“抱歉。”

“我可以跟你到外面谈一下吗？”

他跟着巴索雷米走到警局的走廊。“听着，”警官说，“我见过这种事很多次。”

那对丹尼尔来说是个新闻。在他记忆中，在他们的小镇上，离上次发生强奸案至少超过十年，犯案的是一个搭便车旅行的家伙。

“很多女孩以为她们准备好了要发生性行为……可在发生后改变了主意。”

丹尼尔愣了一下才说得出话：“你是说……我女儿在说谎？”

“不是。不过我要你了解，即便翠克西愿意出庭作证，结果可能也不会是你希望的那样。”

“看在上帝的份上，她才十四岁。”丹尼尔说。

“现在更小的孩子都有性行为了。根据医生的检查报告，并没有明显内伤。”

“她受的伤害还不够吗？”

“我只是说，就一些细节看来——喝酒、脱衣扑克，她与杰森之前的关系——可能很难说服陪审团相信那是强奸。那个男孩会说是两情相悦。”

丹尼尔咬牙切齿：“如果一个谋杀嫌疑犯告诉你他是无辜的，你会就这样让他走开吗？”

“情况不太一样……”

“是不一样。因为谋杀犯的被害人死了，无法告诉你事实上发生了什么。但我女儿亲身见证，还告诉你她是怎么被强奸的，而你却他妈的不信她的话。”他打开侦讯室的门，看到翠克西头靠在手上，趴在桌子上休息。

“我们可以回家了吗？”她乏力地问。

“可以。”丹尼尔说，“警官如果还需要问别的，可以打电话给我们。”他的手臂轻轻地挽着翠克西，沿着走廊走了。半路上，丹尼尔转身面对巴索雷米。透过反光的窗户，他看到他们的脸，白色的椭圆形像鬼在盘旋。“你有孩子吗？”他问。

警官迟疑，然后摇头。

“我想也是。”丹尼尔说，他护着翠克西走出门。

在家里，劳拉为翠克西换上干净的床单。她从阁楼上的香柏木衣柜里找出一床法兰绒被，换掉翠克西常用的被子。她收拾丢在地板上的衣服，摆好床头柜上的书，试着将房间整理得不会让翠克西想起昨天。

离开房间前，劳拉走向一个架子，拿下一个麋鹿毛绒玩具，翠克西和它一起睡到了十岁，它有些地方的毛秃了，一只眼睛不见了，翠克西已经不再玩它了，但翠克西还是不忍心亲自把它丢进准备拿去当旧货卖的杂物堆里。劳拉把它端正地放在两个枕头中间，好像它可以轻易地把翠克西带回童年。

劳拉把脏衣服拿到楼下，丢进洗衣机里。她在等洗衣机注水时，不慎把肥皂水洒到了裙子上。那是她上班穿的昂贵的套装短裙。劳拉看着颜色从羊毛衣料上褪去，成了一滴泪珠似的斑驳。她骂了句脏话，然后试着控制损害，她抓着裙子边缘到水槽用水冲。没有用，她坐在哼哼转动的肯莫尔牌洗衣机前，哭了起来。

她忙着保守她自己的秘密，所以没有时间，没有想要去解开翠克西的秘密？假如她没和希斯约会，每天晚上待在家里呢？假如她那天考翠克西法语生词，或者泡一杯热巧克力去她房间，或者邀请她坐在沙发上，母女俩一起取笑情景喜剧里演员的发型呢？假如劳拉能让翠克西愿意待在家里呢？

她知道，从某种意义上来说，情况也未必会有变化。就算劳拉扮演了超级妈妈的角色，也不意味着翠克西就会扮演超级女儿：在她的年纪，妈妈的抚摸无法与男孩的手轻刷过她脊椎相提并论。劳拉强迫自己去想杰森·安德希尔的脸。他是个英俊的男孩——凌乱的黑发、蓝绿色的眼睛、运动员般的身材。每个住在贝瑟尔的人都认识他。连劳拉这种非冰球迷都看过杰森的名字在报纸的运动版上耀武扬威。当丹尼尔担心这个年长的男孩与翠克西约会时，劳拉叫他放松。她每天接触的是和杰森差不多年纪的大学生，她知道杰森是个吸引女孩们的帅哥。他聪明、礼貌，翠克西说杰森为她着迷。女儿的初恋对象如此优秀，还能奢求什么？

可现在，当她想到杰森·安德希尔，她想到的是，那对蓝眸可能多么有诱惑力，一个运动员是多么强壮。她开始扭曲她的想法，再像用螺丝深深钻进脑袋一样，固定住。

如果能把所有的过错归咎于杰森·安德希尔，那就不是劳拉的错了。

翠克西已经连着二十八个小时清醒着了。她眼睛灼痛，头好沉重，喉咙像盖着一层她一再复述事情经过留下的残渣。罗斯医生给她开了赞安诺镇定药，告诉她不管多累，她都很可能难以入睡，这种现象很正常。

她终于可以舒服地淋浴。她在浴室待了足以用掉整块香皂的时间。她努力冲洗下面，但还是无法洗净深入里面她依然感到肮脏的地方。医生说没有内伤，翠克西几乎想要求她再检查一遍。有一会儿，她怀疑整件事情是她在做梦，说不定根本没有真的发生过。

“嘿，”爸爸的头探进房门说，“你该睡觉了。”

翠克西拉开妈妈帮她新换的床罩，爬进被窝里。以前睡觉是一整天下来很高兴的事。她总是把她的安乐窝想象成云朵或者舒适的巢，在这里可以放下所有压力——那些为了表现得很酷、看起来完美、应对得体而累积的压力。可现在，它阴森得像个折磨人的装置，像个闭路电视，一闭上眼睛，就会一再回放发生了什么事。

妈妈把她的旧麋鹿玩具放在枕头上。翠克西把它紧紧地搂在怀里。“爸爸？”她问，“你可以帮我掖一下被子吗？”

他勉强微笑：“当然。”

翠克西还小的时候，爸爸总是留给她一个谜语伴她入睡，然后他会在第二天吃早餐时给她答案。什么东西你拿走越多它越大？洞。什么东西你买的时候它是黑的，用的时候是红的，丢掉的时候是灰的？木炭。

“能不能跟我聊一会儿？”翠克西问。

她不是真的想聊天。她是不想独自一个人在房间里，只有自己与自己做伴。

爸爸轻轻地把她的头发往后捋：“别告诉我你不累。”

别告诉我你不想要，杰森那时说。

她突然想起爸爸以前给她猜的一个睡前谜语：有一个问题，它的答案是“是的”，但表示的意思是否定的。这是什么问题？

谜底是：你介意吗？

她爸爸把她下巴下面的被子压低一点：“我会叫妈妈来跟你道晚安。”他向她保证，然后伸手要关灯。

“让它开着，”翠克西恐慌地说，“拜托。”

他停下动作，手悬在半空中。翠克西盯着灯泡，直到她什么都看不见了，只看得到大家说的那种，临死之前会看到的灿烂强光。

如果你问迈克·巴索雷米他最棘手的工作内容是什么，他会说告诉一个家长，他或她的孩子发生了车祸，自杀或吸毒过量。没有安慰的话可以减轻那种痛苦，乍听到消息的人会站在那里，盯着他，坚信他们听错了。第二棘手的工作，是跟强奸案的被害人接触。他倾听她们的证词，没法不为与他同性别的嫌犯感到愧疚。即使他可以搜集到足够的证据开庭审讯，即使嫌犯被定罪，也可以打赌，那个家伙不会蹲太久的监狱。在大多数案件里，强奸犯已服完刑期，被害人还在接受心理治疗。

不是干他这一行的人大多都不了解，一个被强奸的受害者，和遭受致命意外的受害者，在创伤后永远都和以前不一样了。两者的差别在于，强奸案受害者得经历还活着的折磨。

他爬上水果冰沙店的楼梯，来到他离婚后租的公寓，他曾发誓只在这里住六个月，可是结果六年来这里都是他的家。没有多少家具——迈克以为陈设越简陋，越容易激发他搬走。一张通常拉开来作床的沙发、一张豆袋椅和一台全年无休的电视机，他让它一直开着，好让俄妮丝汀在他上班时有声音可听。

“俄妮？”钥匙在钥匙洞里转动时他便喊道，“我回来了。”

她不在沙发床上，他今天早上接电话时把她留在那里的。迈克解开领带走向浴室。他拉开浴帘，发现她正腆着大肚子在浴缸里睡觉。“想我吗？”他问。

小猪张开一只眼睛，呼噜地叫着。

“你知道，我回家唯一的理由是带你去散步。”迈克说。可是小猪又睡着了。

他口袋里有一张逮捕令。翠克西的证词，加上精液证据，已有充分的理由可以逮捕杰森·安德希尔。他甚至知道那个男孩在哪里，就像镇上每个注意高中冰球队明星功绩的人都知道。可他必须先回家带俄妮出去。至少他是这么想的。

*你有孩子吗？*丹尼尔·史东那么问。

迈克关掉电视，沉默地坐了一会儿。他走到壁橱前，拿下一个硬纸箱。

纸箱里有个枕头，那是以前女儿床上的。他把它装进了一个非常大的证物袋里。他打开密封塑料袋的封口。几乎闻不到任何她的气味了，即使他那么小心地保存着。

俄妮突然跑来。她滑过地板，爬到迈克坐的沙发床上。她的鼻子探进塑料袋里，迈克怀疑她是否闻得到他闻不到的气味。小猪抬头看着迈克。

“我知道，”他说，“我也想念她。”

丹尼尔坐在厨房里，面前是一瓶雪利酒。他讨厌雪利酒，可是它是这间屋子里仅有的含酒精的饮料了。他已经灌了半瓶下去，那可是一大瓶，劳拉炒鸡肉的时候喜欢加点。不过，他没感觉喝醉，只感觉到挫败。

父亲是丹尼尔重新塑造自己的起点。当他想到做父亲，他仿佛看到一个婴儿的手张开来贴在他胸膛上，像星星一样；仿佛看到风筝和拉风筝的线之间的紧绷。现在他发现他没有尽到保护女儿的责任，他怀疑多年来他一直在自欺欺人，相信他真的改变了。

他以为他已经驱除了他魔鬼的那一面，结果发现他的本性只不过被丢弃在了浅浅的墓穴里。雪利酒照亮了他的路，丹尼尔看清楚了他的另一面。愤怒像蒸汽那样在蒸腾。

新的爸爸角色的丹尼尔，回答了警官的问题，相信警察会做他们该做的事，因为那是保障他孩子安全最好的方法。可是旧的丹尼尔……喔，他从来不会让任何人去完成属于他的工作。他要报复回击，踢打尖叫。

事实上，他以前就是这样。

劳拉走进厨房，丹尼尔站起来，穿上外套。她瞟一眼桌上的雪利酒，然后看着他：“你不喝酒的。”

丹尼尔凝视她。“我是有好些年不喝了。”他说。

“你要去哪里？”

他没有回答她的问题。他没必要向她解释。他没必要向任何人解释任何事。这不是报复，这是报应。

丹尼尔开门，匆匆走向卡车。杰森·安德希尔现在在镇上的溜冰场，正替换衣服，准备参加星期六下午的比赛。

劳拉应翠克西的要求，陪她到睡着。她下楼时刚巧看到丹尼尔走。他没有告诉她他要去哪里。更糟糕的是，劳拉也完全没把握阻止得了他。

圣经上的正义已经过时了，或者说我们就是这样被教育的。你不能砍断小偷的手，不能向谋杀犯丢石头直到砸死他。更进步的社会在法庭上行使正义。直到五个小时前，劳拉还拥护这种做法。审判可能比较文明，但不可能满足情绪。

她试着想象丹尼尔要是找到了杰森会怎么做，可她想不出来。丹尼尔已经不再是当年的他，他变得安静温和，她完全忘了以前附着在他身上的阴影，是那么的深，难以预测，吸引她靠近去看第二眼。去年圣诞节劳拉把翠克西的一只婴儿鞋挂到树上当装饰品的时候，她有同样的感觉：明知道女儿曾经小到能穿进那只鞋，可她脑中将那个画面与眼前的景象连结——已经长成少女的翠克西赤脚绕着圣诞树跳舞，身后是一串白色小灯。

她坐下来想看书，可同一页她就重读了四次。她打开电视，也不觉得里面的千篇一律的笑话有什么好笑。

过了一会儿，她发现自己坐在电脑前，在谷歌上搜索“强奸”这个词。

有1090万项符合“强奸”的查询结果，劳拉立刻感觉好了一点。这是数字的力量。她不是唯一面对这种情况的妈妈，翠克西也不是唯一的受害者。这个令人憎恶的词在网站上生根发芽，所有令人窒息的恶果像寄生藤那样垂了下来。

她开始明白：

每6个美国女人中就有一个曾被强奸或强奸未遂，那算起来有1770万人。

66%的强奸受害者认识她们的加害者。48%被朋友强奸。

20%的强奸案在朋友、邻居或亲戚家发生。

50%以上发生在离受害者的家不到一英里的地方。

80%的强奸受害者在30岁以下。16～19岁的女孩成为性侵犯受害者的可能性是一般人的4倍。

61%的强奸事件没有向警方报案。在已报警的强奸案中，逮捕到嫌犯的概率是50.8%。如果逮捕到嫌犯，被起诉的概率有80%。如果起诉，被判处重罪的概率是58%。如果被判处重罪，强奸犯确实会入狱服刑的概率是69%。也就是说，在那39%向警方报案的强奸案中，强奸犯入狱的概率只有16.3%。如果你将所有没有报案的强奸事件加进去，那么有94%的强奸者逍遥法外。

劳拉盯着计算机屏幕，鼠标在那么多个百分号中的一个上闪烁。翠克西现在是其中的一个了。她奇怪自己以前为什么从来没有仔细研究过这个统计符号：一个符号分裂了，一对空洞的圆圈各在一边。

丹尼尔把车停在离市立溜冰场的入口处远一点的地方，这在拥堵的星期六下午也是顺理成章的事。在这里，缅因州的贝瑟尔小镇，高中冰球比赛就像中西部的高中橄榄球赛那么吸引人。女孩们站在溜冰场的大厅，对着厚玻璃窗抹口红，小孩子们在大人穿着牛仔裤的大腿森林里穿梭。在小厨房后面，一个头发斑白的男人在卖热狗、墨西哥烤干酪辣味玉米片和瑞士小姐牌的可可饮料。他一边把德国泡菜夹进面包，一边唱着底特律的黑人小曲儿。

丹尼尔穿过人群，他感觉自己似乎是隐形的。他看着那些自豪的家长和活跃的学生，他们来为家乡的英雄加油。他跟着汹涌的人群走过大厅的双开门，进入溜冰场。他没有做什么计划，真的。他只想着要杰森·安德希尔在他的拳头底下，要抓着他的头撞墙，让他害怕，让他忏悔。

丹尼尔正要转动门把走进球员休息室，门就自己开了。他立马贴到门板边上，巴索雷米警官领着杰森·安德希尔走了出来。男孩还穿着冰球装备，穿着长袜子，提着溜冰鞋。他的脸通红，眼睛盯着地上的橡胶地毯。教练紧跟在后面吼着："该死，你找他聊天，可以等到比赛结束啊！"

看台上的群众逐渐注意到杰森走了。他们变得安静，不明白他们看到的意味着什么。一个男人——大概是杰森的爸爸——从露天看台上挤了下来，跑向他儿子。

丹尼尔一动也不动地站了一会儿，觉得巴索雷米一定没有看到他。但警官转身，直视着他的眼睛。周围议论纷纷起来，丹尼尔感到耳朵像在打鼓。就在这一瞬间，两个男人宛如在真空中，他们互相微微点头，默契地明白，他们会做好自己的分内事。

"你去了溜冰场，是不是？"丹尼尔一踏进门，劳拉就问。

他点头，自顾自地拉开外套的拉链，小心地把它挂在湿衣间的一个挂钩上。

"你会告诉我发生了什么吗？"

报仇是一件可笑的事。你想要得到报仇的满足，可你并不想真的听到它的过程，因为那样你就必须承认你多了几分卑鄙，少了几分文明。丹尼尔爬楼梯时看着劳拉。“不是该由我来问你这个问题吗？”他平静地说。

像火车冲出轨道时那么快，对话突然转向了。劳拉退后，仿佛他打到了她，她的脸颊泛起红晕：“你知道……多久了？”

丹尼尔耸肩：“我想，有一阵子了。”

“你为什么什么都不说？”

最近几天他也问过自己同样的问题一百遍。他假装没有注意到她变得经常晚归、失联，但不这样的话他就得被迫做出选择：他真的可以爱着某个会爱上别人的人吗？

可在他和劳拉的关系中，有一点是丹尼尔无法报答的：当年她相信他能改变。她如今背叛了他，这会减少他对她的感恩吗？如果他让怒气和耻辱击败他，把她赶出家门，那他岂不就是任由肾上腺素摆布，像他以前失控时一样了吗？

很简单：如果他不能原谅劳拉，如果他让自己被这件事情毁灭，那他的行为举止就像以前的他。

不过他没法说出这些。“我如果问了，”丹尼尔说，“那么你会告诉我，这是真的。”

“我和他已经结束了，如果这对你来说还有任何意义的话。”

他抬头，眯起眼睛看劳拉：“是因为翠克西的事？”

“在这之前就结束了。”她走过瓷砖地板，双手在胸前交叉，站在昏暗的光线中。“我提出分手，就在翠克西……在那天晚上……”她说出口的句子濒临崩解。

“我们的女儿被强奸时你跟他在床上快活？”

“哦上帝啊，丹尼尔……”

“是不是？所以我打你电话要告诉你翠克西的事，你没接？”丹尼尔喉口绷紧了，“他叫什么名字，劳拉？你欠我那么多，我想我应该知道，你不要我的时候，你要的是谁。”

劳拉转过身：“我不想要谈这件事了。”

丹尼尔突然站起来，把劳拉抵到墙上，他的身体像个堡垒，他的怒气像电流。他抓着劳拉的胳膊，剧烈地摇着她。她的头不住地往后，瞪大的眼睛写满了恐惧。他把话还给她：“那你要什么？”他的声音很阴冷，“你要什么？”

劳拉推他，力气大得出乎他的意料。她绕着他走，眼睛一直盯着他，像个驯兽师，不愿转身背对狮子。丹尼尔恢复了理智，他低头看着他的手——这双抓过她的手——它们好像是别人的。

在那一瞬间，他仿佛又举高拳头，站在阿基亚克的学校后面春天融冰后的泥塘里，身上不是泥就是血。打架的时候，他断了两根肋骨，掉了一颗牙，左眼上面裂了一个又深又长的伤口。他连站都站不稳，但他就是不向痛苦屈服。还有谁？丹尼尔向他们挑战，直到他们一个接一个垂下热烈的黑眸，像石头落到地上。

丹尼尔颤抖了，试着将暴力塞回去，可那简直像重新捆扎降落伞——它的一部分露在外面，就在他和劳拉之间，提醒他下一次再跳下情绪的悬崖，可能无法安全降落。“我没想伤害你，”他轻声说，“对不起。”

劳拉低下头，但他已看到她眼中的泪。“喔，丹尼尔，”她说，“我也是。”

杰森·安德希尔在溜冰场的大厅接受非正式讯问，接着被正式监禁，这时翠克西在睡觉。警察局的秘书在午休时打电话给丈夫，告诉他不到十分钟前谁被拘留，翠克西还是在睡觉。那个男人告诉他在造纸厂的同事，贝瑟尔可能无法赢得缅因州冰球赛冠军了，她还是在睡觉。当其中一个同事在下班回家的路上，和他在《奥古斯塔论坛报》当记者的弟弟一起去喝杯啤酒，记者打了几个电话，发现那天早上真的拘捕了一个犯了恶心的性侵案的未成年嫌犯，这时翠克西还在睡觉。记者打电话给贝瑟尔警察局，假装是受害女孩的父亲，问他稍早到警局做笔录，是否遗留了一顶帽子。“没有，史东先生。”秘书说，“如果我看到的话会打电话给你。”这时候，翠克西依然在睡觉。

这则新闻发稿、印刷，翠克西继续睡。报纸一叠叠地用绳子捆绑起来，送上运报车，从送报生的破丰田车窗丢出来，她还在睡。第二天早上，贝瑟尔镇上的每一个人都在阅读这头条新闻，她还在睡。大家已经知道杰森・安德希尔为什么会在前一天贝瑟尔高中冰球赛时被迫离场。他们知道了他的父亲罗伊・安德希尔已经帮儿子雇了一个波特兰市的律师。他告诉每个人，他儿子是被陷害的。虽然新闻很道德地没有提到受害者的名字，但大家都知道是翠克西・史东，而这桩悲剧的“始作俑者”还在睡觉。

因为杰森只有十七岁，案件在少年法庭开庭。也因为杰森十七岁，法庭的旁观席不对大众开放。杰森穿着崭新光鲜的西装和领带，那是他妈妈为了他要去参加大学面试买的。他的律师叫他出庭前务必剪头发，他说有时候一个法官的决定，会取决于一些琐碎小事，比如他能否看见你的眼睛。

律师达奇・奥司特哈斯是个圆滑的人。他经过的时候，杰森忍不住要看地上是否留下滑溜的痕迹。他穿着会发出吱吱声的鞋子和那种袖口有链扣的衬衫。爸爸说达奇是全州最好的律师，他能结束这场混乱。

杰森不知道翠克西到底想干什么。达奇说，他们要全力以赴，最后变成双方同意的性交。如果当时她传达的是“不要”的意思，那一定是用杰森从来没学过的外国话。

虽然这么想，杰森的双手还在发抖，他试着把手藏在桌下。他努力装出自信，或许还有点生气的样子，但其实他非常害怕，感觉自己随时会呕吐。

地方检察官让他想到鲨鱼。她有一张宽扁的脸，金发淡得接近白色，她的牙齿又尖又大，看起来像它们很想咬人。她叫玛莉塔·苏廉史达，她弟弟十年前是贝瑟尔冰球队的传奇人物，不过那似乎一点都没有软化她对杰森的态度。“法官大人，”她说，“虽然检方没要求被告被监禁在拘留所里，但我们要求被告遵守几个规定。我们要他保证不再和被害人或其家人联络。我们希望他接受毒瘾和酒瘾治疗。检方还想要求被告，除非上学，否则他不准离开家中，包括参加体育活动。”

法官是个上了年纪、没剩几根头发的男人。“我会斟酌保释条件。安德希尔先生，如果你违反任何一条，将会被关进波特兰监狱。明白了吗？”

杰森困难地吞咽口水，点头。

“你不得跟被害人或其家人接触。你必须在晚上十点之前，独自一人上床睡觉。你不得饮酒和吸毒，必须强制接受戒毒辅导。至于检方要求软禁，我不同意。溜冰场会有很多其他人监督你，没有必要毁掉海盗队再次得州冠军的机会。”他合上活页夹，“休庭。”

杰森听到后面传来妈妈的哭泣声。达奇开始收拾卷宗，跨过走道去跟“鲨鱼”讲话。杰森想到了翠克西，那天晚上在丽芙儿家是她先吻他的。而几个小时前，翠克西在他的车里啜泣着说，没有他的话，她的人生就完了。

那个时候她就计划要毁掉他的人生吗？

那件事两天后，翠克西感觉她的人生沿着那事件的裂缝瓦解了。以前的翠克西梦想要飞，等她够大了，她要跳伞，跳出飞机尝尝飞行的滋味；现在的翠克西甚至无法关灯睡觉。以前的翠克西喜欢穿紧身衣；现在的翠克西去她爸爸的衣柜里找能把她藏在里面的长袖宽松运动衫。以前的翠克希有时候一天洗两次澡，那样她闻起来就会有梨子香皂的味道，那是她妈妈每年会塞进圣诞节礼物袜的；现在的翠克西不管洗多少次澡，都还是觉得脏。以前的翠克西觉得她是周围人的一分子；现在的翠克西即使被人群包围也感到孤单。以前的翠克西会看现在的翠克西一眼，然后觉得她是个没用的孬种，不想睬她。

屋外传来敲门声。爸爸以前会直接探进头来，可现在她看到自己的影子也会跳起来，所以爸爸也变得敏感，进屋前敲门了。“嘿，”他说，“你想要有人陪吗？”

她不想，不过她点头，以为他是说他来陪自己。可他把门推开些，是贾尼丝，那个在医院里陪她的性侵顾问。虽然万圣节早就过了，已临近圣诞节，但她还穿着一件有南瓜灯图案的运动衫。她的眼影浓得足够给一大队超级模特儿用。“喔，”翠克西说，“是你。”

翠克西听起来有些无礼，心底冒出一点火花。做个泼妇的感觉出乎意料的好，几乎弥补了她无法恢复成原来的自己的事实。

“我就，嗯，你们两个谈吧。”丹尼尔说。虽然翠克西企图用目光传递给他沉默的紧急信息，请他别让她单独面对这个女人，但他没收到她的SOS求救信号。

丹尼尔关上门，贾尼丝说：“你还好吧？”

翠克西耸肩。在医院的时候她怎么没注意到这个女人的声音有多令人厌烦？像在念佛经。

“我想你还有点不知所措。那是完全正常的反应。”

“正常，”翠克西讽刺地重复，“是，那正是我现在对我自己的感觉。”

“相对而言的正常①。”贾尼丝说。

翠克西想到了一个亲戚，那个在家庭聚会时没人能受得了和他同桌的疯子叔叔，他用第三人称谈论他自己，只吃蓝色的食物，是每个人在回家路上取笑的对象。

“恢复正常的过程就像小孩在蹒跚学步，但你最终会完全康复的。”

在过去的四十八个小时里，翠克西都觉得自己像在水底游泳。她能听到别人说话，但那跟听克罗地亚话差不多。如果四周太安静，她觉得她就能听到杰森的声音，柔软得像一缕烟，钻进她的耳朵里。

“每天都会更容易一点。”贾尼丝说，翠克西突然很恨她的热情。贾尼丝他妈的懂什么？她又不是那个坐在这里、感觉疲惫到骨头作痛的人。她不明白就算是现在，翠克西也希望自己能睡着，因为她唯一期待的是早上刚醒来的那五秒钟，那时候她什么都还没想起来。

“有时候发泄出来会舒服一点，”贾尼丝建议，“玩乐器、洗澡的时候尖叫、写日记。”

翠克西最不想做的，就是写下发生了什么事，除非她写完就烧掉。

“很多人发现去参加受害者互助团体有助于……”

“那样我们可以围坐着，谈论我们的感觉糟透了？”翠克西爆

---

① 双关。原文为Normal's relative，也可按字面解释为“正常的亲戚”。

发了。突然她想要贾尼丝爬回不管是哪个好心的慈善咨询中心。她不愿假装自己有微乎其微的机会，可以像没事一样重回她房间、她的人生，还有这个世界。“你知道，”她说，“事情已经发生了，可我宁可企图自杀，或者做些像那样有趣的事。我不需要你来看我。”

“翠克西……”

“你不知道我的感觉，”翠克西叫道，“所以别站在这里，假装感同身受。那天晚上你不在那里。受罪的是我。”

贾尼丝向前迈了一步，走到翠克西触手可及的地方：“1972年，我15岁。我抄小路走回家，经过小学操场。那里有个男人，他说他的狗走失了，问我可不可以帮他找狗。我去滑滑梯下面找的时候，他把我打倒，强奸了我。”

翠克西看着她，哑口无言。

“他将我困在那里三个小时。那段时间，我能想的只是，我以前小学下课后在这里玩什么。男生和女生总是分开来爬不同边的方格铁架。我们常常互相挑战。我们会爬到男生那边，再安全地爬回来。”

翠克西低头看着自己的脚。“对不起。”她低声说。

“所以我知道，恢复正常的过程会像幼儿学步。”贾尼丝说。

那个周末，劳拉明白没有“宇宙裁判”。即便你像挨了一拳，失去知觉，也没有裁判来叫暂停。你依然得清空洗碗机，得洗堆满了洗衣篮的脏衣服。六个月没联系过的高中死党打电话来问候，她不明白你要是告诉她你的人生出了什么事，你就会崩溃。而星期一早上，班上的十二个学生还在等着你出现。

劳拉想和翠克西一起逃避，在她舔伤口时保护她。但翠克西想自己待着，劳拉只能在屋里游荡，但家里其实是丹尼尔的地盘。他们还在小心地编舞，彼此各跳各的，他们一进同一个房间她就离开，免得得面对面。

“我要向学校请假。”星期日的时候她告诉丹尼尔，他在看报纸。几个小时后，他们各自躺在床的两边，那只叫“外遇”的巨象蜷在他们之间。他又提起了。“你或许不该请假。”他说。

她小心地看着他，不确定他想暗示什么。他不希望她二十四小时都在家吗，那样会让他不舒服？他以为她会把事业看得比女儿还重要吗？

“或许那样可以帮助翠克西，”他补充道，“如果她看到日常生活还是像以前 样。”

劳拉抬头望着天花板上的企鹅形水渍：“要是她需要我呢？”

“那我会打电话给你，”丹尼尔冷冷地回答，“你可以马上回家。”

他的话像一个巴掌——上一次他打电话给她的时候，她没有接。

第二天早上，她翻出一双长袜和一条上班穿的裙子。她打包可以在车上吃的早餐，给翠克西留了一张纸条。开车的时候她发觉，离家越远她越感到轻松，到了大学门口的时候，她确定唯一系住她的东西只有车上的安全带。

劳拉抵达教室，学生围绕在桌旁，热烈地讨论着。她怀念这种舒服的感觉。她能了解她是谁，属于哪里，还能辩论。他们的只言片语传进走廊。*我听我上高中的表弟说……折磨……活该*。有一会儿劳拉在门外迟疑，对自己会如此天真感到惊讶，她以为这个可怕的事件只发生在了翠克西身上，但其实发生在了他们家的三个人身上。她做了个深呼吸，走进教室，十二双眼睛转向她，鸦雀无声。

“别因为我停止讨论。”她平静地说。

大学生们不安地散开了。劳拉刚才是多么渴望这个让她舒服的学术之地，一个如此固定、永远不变的地方，她保证可以从她上次停下来的地方接下去讲课。可是她惊讶地发现，她似乎已经不适合这里了。一样的大学，一样的学生，但劳拉自己变了。

“史东教授，”一个学生说，“你还好吗？”

劳拉眨眨眼，他们聚了过来。“不好。”她说。她不想欺骗下去，她突然觉得好累。“我不舒服。”她站起来，丢下笔记本、外套，还有困惑的学生，走进大雪中，朝她一直都应该在的地方走去。

“剪吧。”翠克西说，她闭紧了眼睛。

她在“生死染头[①]”理发店。这家店离她家不远，走路就可以到。那里能把你的头发染成蓝色，正常情况下，她绝对不会进去。这是她出事后第一次离开家。尽管贾尼丝给她爸爸一本关于如何不过度保护的小册子，他仍然很难做到，尽量不让翠克西离家太远。“如果你没在一小时内回家，”爸爸说，“我就去找你。”

她想象着爸爸现在可能就已经等在可以看到街景的窗边，这样她一出现在街头便立刻能看到。她既然走出来了，就不要让这次出行浪费掉。贾尼丝说做决定的时候，应该列一张好处和坏处的单子。而对翠克西而言，任何能让她忘了以前的那个她的事，都是好事。

“你的辫子很长了，”年纪挺大的美发师说，“你可以把它捐给‘发之爱’。”

“那是什么？”

“一个为癌症病人做假发的慈善机构。”

翠克西看着镜子里的自己。她喜欢这个主意，她乐意帮助某个处境

---

① 原文为Live and Let Dye，是007电影《生死关头》（Live and Let Die）名字的谐音。

可能比她更糟的人。知道别人的处境可能比她更糟，让她感到欣慰。

“好的，”翠克西说，“我要做什么？”

“我们会处理，”美发师说，“你只要给我你的名字，慈善机构会寄给你一张漂亮的感谢卡。”

如果她能想清楚，面对现实（现在的她办不到），翠克西就会用化名了，但她没有。或许“生死染头”的工作人员没有看报纸，或许她除了《黄金女郎》之外不看其他电视节目，当翠克西说出她是谁时，老美发师的假睫毛一眨也不眨。她在翠克西及腰的长发上束紧一条带子，绑上一张小卡片，写上她的名字。接着美发师拿起剪刀：“说再见。”

她剪下第一刀，翠克西深吸了一口气。然后她发现，没有那些头发把她往下拉，她感觉轻多了。她想象着头发剪得很短，可以感觉风吹过她的耳朵后面。“我要剪板寸。”翠克西说。

美发师犹豫了。“亲爱的，”她说，“那是男孩子的发型。”

“我不在乎。”翠克西说。

美发师叹气：“让我看看我能否剪得让我们两个都满意。”

翠克西闭上眼睛，感觉美发师的剪刀在她的头周围咔嚓咔嚓。她柔软的草莓色的头发一束束坠落，像从空中倾倒下鸟的羽毛。“再见。”她低语。

翠克西三岁时，经常因为做噩梦而从自己的小床，冲到他们床上，他们因此买了特大号的床。那个时候似乎觉得这是个好主意。那时候，他们还在考虑要生更多孩子，他们不由得赞叹结婚真好。以前他们恋爱时睡在租的学生公寓里的单人床上。他们睡得离彼此很近，身体的热度每天晚上都会像幽灵一样升到天花板上。往往他们醒来时被子已经踢到了地板上。现在他们之间的空间那么大，但他们惊讶地发现，他们还觉得太靠近了，不舒服。

丹尼尔知道劳拉醒着。她早上出门去上班后，几乎立刻就从大学回来，也没对他解释为什么。她只偶尔跟丹尼尔讲话，简练地交换信息：翠克西吃过了没有？没有；她有没有说什么？没有；警察有没有打电话来？没有，不过街尾的沃尔司通太太打过电话，好像把这当作她自己的事。她将自己投入家务的旋风：清理浴室，用吸尘器吸净沙发坐垫下面。她看到翠克西进门回来，顶着犹如用斧头砍出来的发型。她吞下震惊，建议玩大富翁游戏。丹尼尔了解，她想努力弥补最近几个月来的缺席，她审判了自己并处以刑罚。

丹尼尔躺在床上，惊叹怎么可能两个人间的距离只有一英尺，但心却可以相隔一百万英里。“他们知道了。”劳拉说。

“谁？”

“学校里的每一个人。”她转身面向他，在柔和的阴影中他可以看见她的绿眸，“他们都在谈论。”

丹尼尔告诉她，在他和劳拉甚至翠克西都放下之前，这些都不会消失。他十一岁的时候就知道了这点，那次肯恩的爷爷第一次带他去猎麋鹿。在昏暗的日光下，他们乘一艘小铝船从卡斯科奎姆河出发。丹尼尔被放到一个河弯处，肯恩到另一个河弯处，这样搜寻的面积更广。

他蜷在柳树间，纳闷肯恩和他爷爷还要多久才会回来，怀疑他们是否会来。当麋鹿优雅地走出树木间，细长的腿，有斑纹的背、球状的鼻子，丹尼尔的心脏开始狂跳。他举起来福枪想，*我要它，比任何东西都想要*。

那一刹那，麋鹿溜进柳树墙，消失了。

回家路上，他告诉了肯恩和他爷爷这段经过，他们摇着头，喃喃地说kass'aq（白人）。丹尼尔难道不知道，打猎的时候，如果想着你要打到什么动物，你就可能正在告诉动物你在哪儿吗？

起初丹尼尔耸耸肩，把这当作尤皮克族爱斯基摩人的迷信。就像他们必须把碗舔干净，才不会在冰上滑倒，或者吃鱼尾巴才会跑得快。可等到他长大一点，他体会到传说是个强大的东西。侮辱不用一定要对你叫嚣，令你流血；誓言不用一定要对你耳语，令你相信。脑中守住一个想法，就足以改变阻碍你的任何人或者事。

“如果我们要恢复正常，”丹尼尔说，“那我们必须表现得我们已经恢复正常。”

“什么意思？”

“或许翠克西该回去上学。”

劳拉撑起一只手肘：“你一定是在开玩笑。”

丹尼尔犹豫：“是贾尼丝建议的。整天坐在家里回想发生了什么事，对她没什么好处。”

“她去学校会看到他。”

“法院的命令在那里适用，杰森不能靠近她。她和他一样有去上学的权利。”

沉默了一会儿，劳拉终于说：“如果她回学校，那必须是因为她想去。”

丹尼尔突然意识到，劳拉不只是在说翠克西，也是在说她自己。好像翠克西被强奸是不断落下的树叶，他们忙于把树叶扫开，却可能忽略了表面下的事实：地已经不再坚固了。

夜幕降临，压迫着丹尼尔：“你带他来过这里吗？这张床上？”

劳拉的呼吸收住了：“没有。”

“我想象他跟你在一起，但我甚至不知道他长什么样子。”

“那是个错误，丹尼尔……”

“错误是意外发生的事。你不是某天早上走出门，掉到某个家伙的床上。你至少考虑过一会儿，做了那样的决定。”

事实烧灼着丹尼尔的喉咙，他呼吸困难。

“我也做了结束的决定。决定回来。”

“我应该因此感谢你吗？”他伸出手臂越过眼睛，什么都看不见最好。

劳拉侧面的投影呈银色：“你……你要我搬出去吗？”

他考虑过。有一部分的他不想看到她在浴室里刷牙，把水壶放到炉上烧水。平常琐事，婚姻的海市蜃楼。可有另外一部分的他，都不记得他没有劳拉的时候是什么样的人了。是因为她，他才成为了现在这种男人。就像他漫画艺术中不可或缺的双重效果：没有软弱，就不会有力量；没有黑暗，就不会有光明；没有损失，就不会有爱。“如果你现在离开，我想对翠克西不会有好处。”丹尼尔终于说。

劳拉翻过身来看他：“那你呢？对你有好处吗？”

丹尼尔凝视着她。劳拉已经在他的人生画下了一笔，像刺青般难以除去。她在不在都无关紧要，他会永远带着她，翠克西就是个证明。可他在折叠洗好的衣服时看过那么多次《奥普拉秀》和《菲尔博士脱口秀》，他知道外遇是怎么一回事。背叛是你们床垫下的一颗石头，不管你换到床上的哪个位置，都感觉它刺着你。你们都得承认，在内心深处，你们永远不会忘记这件事，那谈论能否原谅又有什么意义？

丹尼尔没有回答，劳拉滚了回去：“你恨我吗？”

“有时候。”

“有时候我也恨自己。”

丹尼尔假装他可以透过卧室的墙，听见翠克西的呼吸声，平稳而没有烦恼："我们两个的关系真的有那么糟吗？"

劳拉摇头。

"那你为什么要那么做？"

她没有回答，良久。丹尼尔以为她睡着了。但她的声音划过窗外星星的边缘。"因为，"她说，"他让我想到你。"

翠克西知道她即使遭到最小的挑衅，也可以站起来走出教室，去办公室避难。没有任何老师会眨一下眼睛。她甚至带了爸爸的手机。"随时都可以打给我，"他说，"我会一直和你保持通话，然后立马赶到。"她已经结结巴巴，十分尴尬地和校长通过电话，校长告诉她，他会尽全力让贝瑟尔高中成为她安全的避风港。她不必再跟杰森一起上心理学；她有独立的读书室，不必上图书馆；她可以选任何题材写报告。现在，她在想一个标题：宁可消失的女孩。

"我相信丽芙儿和你其他的朋友会很高兴见到你。"她爸爸说。他和劳拉都没告诉翠克西丽芙儿连一通电话也没打给她，没关心她这几天过得好不好。翠克西试着说服自己，是因为丽芙儿觉得愧疚，她们那天晚上吵架，后来出事了。她没有对爸爸解释，她在学校没有任何其他真正的九年级朋友了。她的世界充满杰森，跟旧同学都疏离了，也没费心去交新朋友。

"要是我改变主意了呢？"翠克西轻声问。

爸爸看着她："那我就载你回家。翠克西，就那么简单。"

她往车窗外看。在下雪，树上挂着精致的大雪花，风景显得没有那么有棱有角了。寒意渗进她的绒线帽里——谁知道头发其实非常保暖？她常常忘了她已经把头发剪短了，每次她照镜子，都差点把自己吓死。她想把长马尾从外套的衣领里拉出来，但它们已经不在了。

老实说，她看起来很可怕。极短的头发使她的眼睛看起来更大、更焦虑。这种简洁的发型比较适合男孩，可翠克西喜欢。如果别人瞪着她看，她希望那是因为她的发型变了，而不是因为她变了。

透过挡风玻璃上的雨刷，学校大门映入眼帘，停车场在右边。在大雪的覆盖下，车子看起来像一群海滩上的鲸鱼。她猜想哪一辆车是杰森的。她想象他已经在教学楼里了，他比她早两天上学，有利于他的说辞已经生根发芽，现在想必已经长成灌木丛了。

爸爸把车停到人行道旁。“我陪你走进去。”他说。

翠克西感觉她体内所有的线路都跳闸了。周围的所有好像都在对翠克西——这个必须由她爸爸陪着走进学校的强奸受害者——叫着孬种。“我可以自己进去。”她坚持道。可是当她要解开安全带的时候，她发现脑袋没法命令手指行动。

爸爸的手指突然放在了安全扣上，安全带解开了。“如果你要回家，”他温柔地说，“也没关系。”

翠克西点头，痛恨从喉头涌上来的热泪：“我知道。”

她会害怕真是太蠢了。学校里还可能会发生比已经发生的事更糟的吗？可是翠克西还是会整天跟自己争论不休，紧张焦虑到胃痛。

“我在爱斯基摩村里长大的时候，”爸爸说，“我们住的地方闹鬼。”

翠克西诧异地眨眼睛。她从小到大听她爸爸谈他在阿拉斯加长大的事的次数，用一只手都数得完。他的童年有些东西让他显得与众不同——譬如说，如果房间太吵了，他就得离开；他用水非常节约，即使他们家的井可以供水不断。翠克西只知道爸爸是一个叫阿基亚克的尤皮克族爱斯基摩土著村里唯一的白人男孩。他妈妈在那里的学校教书，独自扶养他。他十八岁的时候离开阿拉斯加，发誓绝对不再回去。

“我们住的房子属于学校。之前最后一个住在那里的是老校长，他在厨房里悬梁自尽。大家都知道这事。有时候，学校里的视听设备会自动打开，但它明明没插电。或者在体育馆地上的篮球会自己弹起来。家里，抽屉不时会自动打开。有时候你可以闻到不知道从哪里来的须后水的味道。”爸爸抬头看她，“尤皮克人怕鬼。有时候在学校里能看到孩子们向空中吐口水，看鬼是不是近得可以偷他们的口水。他们会绕着教学楼走三遍，那样鬼就不能跟着他们回家。”

他耸肩：“问题是……我是白人小孩。我的口音很怪，长相奇怪，他们每天都找我的茬。我和他们一样怕鬼，可我从来不让任何人知道。那样，就算他们会叫我一些难听的名字……也绝不会叫我懦夫。”

“杰森不是鬼。”翠克西平静地说。

爸爸把她的帽子拉下来盖住耳朵。他的眼睛非常幽深，她可以看到自己的倒影在闪耀。“那么，”他说，“我想你就没什么好怕的了。”

翠克西走上通往学校大门的湿滑的人行道，丹尼尔差点追过去。万一他对这件事情看错了呢？要是贾尼丝、医生以及每个人都不知道青少年能有多残酷呢？要是翠克西回到家变得更加仓皇无措呢？

寒风吹来，翠克西低着头走着。她的绿色外套像是白雪中的污点，她没有回头看爸爸。

她还小的时候，丹尼尔总是等翠克西进入教学楼后，才把车子开走。有太多事情可能出问题：她可能摔跤跌倒；可能有恶霸接近她；她可能被一伙女孩子戏弄。他喜欢密切注视着她的时候想象，他可以灌输安全的力量给她，像他画在漫画上的波浪形状的流动力场。

事实是，丹尼尔需要翠克西，远胜于翠克西需要他。她不知道她每天都在为他演戏：蹦跳、旋转、张开手臂跑一跑再跳起来，好像她以为某天早上她可能真的会飞起来。他看着她，发现孩子相信他们的世界与大人眼前的不同是多么容易。然后他开车回家，一笔一笔地演绎到新的画纸上。

他记得他曾想过，女儿要花多久才能看到真正的现实世界。他记得想过，世界上最悲哀的那一天将会是她停止表演的时候。

丹尼尔等翠克西溜进学校的双开门，他小心地将车驶离路边。他必须在卡车后面载许多沙，免得车子在雪地上摆尾。不管用什么方法，现在，他要保持理性的平衡。

地狱第二层。
别告诉我，我们要穿过这个……
嘘……
不要惊扰他们！
那些是通奸者的鬼魂——他们会永远痛苦地连在一起。
活着时，他们只要对方。所以到了地狱，他们无法分开……他们曾经丢失了他们的心，所以他们很想抓我们的心代替。
走吧！
不要向下看……
不要向下看……
哗啦
维吉尔，
快跑！
轰隆

邓肯！！
不!

嘭
呀
不……可……能……

……不
亲爱的……

3

翠克西知道她名字背后的故事，可那并不代表她就能少恨它一点。碧翠克西·波提纳利——但丁的至爱，那个女人鼓舞他写下了壮丽的史诗。翠克西的妈妈是古典文学教授，而当爸爸（他想给刚出生的女儿取名为莎拉）在浴室的时候，她独自填完了出生证明。

但丁和碧翠克西可不是罗密欧和朱丽叶。但丁认识她时才九岁，后来直到他十八岁才又见到她。那时他们两个都已经和别人结婚，而碧翠克西很年轻就早逝。如果那是永恒的爱，翠克西一点都不想要和它沾上边。

翠克西向她爸爸抱怨名字时，他说影星尼古拉斯·凯奇给他的儿子取名为卡尔艾尔，那是超人还在氪星球时的名字，他们没有给翠克西取那么怪的名字就该谢天谢地了。贝瑟尔高中充满了玛洛丽、达珂塔、克里斯宾和韦骆等名字。翠克西每次开学第一天，就把老师拉到一旁，确定她点名时说“翠克西”，而不是“碧翠克西”，否则其他小孩就会哈哈大笑。四年级时，有一度她开始自称贾丝汀，可没几个人叫过她这个名字。

现在桑玛·弗里曼和翠克西正在行政办公室的迟到本上签名。弗里曼高挑、金发，皮肤长年晒成棕褐色，虽然翠克西知道她是十二月出生的。她转身，拿好蓝色通行证。“贱人。”她在走过翠克西时咬牙说。

“碧翠克西，”秘书说，“校长想见你。”

翠克西只进过校长办公室一次，那是因为她高一第一学期被评为优秀学生。她在班会上被叫去校长室，一路上她一直在颤抖，猜自己犯了什么错。阿伦森校长脸上挂着《芝麻街》里甜饼怪的笑容，向她伸出手。“恭喜你，碧翠克西，”他说。他递给她一张小小的金色荣誉卡片，上面印着她讨厌的自己的名字。

现在她走进校长室时，“碧翠克西。”校长又这么叫。她发现辅导老师葛瑞女士也在那里。他们以为她看到校长室里只有一个男人，就会吓得落荒而逃吗？“你能回来上课真好。”阿伦森校长说。

能回来上课真好。这句礼貌的谎言在翠克西的舌头上发酸，她本来要说出口，现在又把它吞了下去。

校长看着她没什么头发的脑袋。他很有礼貌，没说什么。“我和葛瑞老师只是想让你知道，我们的门随时都为你敞开。”校长说。

翠克西的爸爸有两个名字。她十岁的时候偷偷打开他桌子的抽屉时意外发现的。脏脏的橡皮擦和一管管自动铅笔芯后面，有一张两个男孩蹲在鱼窖前的照片。一个男孩是白人，一个是原住民。照片的背后写着：肯恩和华斯，于钓鱼营。阿基亚克，阿拉斯加，1976年。

翠克西拿照片去给爸爸看，他正在外头修剪草坪。*照片里的人是谁？*

爸爸关掉割草机。*他们死了。*

“你如果觉得不舒服，”阿伦森校长说，“或者只是想找个地方透透气……”

三个小时后，爸爸带着照片来找她。*右边的男孩是我*，他说，*那是肯恩，我的朋友。*

你不叫华斯，翠克西指出。

爸爸解释，在他出生取了名字后的第二天，村子里的一位老太太来看他，叫他华斯，那是华斯西利的简称，是一个星期前在冰上滑倒过世的她丈夫的名字。对尤皮克族爱斯基摩人来说，这是很正常的事，最近死去的灵魂会进到新生儿的身体里去。丹尼尔还是个婴儿的时候，村民们遇到他，就会笑着说：喔，看哪！华斯带着蓝眼睛回来了！所以华斯要去上英语课，学第二种语言！

十八年，对他的白人母亲而言他是丹尼尔，对其他人而言，他是华斯。他告诉翠克西，在尤皮克族人的世界里，灵魂会转世，没有人会真的离开那里。

“……不宽容的原则。”校长说，翠克西点头，虽然她并没有真的在听他说话。

翠克西的爸爸告诉她这个故事之后的第二天晚上，她准备了一个问题，等他来和她说晚安的时候问。为什么我第一次问的时候，你说那两个男孩死了？

因为，爸爸回答，他们死了。

阿伦森校长站起来，葛瑞老师也是，翠克西才明白他们准备陪她进教室。她立刻恐慌了，这比爸爸陪她进教室还糟。这就像战斗机群护送一架飞机安全降落：机场里的所有人岂不都会望向窗外，猜想那架飞机出了什么事？

“嗯，”翠克西说，“我想我比较愿意自己去教室。”

快上第三节课了，是英语。去教室之前，她还有时间先去开下储物柜。她看到校长瞄了眼辅导老师。“好，”阿伦森先生说，“如果你想那样的话。”

翠克西溜出校长室，盲目地穿过迷宫般的走廊。还是上课时间，走廊很安静——一个拿着厕所通行证的学生发出的窸窣声，轻轻的高跟鞋的咔嗒声，楼上的管乐教室传来喘息般的练习管乐器的声音。她转动她储物柜的密码锁，40–22–38。杰森似乎上辈子说过，**嘿，那不是芭比娃娃的三围吗？**

翠克西把额头抵在冰凉的柜子上。她必须去教室再捱四个小时。她可以一直想着《蝇王》和$A=\pi r^2$，还有奥匈帝国皇储弗朗茨·斐迪南大公被暗杀导致的第一次世界大战。如果她不想开口，她可以不必和任何人讲话。她所有的老师都已经被告知，她可以一个人待着。

她打开储物柜的门，一条蛇状物涌出狭窄的柜子，落到她脚上。她低下身捡起来看，是八个小方形铝箔纸包装的东西，在孔眼处像手风琴那样皱着。

翠克西念道，**特洛伊牌扭动乐，涂了润滑剂的乳胶安全套。**

“他们全都在做爱。”玛莉塔·苏廉史达说，她仰着头，把所剩的黄绿色粉末倒进嘴巴里。在迈克·巴索雷米和检察官坐在一起的十五分钟里，她已经吃了三包顽皮吸管糖。“青春期女孩想要吸引男孩，可是没人教她们该如何处理做那种事导致的情绪。迈克，这种情况我见多了。青春期的女孩子醒来发现某人和她们发生了性关系，通常她们一句话都不说。”她握拳将吸管状的糖粉包装纸捏扁，做了个鬼脸，“一个法官告诉我，这种糖粉是他戒烟的法宝。可我发誓我得到的只有高糖引起的兴奋和绿色的舌头。”

“翠克西·史东说过不要，”警官指出，“她在证词里这么说。”

“翠克西·史东喝了酒。辩护律师会利用这点来质疑她的判断力。奥斯特哈斯会说她酒后兴奋地玩脱衣扑克牌，她一直说好、好、好，到最后，她才决定说不要。他会问她，她是什么时候说不要、房间的墙上有多少幅图画、音响里播放什么歌曲、月亮是否在天蝎宫等等那些她不可能记得的细节。然后他会说，如果她不记得那些细节，她怎么能确定她是否曾经叫杰森停止？”玛莉塔迟疑，“迈克，我不是说翠克西·史东没有被强奸。我只是告诉你，不是每个人都能看得那么清楚。”

“我想家人会知道。”巴索雷米说。

“不管他们怎么说，家人从来不知道那种事。”玛莉塔打开翠克西·史东的卷宗，“他们以为他们的孩子凌晨两点在外面还能在做什么？”

巴索雷米在想一辆车在路边翻倒，急救员聚集在摔出挡风玻璃的尸体旁。他想象急救专家拉开他女儿衬衫的袖子，看到她的静脉血管上的瘀伤和注射毒品的针眼。他想知道那些急救员看着霍莉在七月最热的夜晚，穿着长袖衬衫，他们是否也会问，这个女孩的父母看到她穿成这样离开家时，他们在想什么。

回答是：*我们没有想。我们不让自己去想，因为我们不想知道。*

巴索雷米清了清嗓子：“史东夫妇以为他们的女儿去一个有家长监护的朋友家过夜。”玛莉塔撕开一包黄色的顽皮吸管糖。“好极了，”她把糖粉倒进嘴巴里，“所以翠克西已经说了一次谎。”

虽然家长不想承认，但上学不是一个学生坐在一张狭窄的桌子前，能学到点什么，而是周围发生了什么事。在下课铃响之后的五分钟，是你会发现谁家当晚几点要开派对的时间；是你要去和从俄亥俄州来的可爱男孩同上法语课前，向你朋友借恰当颜色的唇蜜的时间；是别人都会注意到你，假装你比任何名流更受人瞩目的时间。

翠克西发现，一旦所有的社交都像做了外科手术般从她的在校时间剔除，她根本不太关心学业的部分。上英语课，她盯着课本上的字，直到那些字像锅里的爆米花那样跳出来。她不时会听到刻薄的诟病：**她拿她的头发怎么了**？只有一次有人敢真的跟她讲话。那是体育课玩室内足球的时候。一个她这队的女孩在老师叫暂停后，上前跟她说话。“真的被强奸的人，”她轻声说，“不会来这里玩足球。”

一天中最令翠克西害怕的是午餐。自助餐厅里，大部分学生像阿米巴变形虫一样分裂成不同组。有爱表演的、爱滑板的和尖子生；有性感七人组——一群女孩订下不成文的时尚规则，例如哪个月你应该穿短裤去学校，或者平底人字拖已经过时；咖啡上瘾者整个早上都和他们的朋友们闲坐着喝爪哇咖啡，直到职业技术班的校车来接他们去上美发造型和幼儿保育课。翠克西以前属于的桌子——那里坐着学校里出风头的学生，是丽芙儿、摩斯和一小群无忧无虑的冰球校队队员的地盘，他们假装不知道别人都在看他们，说他们好假。事实上那些嫉妒他们的孩子回家之后都希望自己的朋友圈可以那么酷。

翠克西拿了薯条和巧克力牛奶，那是她考砸了或痛经时的安慰午餐。然后她站在餐厅中央，想找个地方坐。因为和杰森分手了，她之前就坐到了别的地方。丽芙儿一向和她行动一致。可今天，她看到丽芙儿坐在老桌子。一句话从嘈杂声中冒出来：“她可不敢。”

翠克西拿她的塑料餐盘当盾牌。她终于走向聚在暖气旁的“暖气婊子”。她们穿着白色短裤加裤袜，有开底盘加高的I-Rocs车的男朋友；或者十五岁就怀孕，然后带着胎儿的B超片子去学校炫耀。

其中一个看起来好像已经怀胎九个月了，她对翠克西微笑，这突如其来的善意，令她差点绊了一跤。“还有位置。”女孩说，她把背包拿下桌子，给翠克西坐。

很多贝瑟尔高中的学生取笑“暖气婊子”，可翠克西从来不。她觉得她们太可怜了，不该嘲弄她们。她们看似对她们的人生脱轨满不在乎——倒不是说真的没有人愿意过她们这样的生活，但依旧，这种生活的确挺糟糕。翠克西觉得她们穿裸着大肚子的T恤，还以自己怀孕为荣，只是为了显摆，或者以这种方式来掩饰悲哀。毕竟，如果你表现得好像真的很想要某样其实并不想要的东西，所有人，包括自己，可能也就相信了。

翠克西知道这种感觉。

“我请唐娜做埃尔维斯的教母。”一个女孩说。

“埃尔维斯？”另一个回答，“你之前说给他取的名字里带‘飞’。”

“本来是，可是我想，万一他生下来就有恐高症呢？那他会很难过。”

翠克西把一根薯条浸到一小摊番茄酱里。它看起来很稀，像血。她不知道自己已经有多少个小时没有讲话了。如果你永远不用你的声带，它会干掉吗？不说话还有其他选择吗？

“翠克西。”

她抬头看到丽芙儿滑进她对面的位置。翠克西无法遏制地松一口气——既然丽芙儿过来找她，那她就没法再生丽芙儿的气了，不是吗？“哦上帝，好高兴见到你。”翠克西说。她想开个玩笑，叫丽芙儿别当她是怪物，可想不出任何一句。

“我应该打电话给你，”丽芙儿说，“可我被禁足了，禁到我四十岁。”

翠克西点头。丽芙儿肯坐在这里就已经够好了，真的。

“那……你没事吧？对吗？”

“嗯。”翠克西说。她试着回想她爸爸那天早上说的：如果你努力想你没事，你就会开始相信。

“你的头发……”

翠克西用手摸了摸头，紧张地微笑：“很疯狂，不是吗？”

丽芙儿向前倾身，不安地改变坐姿。“听着，你做的……呃，成功了。无疑你赢回杰森了。”

“你在说什么？”

“你想报复他甩了你，你办到了。可是翠克西……给人家一个教训是一回事……害他被捕是另一回事。你不觉得你现在可以喊停了吗？”

“你以为……”翠克西的头皮绷紧，“你以为那件事是我编出来的？”

“翠克西，大家都知道你想再钓他。想强奸某个自己就乐意的人很困难。”

“是你想出那个计划的！你说我应该惹他嫉妒！可是我从来没想到……我没有……”翠克西的声音细得像铁丝，颤抖着，“他强奸了我。”

一个阴影落到桌上，是摩斯。丽芙儿仰头看他，耸耸肩。“我试过了，没用。”她说。

他把丽芙儿从座位上拉起来：“走吧。”

翠克西也站了起来：“我们从幼儿园就是朋友了。你怎么可以相信他而不相信我？”

丽芙儿的目光变了，她还没开口，摩斯就伸出一只手揽她的肩膀，把她勾到他那里。所以，翠克西想，就这样了。

“头发漂亮，婊子大兵。”摩斯在他们走开时说。

餐厅里突然很安静，连餐厅的服务员都在看戏。翠克西坐回她的位置，努力不去注意每个人盯着她的目光。她曾当过一个叫乔西的一岁小孩的保姆，他们喜欢玩一种游戏：乔西用双手遮住脸，然后她逗他说："乔西在哪里？"她希望现在也能像那么简单：只要闭上眼睛，就会消失。

她旁边的一个"暖气婊子"吹爆了她的口香糖。"我希望杰森·安德希尔强奸我。"她说。

丹尼尔为劳拉泡咖啡。

即使在她做了不该做的事，即使他们之间所有的对话像一场箭雨，他还是为她做这些事。可能只是出于习惯，但却令她泫然欲泣。

她看着玻璃瓶，它大大的肚子正在煮法式烘焙咖啡。劳拉想到他们结婚这么多年来，她都不记得为他煮过咖啡。丹尼尔像个竭力满足她喜好的学生，但劳拉从来不开热门的课。是太满足了反而觉得无趣所以婚外情了吗？或者她不想承认，即使她全心投入，相比丹尼尔这个好丈夫，她也不会是个好太太？

她走进厨房坐到桌旁，摊开笔记本，开始准备下午的课。感谢上帝，今天下午是一场演讲，她要做的只是对着一群和她无关的人演说，而不是小班级讲课，面对学生的问题。她把书翻到第二十九篇，那是著名画家多雷为《神曲》绘制的插图，画的是带但丁通过地狱的向导维吉尔痛斥但丁的好奇心。劳拉闻到了咖啡渣的味道，她深吸一口咖啡的芳香，无论如何也想不出来，她要怎么对她的学生谈论这幅画。

最近身处地狱，就会对地狱有全新的理解。劳拉想象她自己的脸取代但丁出现在图上。她啜饮一口咖啡，想象正在喝遗忘河的水，它会流回时间的源头，带走所有的罪恶。

在爱和恨之间有一条微妙的界线，这已是陈词滥调。可是没人告诉你，一旦越过它，会出现意想不到的结果。你沉醉于爱情，打开神秘的心门，让灵魂伴侣进来。你只是从来没想到，有一天那样的亲近，会感觉像非法入侵。

劳拉盯着插画。除了但丁，没人会自愿去地狱。如果但丁没有找到一个已经通过地狱，从另一端出来过的向导，他也可能会迷路。

劳拉举高手伸向橱柜，拿出第二个马克杯，倒了另一杯咖啡。老实说，她完全不知道丹尼尔喝咖啡是不是要加牛奶或糖，或两者都加。她只能用她喜欢的方式，各加了一点。

她希望这是个开始。

最新一期的动漫杂志《鬼才》列出了十大漫画家，丹尼尔排名第九。他的照片印在杂志上，在第一名的吉米·李的笑脸八级之下。上个月丹尼尔第十名，《第十层地狱》的前景看好，使他声名大噪。

事实上是劳拉告诉丹尼尔他成名了。他们去纽约参加漫威漫画公司的圣诞派对，他们进入大厅后就被拥挤的人潮冲散了。后来，她告诉他，在他走过人群的时候，她听到大家在谈论他。*丹尼尔*，她说，*你小有名气了*。

许多年前，当他第一次拿到一个故事试画——一个发生在狭窄的机舱里的烂故事——他担心他再也不会被录用了：他的文字里有脏话，他画几何学的弧形，不用尺而通过手感。如果在画画方面他跟别人还有什么不一样，那就是他从一开始就凭直觉去画——情感艺术，取代理智。例如，他第一次用铅笔为DC漫画公司画蝙蝠侠，他就重新想象英雄的造型。丹尼尔对这个角色的诠释是，他有很长的耳朵和很宽的皮带，这个形象和蝙蝠侠以前在漫画书中的样子不同，丹尼尔所画的更像是小时候他脑袋里蝙蝠侠最酷的样子。

今天连画画也没让他感到喜悦放松。他一直在想翠克西，此刻她会在哪里？她到现在还没打电话给他，告诉她在学校如何了，不知道这是好事还是坏事。通常，丹尼尔如果静不下心来工作，他会起身绕着屋子走，或者去跑步，震荡一下大脑，恢复他失去的灵感。可是劳拉在家——她下午才有课——那足以让他躲在工作室里。面对空白的画纸比凭空说出得当的话来重整婚姻容易得多。

他今天的任务是要画一些通奸的罪人在地狱里的漫画——他们在生前互相勾引对方，死后无法分离。他想到自己必须画这些实在是讽刺，但丹尼尔没有不知所措。他想象一个男人和一个女人的躯干，从同一个身体里长出来，他们的背上各长着一只翅膀。他们的利爪要伸进英雄的身体，剐走他的心，如同丹尼尔被背叛的感觉。

他今天一反常态了，先画人物动作的连续镜头，因为那是最迷人的。平常他总是随着故事的发展画，以免画第一张图时花了太长时间。而为了防止赶不及截稿日，他总是先画直线、建筑物和道路，那比画不断变化的人物简单。

丹尼尔开始画一个笨拙的、像鸟一样的人物的轮廓，半男半女。他画了一个翅膀——不好，太像蝙蝠了。他正在把橡皮屑从易擦纸上吹掉，劳拉拿着一杯咖啡走进了他的工作室。

他放下笔，靠到椅背上。劳拉很少来他的工作室。她大部分时间不在家，就算在家的时候，也是丹尼尔去找她。

“你在画什么？”她问，低头看他的画。

“没什么。”

“你在担心翠克西吗？”

丹尼尔用手抹抹脸：“怎么可能不担心？”

她在他脚边坐下，盘起腿。“是啊，我一直觉得我听到电话铃响了。”她盯着咖啡杯看，好像很惊讶发现自己握着它。“喔，”她说，“我来给你杯咖啡。”

她从未给他送过咖啡。他甚至并不那么喜欢喝咖啡。劳拉把正冒着热气的马克杯递了过来——那一刻，丹尼尔想象她伸出来的手指，像匕首插进他的肋骨之间。他可以看到一只翅膀从她的肩胛骨间长出来，拉伸着她的斜方肌。翅膀像披肩一样盖在她手臂上。

“能帮我一个忙吗？”他从她手里拿走马克杯。他抓起一条平常放在工作室沙发上的被子，将它披在劳拉身上。

“天哪，”她说，“我好多年没做你的模特了。”

他刚开始当漫画家时，她为他摆过一百种不同的姿势：穿着胸罩和内裤握一把水枪；她即将下床的样子；倒吊在院子里的树上。他会等到那一刻，当那熟悉的肌肤和人体结构不再是劳拉，而是肌腱和支撑它们的骨骼，一个合乎解剖学的人物就跃然纸上了。

“被子代表什么？”劳拉在他拿起铅笔开始画的时候问。

“你有翅膀。”

“我是天使吗？”

丹尼尔抬眼瞄她。“差不多。”他说。

丹尼尔不再为画翅膀困扰，他运笔如飞，自然地画出了其他线条。这种快捷的画技就像呼吸。他无法告诉你手为什么用那个角度握笔，而不是较传统的方式，可他的方法的确让笔下的人物栩栩如生。“把毯子举高一点，盖到你头上。”他说。

劳拉依言举臂：“这让我想起你的第一个作品。那个更乏味。”

丹尼尔的第一本签约收费漫画，是漫威漫画公司的《终极X战警》系列的临时作品。平时担纲的画家无法在截稿日前完成时，他的独立作品可以用来填补空当，也不会破坏系列英雄故事的连续性。

他受命画的是会控制天气的暴风女小时候的故事。他和劳拉以研究的名义在大雷雨的时候开车到海滨，翠克西坐在婴儿座椅里。他们把睡觉的宝宝放在车上，用毛毯裹着肩膀，在倾盆大雨中坐在海滩上，观察闪电如何在沙滩上留下印记。

那天晚上，丹尼尔走回车上的路上，被奇怪的玻璃管绊倒。劳拉告诉他，那是闪电熔岩，沙子会在被闪电打到的瞬间熔化。管子有八英寸长，外表粗糙，里面平滑。丹尼尔把它塞到翠克西的车座椅旁带回了家，到现在它还放在劳拉的书架上，很漂亮。

丹尼尔对这个现象大感惊奇：那么彻底的、本质的转变，竟可以在刹那间发生。

丹尼尔终于画完。他放下铅笔，舒展手指，看着他的画：画得不错，非常好。“谢谢。”他说，站起来拿下劳拉肩膀上的被子。

她站起来，抓着被子的两个角。他们沉默地把被子叠起来，像士兵在叠盖在棺材上的国旗。他们在中间相遇，丹尼尔想拿走被子，可劳拉没放手。她的手沿着折缝滑到丹尼尔身上，然后抬起头羞怯地吻他。

他不想碰她。她的身体隔着被子压向他。可直觉像巨大的浪潮，制服了他，他紧抱着劳拉，紧得他感觉劳拉因为难以呼吸而挣扎。他的吻饥渴、狂猛，好像错过了一场飨宴。她在他身下活跃起来，一把抓住他的衬衫拉近她，他从来不记得她以前曾经用这种妩媚的方式。

以前。

丹尼尔呻吟，把嘴唇从她唇上拉开，他的脸埋进她的颈窝。“你在想他吗？”他耳语。

劳拉僵住了，手臂从他身上松脱。“没有。”她说，脸涨得通红。

他们之间原本叠好的被子乱成一堆摊在地上。丹尼尔看到上面有个他之前没注意到的污点。他拾起被子，收进怀里："可我想到他了。"

劳拉的眼睛涨满泪水，走出了工作室。门关上，丹尼尔无精打采地坐回椅子。他不断地碰触劳拉偷情的事实。那像是一张擦亮的木桌上的疤痕——你努力去看其他隐约发光的表面，可眼睛和手指还是会被那疤痕吸引过去，整张桌子不再完美了。

两点十五分。再过半个小时他就要去学校接翠克西了。再过半个小时翠克西就可以做他和劳拉之间的垫子，免得他们互相硬生生地摩擦。

半个小时能发生太多事。闪电大作。妻子背叛。女儿被强奸。

丹尼尔双手遮脸。从指缝里，他看到刚才画的图。半人半恶魔的女人正用自己的一只翅膀裹着她自己。她是劳拉的化身。她伸手要取丹尼尔画不出来的心，因为他多年前就忘了它是什么样子的了。

杰森没去练球。他坐在亚葛欧、布莱特和奥斯特哈斯联合律师事务所豪华的办公室里，猜想今天教练会叫队员们练习什么。他们明天和灰纽格洛斯特高中有一场比赛，他是首发球员。

翠克西今天回学校。杰森没有看到她，他们刻意安排的，不过摩斯和丽芙儿还有一打其他的朋友都碰到她了。据说她几乎把头发剃光了。他开车去波特兰的路上在想，如果和翠克西狭路相逢会如何。法官传讯他时曾说，他只要和她见面，就可能被送进少年监狱，可法官一定是指自己如果主动找翠克西出来，就一定会惹上麻烦……而不是恰巧命中注定她和他走了同样的路。

他会和翠克西交往，一开始差不多就是命中注定的。

他至今还无法相信这是真的，他被指控强奸坐在律师办公室里。他现在真希望闹钟响起，然后他开车去学校，在走廊里遇到摩斯，对他说，老兄，你不会相信我做了什么噩梦。

达奇·奥斯特哈斯在和他的爸妈谈话，他们穿着上教堂才穿的衣服看着达奇，好像他是耶稣的化身。杰森知道爸妈一起攒下一些钱，预备送他去念一年大学预科，这样能让他有更好的机会进入一流的大学冰球队。高德学院的球探已经来看过了，他们说他的打球水平进得了高德。可现在他爸妈拿那些钱付给了律师。

“她在哭，”达奇说，他在指间转动一支别致的笔，“她求你和她复合。”

“是的，”杰森回答，“她不能……她不太能接受我提出了分手。有时候我以为她要崩溃了。你懂的。”

“你知道翠克西是否在看精神科医师？”达奇记着笔记，“她可能和性侵害顾问聊过。我们可以调阅那些记录作为她精神状况不稳定的证据。”

杰森不知道翠克西在搞什么鬼，但他从没想过她真的会疯。直到星期五晚上的派对，翠克西还很容易了解，她与他曾把过的数打妹子不同，其他女孩跟他交往通常是因为他是明星球员，为了做爱或者口交。说来疯狂，这点他从来没对他的朋友承认过，可是和翠克西在一起最棒的地方不是因为她，嗯，够辣，而是因为他知道，即使他不是个运动员、高年级生或者风头人物，她还是会想跟他在一起。

他喜欢她，但并不是真的爱她。至少他不这么觉得。当他看到她走过时，他没有被电到的感觉。他跟她在一起时，通常感觉舒服，而不是像下地狱般的热血沸腾。他跟她分手的理由，很讽刺地，是为了她好。他知道如果他要求翠克西抛下一切，跟着他周游世界，她也会照做；但如果换作他，他不会。在他们的关系里他们所处的位置不一样，像没对齐一样，他们迟早会分手的。早一点温和地处理掉，杰森那么想，他试图让翠克西不要心碎得更厉害。

但提出分手当然不好受。他不爱翠克西，并不表示不喜欢她。

至于其他方面，呃，他是个十七岁的猛男，别人放在银盘上双手奉给你的东西，当然不会丢掉。

“请你详细描述你在丽芙儿家的浴室发现翠克西之后，发生了什么？”

杰森把双手插进头发里，他的头发竖了起来：“我提议开车送她回家，她说好。可然后她开始哭。我为她感到难过，我拥抱了她。”

“拥抱？怎么抱的？”

杰森举起双臂，尴尬地交叉起来环抱自己：“像这样。”

“接着发生了什么事？”

“她靠近我，吻了我。”

“你怎么做的？”达奇问。

杰森偷瞄了妈妈一眼，她尴尬得脸颊像苹果抹了糖那么红。他无法相信他必须在她面前说这些。她会为了他连续念一个星期的玫瑰经[①]。“我回吻她。我的意思是，这是老习惯，你懂？她显然有兴趣……”

“说明白。”达奇插嘴。

“她脱掉上衣，”杰森说，他妈妈缩了下身子，“她解开了我的皮带，滑到我下面。”

达奇在做记录：“她开始为你口交？”

“是的。”

“你为她口交了吗？”

---

① 天主教教徒虔修时念的经。

“没有。”

“她有没有对你说什么？”

杰森感觉他领子下的衬衫变热了：“她叫了很多次我的名字。她一直说在别人的客厅做这个不好。但她好像并不紧张，她更像因为在别人家里性交而兴奋。”

“她有没有告诉你，她想要跟你性交？”

杰森想了一秒钟。“她没告诉我她不要。”他回答。

“她要求你停下来吗？”

“没有。”杰森说。

“你知道她是个处女吗？”

杰森突然发现自己扮演了傻瓜这个角色，他感觉脑袋里所有的想法结成了一个黑色的硬块。“哼，”他生气地说，“在十月我们第一次发生性关系的时候我发现了。”

翠克西看上去像刚打完一场战斗。她把她自己扔进卡车，坐在爸爸身边，丹尼尔简直想冲进学校，惩罚害她那么疲累的学生。他想象他自己怒气冲冲地冲过走廊……很快他摇掉了脑中的幻象。翠克西被强奸后，最不需要的，就是看到以暴制暴。

“你想谈谈吗？”上路了一会儿后，他问。

翠克西摇头。她抬高膝盖，双臂环抱着腿，仿佛想把整个人缩到最小。

丹尼尔把车子开到路边。他伸手过去，尴尬地把翠克西抱进怀里安慰她。“你不用一定要再回学校的，”他向她保证，“永远。”翠克西的眼泪浸湿了他的绒布衬衫。如果必要的话，他可以在家里教翠克西，或者给她找个家教。他可以带着全家搬走。

性侵害顾问贾尼丝警告过他。她说事后父亲和兄弟总是想保护受害者，自责没有防患于未然而感到愧疚。可是丹尼尔如果帮翠克西战斗，她可能永远不知道要如何再坚强起来。

一边去吧，贾尼丝。她没有一个被强奸了的女儿。即使有，她也不是翠克西。

突然有玻璃碎裂的声音，一辆车开过，车里的男孩将六个空啤酒瓶砸向他们的卡车。"婊子！"喊声从敞开的车窗传过来。丹尼尔看到是一辆尾灯凹陷的斯巴鲁车。坐在后座的人从窗里伸出手去和司机击掌。

丹尼尔放开翠克西，踏出车子，站到路边。碎玻璃被他的鞋底踩得嘎扎作响。啤酒瓶刮掉了卡车门油漆，砸碎在他的轮胎下。他们骂女儿的那句话还飘在空中。

他脑中浮现出一幅漫画场面——他画的英雄邓肯，变成"野爪"……这一次变形成美洲豹。他想象跑得比风还快，在崎岖的路上急奔，跳进司机身侧打开的狭窄车窗。他想象车子剧烈地摇晃着往前开。他闻到了他们的惧怕。他想要看见血。

然而，丹尼尔只是弯下身，捡起最大的一块玻璃。他小心翼翼地清出一条小路，载翠克西回家。

翠克西认识杰森的那天晚上，她感冒了。爸妈去纽约市的漫威漫画公司总部参加某个社交盛会，她那天晚上住在丽芙儿家。丽芙儿怂恿她去参加一个高年级的派对，她们在学校里一直在讨论这件事。可一放学，翠克西就开始呕吐。

"我觉得我快要死了。"翠克西对丽芙儿说。

"在你还没和学长一起玩之前可不能死。"丽芙儿说。

她们告诉丽芙儿妈妈，为了应付代数考试，她们要去贝缇娜·马杰拉地家复习。事实上，她是九年级最小的女生，不可能教她们代数。最后她们走了两公里路去参加派对，那是个叫欧森的家伙办的。翠克西两次在路边弯身，吐进草丛里。“这样其实很酷，”丽芙儿对她说，“他们会以为你已经醉了。”

派对上震耳欲聋的音乐节奏，眼花缭乱的身体的舞动，让翠克西很不舒服。

翠克西从在转圈的四人组女孩，移到一桌在玩叫贝鲁特①的喝酒比赛的陌生男孩，又转向一群在用百威啤酒空罐堆成金字塔的学生。十五分钟后，她感到发烧、晕眩，朝浴室走去，想去呕吐。

五分钟后，她从浴室出来，走到走廊，打算找丽芙儿一起离开。“你相信一见钟情吗？”一个声音问，“我可以请你再走过我旁边一次吗？”

翠克西看到一个家伙坐在地上，他的背抵着墙。他穿的运动衫褪色了，她都看不清上面印的字。他头发乌黑，眼睛是冰的颜色，是他的微笑，翘起斜在一边的嘴角，套住了她的心。

“我好像没见过你。”他说。

翠克西突然说不出话了。

“我叫杰森。”

“我正犯恶心。”翠克西脱口说了出来，一听到自己说的话就在心里暗暗咒骂自己。她真是蠢到爆。

可杰森只是微笑，斜斜的笑。“喔，那么，”他拉开他们情缘的序幕，“我想我必须让你感觉好一点。”

---

① 一种喝酒游戏。一般玩家分为两队，将6或10个酒杯堆成三角形放在远处，两队分别投掷乒乓球，投进则对方队员喝完这杯酒，首先让对方把酒喝完的队伍胜出。

丽芙儿·盛托瑞利–温斯坦在一家玩具店工作。当迈克·巴索雷米来店里找她的时候，她正在把价格贴到动物毛绒玩具脚下的条形码旁。他自我介绍后说："现在方便谈话吗？"他环视玩具店。有趣味科学实验工具、给娃娃打扮的衣服、乐高塑料积木、弹珠溜槽、豆袋椅颜色涂料，还有下命令就会叫的娃娃。

"可以吧。"丽芙儿说。

"你要坐下来吗？"唯一能坐的地方是个给小孩扮家家酒用的小茶几，上面放着玛德林牌的茶具和塑料杯型蛋糕。巴索雷米可以想象坐在上面他的膝盖会撞到下巴，或者，更糟的，一坐下去就起不来了。

"我站着就好。"丽芙儿说。她放下贴标签的枪，双手环抱着一只毛茸茸的北极熊。

巴索雷米看看丽芙儿。紧身单排扣衬衫、高跟鞋、眼妆、鲜红色的指甲油，还有怀里的玩具。他想，*这正是问题所在*。"感谢你愿意跟我谈。"

"是我妈要我说的。"

"我想她发现了你的小派对之后不怎么高兴。"

"她更不高兴你把我们家的客厅搞得像犯罪现场。"

"喔，"巴索雷米说，"它就是犯罪现场。"

丽芙儿嗤了一声，她拿起标签枪，又开始给动物贴标签。

"我知道你和翠克西·史东是好朋友很久了。"

"五岁开始。"

"她提到就在意外发生前，你们两个曾吵架。"他顿了一下，"你们吵什么？"

她低头看着柜台："我不记得了。"

“丽芙儿，”警官说，“如果你能提供给我细节，可能有助于确认你朋友说的话是否属实。”

“我们拟了个计划，”丽芙儿叹气，“她想要让杰森嫉妒。她想试着挽回他，再钓上他。主要就是这点。至少她是这么告诉我的。”

“什么意思？”

“我想她打算挑逗杰森，用不止一种方法。”

“她说过打算那天晚上和杰森性交吗？”

“她告诉我，不管他要她做什么，她都愿意。”丽芙儿说。

巴索雷米看着她：“你看到翠克西和杰森性交吗？”

“我可不喜欢偷窥。我在楼上。”

“你一个人？”

“和一个叫摩斯·明顿的家伙。”

“你们在做什么？”

丽芙儿抬眼瞟警官：“没做什么。”

“你和摩斯在性交吗？”

“是我妈妈叫你问我这个问题的吗？”她眯起眼睛说。

“直接回答问题。”

“不是！好吗？”丽芙儿说，“我们准备做。我的意思是，我以为我们会做。但摩斯喝挂了。”

“你呢？”

她耸肩：“我想我后来也睡着了吧。”

“什么时候？”

“我不知道。两点半？三点？”

巴索雷米看着笔记本：“你在你的房间里听得到音乐吗？”

丽芙儿迟钝地望着他：“什么音乐？”

“你开派对时放的CD。你在楼上听得到吗？”

“没有音乐。我们上楼的时候，已经有人把音乐关掉了。”丽芙儿把一堆毛绒玩具聚拢起来，当它们是赠品一样抱进怀里，然后走向一个空柜子，“所以我以为杰森和翠克西已经回家了。”

“你听到翠克西尖叫求救吗？”

巴索雷米第一次看到丽芙儿一时说不出话来。“我如果听到了，”丽芙儿说，她的声音非常轻微地颤抖，“我会下楼去的。”她把玩具熊并肩排好，它们几乎靠在了一起。“可整个晚上一片死寂。”

劳拉遇到丹尼尔之前，她从来没有越过雷池半步。她在校成绩都是优等。大家都知道她还会捡起别人乱扔的垃圾。她从来没有蛀牙。

她还是亚利桑那大学的研究生时，和一个叫瓦特的工商管理硕士约会。他已经带她去过三家珠宝店挑选订婚戒指。瓦特迷人、可靠、中规中矩。星期五晚上，他们总是到外面吃饭，饭吃到一半时，他们会交换主食吃，然后再去看场电影，他们交替选影片，电影散场后去喝咖啡，聊演员们的演技。接着瓦特开车送她回她在坦普市的公寓，他们例行公事般的做爱后，他会回家，因为他不喜欢睡陌生的床。

一个星期五，他们照例去看电影，电影院因为自来水管爆了就关门了。她和瓦特决定去米尔大道散步。那是个天气暖和的夜晚，路上会布满街头艺人，拉小提琴的或者即兴杂耍都有。

那里有几个画家，有用铅笔画素描的、用炭笔速写的，还有用闻起来像甘草的毛毡笔画漫画的。瓦特被一个男人吸引，弯身去看他的画。那个画家留着一头及肩的黑长发，满手都是墨渍。他后面是个临时的硬纸板架，上面钉着栩栩如生的经典漫画人物，如蝙蝠侠、超人还有金刚狼。“画得真好。”瓦特说。劳拉那时想，她从来没看过瓦特对什么东西那么兴奋过。“我小时候常收集漫画。”

画家抬起头，他有一双最淡的蓝眼睛，它们直视着劳拉。“一张素描十块钱。”他说。

瓦特的手臂环着劳拉说：“你能画一张她的素描吗？”

在她还没搞清楚状况之前，她已经坐到一个翻过来的木板条牛奶箱子上。人们都围过来看。劳拉瞟向瓦特，真希望他没提出这个建议。当她感觉画家的手指碰触她的下巴，将她的脸转回去面向他时，她吓了一跳。“不要动。”他警告。她可以闻到他身上尼古丁和威士忌的味道。

他画完，把画交给了劳拉。她有个女超人的身体——肌肉发达，充满能量，不过头发、脸和脖子都是她自己的。银河在她脚下旋转。背景是一些围观的群众。瓦特的脸几乎要被挤出画纸的边缘。在劳拉的画像旁，还画了一个男人，看起来像是画家本人。“那样有一天你能找到我。”他说。她感觉像心里刮起了风暴。

劳拉看向瓦特，他递出十元钞票。她抬高下巴：“你为什么以为我会找你？”

画家微笑：“我希望那样而已。”

等他们离开米尔大道，劳拉告诉瓦特，那是她见过的最差劲的素描——她的小腿没那么粗，她死也不会穿过膝靴。她打算回家后就把画扔进垃圾桶里。可那天晚上劳拉盯着画家龙飞凤舞的签名看：丹尼尔·史东。她仔细地看着素描，她注意到了方才看时没看到的：在斗篷的褶皱处，有几笔比其他线条深，清楚地拼出两个字：**见面**。

左靴的脚趾处有另两个字：**和我**。

她再仔细检查素描，搜索画上的群众想找出更多信息。最后她发现星球环左上角写着“**在**”字。看起来像瓦特的男人衣领上写的字是“**地狱**”。

她感觉像被打了一巴掌，好像他知道她会去找他暗藏的字。劳拉生气地把素描塞进厨房的垃圾桶里。可她整晚翻来覆去，想解开画中字。一般不会说：**和我在地狱见面**；如果是骂人，会说：**滚去地狱吧！**“和我在地狱见面”可能指的是去一个叫“地狱”的地方见面。这会不会不是拒绝，而是邀请?

第二天，她从垃圾桶里翻出素描，坐下来翻凤凰城地区的电话簿。

“地狱”在怀利街358号。

她从亚利桑那大学的生物实验室借了一个放大镜，但怎么看也没法从画里找到更多关于日期或者时间的线索了。那天下午一上完课，劳拉就往怀利街走去。结果“地狱”在两栋大楼间的狭窄过道里，两旁一边是家橱窗画着吸大麻用的烟斗的毒品用具店，另一家是×××录像带店。“地狱”狭小的门面没有窗，只有一扇画着谜语般涂鸦的门。有块木板用蓝色的漆手写着这家店的名字，都没有正式的招牌。

狭长形的店里，除了吧台，就容不下什么了。墙壁漆成了黑色。虽然只是下午三点，里头已经有六个人坐在吧台周围，有的人一眼看去劳拉都不知他们是男是女。阳光从门缝里照进去，他们像从地洞里探出头来的鼹鼠转过头，眯起眼睛看她。

丹尼尔·史东坐在最靠近门口的位子上。他扬起一根眉毛，把香烟丢到酒吧的木板地上踩熄。“请坐。”他说。

她伸出手：“我是劳拉·派柏。”

他看着她的手，发笑，他没和她握手。她爬上高脚凳，把她的皮包折起来放到腿上。“你等很久了吗？”她问，说得好像这是个商业会议。

他哈哈大笑。他的笑声使她想到，夏天车开过肮脏的马路扬起的灰尘。“我等了一辈子了。”

她不知道该如何回应：“你没有给确切的见面时间……”

他的眼睛亮了起来：“可你找到了其他字。我反正大部分时间都住在这里。”

“你是这里的人吗？”

“我来自阿拉斯加。”

对一个在沙漠郊区长大的女孩来说，这种极大的落差真是太酷了，浪漫得一塌糊涂。她想象白雪、北极熊和爱斯基摩人：“你为什么会来这里？”

他耸肩：“在那里，你会了解蓝色。我需要红色。”劳拉花了好一会儿工夫才明白他在说颜色和他的画。他点燃另一根香烟。那让她不大舒服，她不习惯别人在她附近抽烟，可是她不知道怎么开口说。

“那么，劳拉……”他说。

她紧张得开始用说话填满他们之间的沉默：“有个诗人，叫弗兰齐斯科·彼特拉克，劳拉是他灵感的源泉。他的十四行诗写得非常美。”

丹尼尔的嘴唇弯了起来：“是很美。”

她不知道他是否在拿她开玩笑。她突然意识到，酒吧里的其他人都在听他们谈话，而坦白说，她都不记得她为什么会来这里了。她正想起身，酒保在她面前放了一小杯透明的什么东西。“喔，”她说，“我不喝酒。”

丹尼尔伸手过去喝掉，一滴都不剩。

她被他迷住了，就像昆虫学家被一种在书上读到过，可从没想过能把标本握在掌心的、来自远方的生物迷住，能和她整个人生都平行的人如此接近，她感到莫名的兴奋。她看着丹尼尔·史东，她看到的不是一个头发过长、几天没刮胡子、穿着破旧的T恤套着旧夹克、指尖沾着尼古丁和墨水的男人。她看到的是一个，如果她没有做理智选择，就会变成的人。

“你喜欢诗。”丹尼尔说，他拾起话头。

“嗯，艾施百瑞①还不错。不过你要是读过鲁米②……”她突然住口，明白她该回答的只是：是的。“我想你可能不是邀请我来这里谈诗的。”

“那些对我来说都是狗屁，不过我喜欢你谈诗时候的眼神。”

劳拉在吧台的高脚椅上往后坐了一点，想要拉开点他们之间的距离。

“你想知道我为什么邀请你来这里吗？”丹尼尔问。

她点头，忘了呼吸。

“因为我知道你够聪明，会找到我画中的字。因为你的头发有火的各种颜色。”他伸出手，放到她下巴上，再往下到她的脖子，“因为那天晚上碰你这里的时候，我想品尝你。”

在劳拉明白他在做什么之前，她发现自己已经在他的怀里，他的嘴唇热切地贴上她的，他的气息有酒味、烟味，还有与世隔绝的味道。

她推开他，跌下吧台椅：“你在干什么？”

“完成你来这儿的目的。”丹尼尔说。

吧台边的其他男人都吹起口哨。劳拉的脸在发烧。“我不知道我为什么来这里。”她走向门口。

“因为我们是一样的人。”丹尼尔喊道。

---

① 约翰·劳伦斯·艾施百瑞（John Lawrence Ashbery），美国诗人，作品《哈哈镜中的自画像》获普利策奖。

② 莫拉维·贾拉鲁丁·鲁米（Molana Jalaluddin Rumi），伊斯兰教苏菲派诗人。

她不可能放过这句话。她转身说："相信我。我们没有任何东西是一样的。"

"是吗？"丹尼尔接近她，一手将门按住，"你告诉你男朋友你来见我了吗？"劳拉沉默地僵立着，他笑了。

劳拉在沉甸甸的事实面前屈服了，事实就是她说谎了，不只对瓦特说谎，也对自己说谎。事实是她出于自由意志来这里，她来这里是因为她无法忍受不来的想法。如果丹尼尔·史东吸引她不是因为他们完全不同，而是因为相似呢？如果她在他身上看到的，是她自己本性的一部分，而那一部分一直存在于她的表面之下呢？

如果丹尼尔·史东说对了呢？

她凝视着他，心跳如擂鼓："如果我今天没有来，你会怎么样？"

他蓝色的眸子变得深邃了："等。"

劳拉感到十分尴尬，窘迫不堪，可是她上前一步，靠近了他。她想到了最后都服毒自杀的包法利夫人和朱丽叶，毒药在她们的血管里奔流，她想激情不过如此。

迈克·巴索雷米听到有人叫他的名字时，他正在急诊室的可乐贩卖机附近徘徊。他抬眼看到一个深色头发的娇小女人，她的双手插在白色医生外套的口袋里，外套上写着：C.罗斯医学博士。"我想跟你谈谈翠克西·史东。"他说。

她点头，瞥向周围来来往往的人们："我们进间空的诊疗室谈吧？"

诊疗室是迈克最不想去的地方。上一次他进诊疗室，是指认女儿的尸体。他一越过门槛身体就开始晃，感觉整个房间在旋转。"你还好吗？”医生问。他抵着诊疗台想稳定自己。

“我没事。”

“我去给你弄点东西喝。”

她出去了一下，带回一个圆锥形的纸杯，里头装着饮水机倒来的水。迈克喝完，把纸杯捏进手里。“一定是感冒病毒在作怪。”他试着化解自己的虚弱，“根据你的医学报告，我有几个后续问题要请教。”

“请说。”

迈克从外套口袋拿出笔记本和铅笔。“报告里说，翠克西·史东在这里时，她的行为举止相当平静？”

“是的，直到进行骨盆腔检查，她对那项检查有点不安。不过，做其他检查时她都很平静。”

“没有歇斯底里？”

“并不是所有强奸受害者都那样，”医师说，“有些人还处在震惊当中。”

“她有流血吗？”

“很少量。”

“如果她是个处女，流血量应该会更多吗？”

医师耸肩：“一个女孩的处女膜可能在八岁骑脚踏车时就破了。第一次性交不一定会流血。”

“可报告上也说，没有显著的内伤。”迈克说。

医师对他皱了皱眉：“你不是应该站在她那边吗？”

“我不站在任何一边。”迈克说，“在立案之前，我会试着厘清事实。我必须排除任何矛盾说法。”

“我们在谈论的是一个有调节性的器官。只因为那里没有明显的内部伤口，并不表示没有发生非自愿的性行为。”

迈克低头看着诊疗台，觉得不舒服。他突然可以看到女儿毁损的长条形的僵直的身体。一只手臂滑下来垂着，手肘的弯曲处有吸毒成瘾者的黑色瘀青。

“她的手臂。”迈克呢喃。

“伤口？我拍下照片了。她进来的时候那个撕裂伤还有分泌物，”医师说，“可是她说不记得在遭受性侵时见过武器。”

迈克从口袋里拿出一张翠克西左腕的拍立得照片。有罗斯医生所描述的一道颇深的伤口，还在发炎，红得像个嘴巴。如果很仔细地看，还可以看到银色的人字形的旧伤疤。“有没有可能是翠克西·史东自己弄的呢？”

“有可能。现在有很多少女自残。但还是不排除翠克西被性侵的事实可能。”

“你愿意为此事作证吗？”迈克问。

医师双手在胸前交叉：“警官，你参加过被强奸女性的证物采集工作吗？”

她当然知道迈克没参加过。身为一个男人，他不可能参加。

“那得花上一个小时，不只包含彻底的外生殖器检查，还得进行痛苦的内生殖器的彻底检查。它包含在紫外线灯光下详细检查身体，用棉花棒擦拭当证物。它包含照相，包含询问到性习惯的私密细节，包含没收衣物。我已经在急诊室做了十五年的妇产科医生，警官，我还没看过一个女人愿意无缘无故忍受性侵检查。”她抬眼看迈克。“是的，”罗斯医生说，“我会作证。”

贾尼丝的办公室不只有茶叶。她有乌龙茶、助眠茶、橙白毫红茶、大吉岭茶、南非健康茶、日本煎茶、龙井、抹茶、珠茶、茉莉花茶、祁门红茶、正山小种红茶和阿萨姆茶（有分别来自中国云南与印度尼尔吉利的）。“你要喝什么？”她问。

翠克西把一个抱枕抱在胸前：“咖啡。”

“我好像没听过这种东西。”

翠克西心不甘情不愿地来赴约。爸爸载她来，说五点会再来接她回家。“要是我无话可说呢？”翠克西在临下车时问他。然而结果是，她一坐下来，就说个没完。她告诉贾尼丝她和丽芙儿的对话，还有摩斯当她是鬼一样的无视她。她谈到储物柜里的安全套，还有她为什么没向校长报告这事。她说即使在人们没有在她背后议论，她还是可以听到他们窃窃私语。

贾尼丝坐在地板上的一堆枕头上——她的办公室还有四个其他性侵害顾问，到处都是需要的时候可以拥抱的柔软的东西。“在我看来，丽芙儿现在感到有点困惑。”贾尼丝说，“她认为她必须在你和摩斯中间做选择，所以她没有明显地支持你。”

“嗯，”翠克西说，“那就剩我爸妈了，但我不能拉着他们跟我一起上学。”

“其他朋友呢？”

翠克西拨弄着她腿上抱枕的流苏：“我开始和杰森交往以后，就和他们疏远了。”

“你一定很想念他们。”

她摇头。“我的注意力全放在了杰森身上，没有多余的空间给别人了。”翠克西抬头看贾尼丝，“这就是爱，是不是？”

“杰森曾经说过他爱你吗？”

“我有一次对他那么说。”她坐直了。虽然翠克西说她什么茶都不要，贾尼丝还是给她泡了一杯。她伸手拿过温热的茶杯，握在手掌里很舒服。翠克西想，把一颗心捧在手里的感觉是不是就像这样？

“他说他也爱我。”

“是什么时候的事？”

10月14日晚上9点39分。他们牵着手坐在电影院后排，看一部青少年血腥恐怖电影。她穿着丽芙儿的蓝色马海毛衫，那让她的胸部看起来比实际上更丰满。杰森买了酸甜软糖，她正喝雪碧。可翠克西觉得告诉贾尼丝那些已经烙进她脑海的细节太可悲了，所以她只是说：“大约我们交往了一个月后。”

“那次之后他有没有再说过他爱你？”

翠克西没有再鼓动他说，想等他先说，可是杰森没说，她也没有再说，因为她太害怕如果她说了，他不回应。

她觉得某天晚上他这么低语过，可那时候她惊吓过度，到现在她还无法确定，这是不是她想象出来，用来缓和那件事的冲击的。

“你们两个怎么会分手的？”贾尼丝问。

他们站在杰森家的厨房，吃往碗里倒M&M巧克力时不小心洒在桌上的那些。*我想我们如果和别人约会，可能会是一件好事*，杰森说。五秒钟前他们还在谈一个老师，她因为要陪伴领养的罗马尼亚宝宝，要请假到年底。翠克西无法呼吸了，她的脑子疯狂地在旋转，试图想出她做错了什么。*不是你的问题*，杰森说。可他那么完美，怎么可能不是自己的问题？

他说希望他们保持朋友关系，她点头，虽然她明知道那是不可能的。以后她在学校里经过他身旁时很可能会崩溃，怎么可能挤出笑容？她怎能忘记他曾经的许诺？

杰森跟她分手的那天晚上，他们本来约去他家亲热，他爸妈都出去了。她担心自己的爸妈可能做什么蠢事，例如打电话给她朋友，因此翠克西告诉爸妈，他们一大堆朋友都要去看电影。所以，杰森丢下炸弹后，翠克西被迫又和他在一起待了两个小时，直到电影散场的时间到了才回家。那两个小时里，她真正想做的是躲在自己的被窝里哭成人干。

“杰森和你分手时，”贾尼丝问，“你是如何让你自己感觉好过一点呢？”

割手臂。这三个字飞快地进入翠克西的大脑，但在最后一刹那她闭紧嘴唇，没让它冲出来。可是同时，她的右手不自觉地滑到了左手手腕上。

贾尼丝密切地观察她。她伸手握住翠克西的手臂，稍稍拉高了袖口：“所以那不是强奸的时候弄的。”

“是的。”

“在急诊室的时候，你为什么告诉医生那是在强奸时弄的？”

翠克西的眼眶里盈满泪水：“我不想让她以为我疯了。”

杰森和她分手后，翠克西无法假装自己还能够控制情绪。听到车上的收音机播出某一首歌，她就会啜泣，她只得编借口搪塞爸爸。她会故意走到杰森的储物柜，希望刚好能在路上遇到他。她坐在图书馆一台计算机前，它的屏幕在阳光下能映照出她后面的桌子，她假装打字，其实在看杰森的影子。她像在焦油里游泳，挣扎着，而世界上的其他人，包括杰森，都像什么事也没发生一样继续往前。

“有一天在浴室里，”翠克西坦白，“我打开药柜，看到我爸爸的剃须刀片。我没有想什么就做了。感觉很好，能带走我心里的一切。有这种痛才是对的。”

“有更积极有效的方法可以应对沮丧……”

“我疯了，对吗？”翠克西插嘴，“去爱一个伤害你的人？”

“以为伤害你的人爱着你，才更疯狂。”贾尼丝回答。

翠克西举起茶杯。茶已经冷了。她拿高茶杯遮住脸，这样贾尼丝就无法看见她的眼睛了。如果她看得到，她也许会猜到翠克西隐藏的最后一个秘密：出事那晚之后，她恨杰森……可她更恨自己。因为即使那事发生后，有一部分的翠克西还是想挽回他。

《波特兰先锋报》的“读者来信”专栏出现了这么一段：

亲爱的编辑：

我们想对缺乏充分证据就指控杰森·安德希尔强奸一事，表达我们的震惊和愤怒。任何一个认识杰森的人都知道，他身上没有一丝暴力倾向。如果强奸是一种控制他人的暴力罪行，杰森平时可能没有一点暴力行为吗？

当杰森的人生被踩紧急刹车般的暂停，这个案件里所谓的受害者却逍遥自在。当杰森被塑造成一个恶魔，这个“受害者”却似乎完全没有受过性侵犯的样子。或许这其实不是强奸，而只是一个年轻女孩在做了一项决定后，悔不当初的诬告？

如果贝瑟尔镇要做出这个案件的判决，杰森·安德希尔一定会获判无罪。

诚挚的，

贝瑟尔高中十三位匿名教师

五十六个其他人签名

在人们内心最渴望被拯救的时候，超级英雄诞生了。最开始往往像传奇一样，20世纪30年代，有两个没法在报社找到工作的聪明的犹太人，舒斯特和西格尔，他们想象一个衰运连连的家伙，他摘下眼镜，踏进电话亭变身成了一个有男子气概的英雄，最后这个怪咖掳获了心爱女孩的芳心，这就是《超人》。当时被经济大萧条搞得人心惶惶的大众欣然接受了这个形象，他带他们暂时离开愁云惨淡的现实。

丹尼尔的第一本漫画书是关于离开。它是从一个尤皮克族的故事衍生来的，说一个猎人愚蠢地独自出发，用鱼叉猎到了一头海象。猎人知道他一个人没法拖动它，但如果放开绳子，海象会把他拖进海里淹死。猎人最后还是决定要将绳索放松，他的双手冻住了，结果他被拖进海里。不过他没有淹死，他沉到海底变成了一头海象。

丹尼尔开始画漫画书是在有一天下课，他被留在教室里，因为他打了一个同学，那小孩取笑他的蓝眼睛。他心不在焉地用铅笔画了一个海里的角色，长着鳍和长牙，他上岸后，就能站起来，慢慢长出四肢和一个男人的脸。他画了又画，看着他的英雄离开村子，那是小丹尼尔做不到的。

现在，他似乎也无法离开最近这些日子。翠克西被强奸后，丹尼尔很难再画好一幅画。如果他能一天二十四小时都保持清醒，每天还神奇地延长几个小时，那他大概能赶上截稿日。不过，他不能打电话给漫威漫画，告诉他们坏消息，解释他为什么心神不宁，那会让发生在翠克西身上的事更加真实。

早上七点半，电话铃响，丹尼尔立马抓起话筒。翠克西今天不上学，丹尼尔要尽所有可能让她睡到饱。“你有事情要告诉我吗？”电话另一头问道。

丹尼尔冒了冷汗。“鲍立，”他说，“什么事情？”

鲍立·高德曼是丹尼尔长期以来的编辑，他本身也是个传奇。他叼着雪茄，打红色的蝴蝶领结的形象深入人心，他是漫画界里所有大人物的好友：斯坦·李、杰克·科比、史蒂夫·迪特寇。最近，他还很可能被人看到，在他最喜欢的街角熟食店，抓着黑面包夹咸牛肉三明治，和阿兰·摩尔、托德·迈克法兰或尼尔·盖曼在聊天。

鲍立赞同丹尼尔的想法，为曾经的漫画迷、现在的成年人画一本漫画小说。于是丹尼尔不再只是画家，他还撰写吸引大读者的故事情节。虽然漫威漫画公司一开始还在犹豫，但还是同意放手让丹尼尔去做。他们就像所有出版商一样，尝试某些以前没有做过的新点子之后，如果你侥幸成功了，便可以称之为革命性的创新，否则就是炮灰。漫威漫画公司已经为“野爪”系列投入了广告营销费用，若无法如期完稿，那将会是个灾难。

“你看了最近一期的《沟壑之间》吗？”鲍立问。

他说的是一个网站上瑞奇·约翰斯顿写的八卦专栏。专栏名字是个双关语——沟壑指漫画格之间的空间，一幅漫画的结构取决于“沟壑”的走向。约翰斯顿鼓励好事者寄内幕消息给他，他贴在文章里，然后网民们再到处散播八卦。丹尼尔把话筒抵在肩膀上，一边上网页浏览这期《沟壑之间》的标题。

一个不是关于漫威漫画公司编辑部的故事，他读道。

DC公司不可能买《飞猪》漫画。

是的，你第二次看到这条新闻了：由于赶不上进度，《爬行空隙》的最新一章将由艾文·何曼绘图……可有几页在易贝网已经可以看到了。

最下面是：“野爪”收回爪子？

丹尼尔倾身靠近屏幕：据我了解，由丹尼尔·史东所画的，红极一时的《第十层地狱》下一集截稿日快到了，各位，数数看……已完成零页。大肆宣传只是个骗局？没有新东西可以看，一个再棒的系列又有什么用？

“那是狗屁，”丹尼尔说，“我在画。”

“画了多少？”

“会如期完成的，鲍立。”

“画了多少？”

“八页。”

“八页？如果赶印刷，这个周末前你得给我二十二页。”

“如果有必要，我自己印刷。”

“哈？你要自己用复印机印，再送去给经销商吗？看在上帝的份上，丹尼尔。这不是高中，你不能说你的作业因为被狗吃了所以没了。”他顿了一下，然后说，“我知道你最后一分钟会赶出来的，可这次进度也太慢了，不像你的作风。出了什么事？”

要怎么对一个一辈子都在幻想世界里工作的男人解释，有时候现实能把人压垮？在漫画里，英雄逃走，坏蛋消失，甚至连死亡，这些都不是永久的。“这一集的变化比较多。”丹尼尔平静地说。

“什么意思？”

“情节。它会比较……以家庭故事为主。”

鲍立沉默了一会儿，在考虑。“家庭方向是不错，”他沉吟，“你的意思是最后会让父母和孩子相聚？”

丹尼尔捏捏鼻梁。“希望如此。”他说。

翠克西正有条不紊地把房间里所有和杰森有关的东西扔掉。他上课时候传给她的第一张纸条。他们在旧奥查德比奇的照相亭拍的几组傻里傻气的照片。她桌上的绿色毛毡面记事本，她在里面写了十几次他的名字，那种感觉还在。

她把记事本拿出去要丢进垃圾桶。她看到了报纸翻开着，上面是她爸妈不希望她看到的“读者来信”。

“如果贝瑟尔镇要做出这个案件的判决，”翠克西念道，“杰森·安德希尔一定会获判无罪。”

在那封可怕的信里，他们没有说的是，这个镇已经做出了错误的判决。她跑回楼上，到电脑前，开机上网。她搜《波特兰先锋报》的网页，开始写一封反驳信。

尊敬的编辑，翠克西写道。

我知道你们报社的原则是匿名保护未成年受害者。我就是那个未成年的受害者，可与其让人们猜测，我宁愿让他们知道我的名字。

她想到一些别的受害的女孩可能看到这封信，那些孩子太害怕了，不敢告诉别人她们出了什么事。或者另一些女孩告诉别人了，她们看到这封信，就能鼓起勇气，度过每一天地狱般的高中生涯。她想到男孩们如果看到这封信，在下次强人所难之前可能会慎重考虑。

我叫翠克西·史东，她写道。

她看到打出来的字在颤抖。字里行间都在提醒她，她是个懦夫。她敲下了删除键。

劳拉走进厨房的时候电话铃响了。她拿起电话，楼上的丹尼尔也刚好拿起分机接听。“我要找劳拉·史东。”来电者说，她握着的玻璃杯掉进了水槽。

“我接了。”劳拉说。她等丹尼尔挂掉电话。

“我想你。”希斯说。

她没有立即回答，她无法立即回答。要是她没有接到电话呢？希斯会开始跟丹尼尔聊天吗？他会自我介绍？“不要再打电话给我。”劳拉低声说。

“我必须跟你谈谈。”

她的心跳得剧烈得她几乎听不到自己的声音了：“不行。”

“拜托，劳拉。这很重要。”

丹尼尔走进厨房，给自己倒水。“请把我从你的通讯录里删除。”劳拉挂断了电话。

回想起来，劳拉发现她和丹尼尔约会是一种同化，她吸收了一点他的鲁莽，把它变成了自己的一部分。和瓦特分手后，她开始睡过头不去上课，开始抽烟。她问丹尼尔许多他不愿多谈的、关于他过去的问题。她学会了怎么让自己的身体成为乐器，让丹尼尔能在她的肌肤上演奏交响乐。

接着她发现她怀孕了。

起初她没有告诉丹尼尔，她怕他会跑掉。后来渐渐地，她明白她没告诉丹尼尔是因为她才是那个想逃跑的人。她觉得这是报应，现实和责任逮到她了。她才二十四岁，她整晚待在廉租房地下室赌斗鸡做什么？最后如果她能越过边境找到最好的龙舌兰酒，可博士论文搁浅了，又有什么好处？和放浪不羁的男人调情是一回事，完全在这里生根是另一回事。

负责的家长不会半夜带他们的宝宝在街上游荡。他们不会住在车里。他们不会靠偶尔在哪里画素描零零星星赚来的钱买婴儿食品、麦片和衣服。虽然丹尼尔目前很吸引劳拉，像月亮引发涨潮，但她无法想象他们在一起十年后会如何。她发现了令人吃惊的事实：她生命中最爱的男人可能不能和她共度一生。

劳拉和丹尼尔分手了，她说服自己，她是帮了他俩一个大忙。她没有提到孩子，虽然她一直知道她会保住他。她会经常发呆，猜想孩子会不会有和她爸爸一样的狼一般的浅色瞳孔。她戒烟，又开始穿套装毛衣，开车系好安全带。她假装不再想念丹尼尔，利落地把他折起来藏在心底。

几个月后的一天，劳拉回家，发现丹尼尔在她的公寓前等她。他看了一眼她隆起的腹部，愤怒地抓住她的上臂："你怎么可以不告诉我？"

劳拉恐慌，怀疑她一直以来是否误解了，以为他的个性只是崇尚自由。要是他不只是狂野，还真的很危险呢？"我以为这样最好，如果……"

"你要怎么对孩子说？"丹尼尔问，"关于我？"

"我……我还没有想那么多。"

劳拉小心翼翼地看着他。丹尼尔变成了一个她不太认识的人。此刻的他不只是个试图反抗制度的坏男孩，他看上去沮丧极了，都忘了掩饰。

他跌坐到门外的台阶上。"我妈告诉我，我爸在我出生前就死了。可我十一岁的时候收到了一封航空邮件。"丹尼尔抬头，"鬼不会寄钱给你。"

劳拉蹲下来，坐到他旁边。

"第一封信之后，他每个月都寄钱来，邮戳总是不一样。他从来没说过他为什么不和我们住在一起。他只说犹他州的盐山看起来像什么样子，或者你光脚踩进密西西比河有多冷。他说有一天他会带我去这些地方，让我亲眼看看。"丹尼尔说，"我等了好多年，但你知道的，他从来没有来接我。”

他面向劳拉：“我妈说她说谎是因为她觉得让我听到爸爸死了，比听到他不想要这个家更容易接受。我不要我们的孩子有个那样的爸爸。”

“丹尼尔，”她坦言，“我不确定我是否要我们的孩子有个像你这样的爸爸。”

他仿佛被打了个耳光，身体往后仰。他慢慢起身走开了。

接下来的一个星期劳拉是在泪水中度过的。一个早上，她走出去拿报纸，发现丹尼尔睡在公寓的台阶上。他站起来，她不由盯着他看：他原本长到肩膀的头发已经剪成像当兵的那么短；他穿着卡其长裤和蓝色的牛津布衬衫，袖子卷了起来。他递出一张纸。“这是我刚存进去的支票。”丹尼尔解释，“我在原子能漫画公司找到了工作。他们预支了我一个星期的薪水。”

劳拉听着，她之前的决定有了裂缝。可能他俩之中，不只是劳拉迷恋上了他的个性迥异？可能一直以来她被丹尼尔的狂野吸引的同时，他在渴望她的救赎呢？

也许爱不是单方面找到自己欠缺的，而是互相的施予和接受，让两个人相配？

“我还没有足够的钱，”丹尼尔继续说，“等我有了，我会去念社区大学的艺术课。”他伸手揽劳拉，让他们的孩子在他们正中间。“答应吧，”他轻语，“说不定这个孩子遗传了我最好的部分。”

“你不想要这样的生活的，”劳拉向他靠近了一点，“有一天你会恨我毁了你的人生。”

“我的人生很早以前就毁了，”丹尼尔说，“我永远不会恨你。”

他们到市政厅登记结婚，丹尼尔信守他的诺言。他突然完全戒烟戒酒。每一次产检他都陪着劳拉。四个月后，翠克西出生，他宠爱她，仿佛她是阳光做的。劳拉白天去大学教书，丹尼尔和翠克西去公园或动物园玩。晚上，他去上课，开始接活，最后为漫威漫画公司工作。他跟着劳拉的工作调动，从圣地亚哥，转到威斯康星州的马凯特大学，再到现在定居的缅因州。他每天都准备好晚餐，等她从学校授课回家。他在她公文包的口袋里放“超级宝宝翠克西”的夸张漫画。他从来不忘记她的生日。事实上，他完美到令她怀疑狂野的丹尼尔只是为了吸引她的假象。但她会突然想起奇怪的事：某个晚上他们做爱的时候，丹尼尔用力咬她，吸她的血；他在噩梦里发出和想象中的敌人打架的声音；一次他用毛毡笔在劳拉的身体上画刺青，手臂下边是九头蛇，腰背部是一只在飞的恶魔。几年前，她很想念这一切，于是想把他的墨水笔带上床。“你知道要把这笔迹从你皮肤上弄掉有多困难吗？”丹尼尔说。这事就作罢了。

劳拉知道她没有权利抱怨。这个世界有的女人挨丈夫打，她们哭着入睡，因为丈夫是酒鬼或赌鬼。有的女人丈夫一辈子说“我爱你”的次数，比丹尼尔一个星期说的还少。劳拉不能像往常一样把责任推及他人，因为事实的强风会把责任吹还给她。她要求丹尼尔改变没有毁了他的人生，倒毁了她自己的。

迈克·巴索雷米看向录音机，确定它在转动。“她缠着我，”摩斯·明顿说，“她把双手插进我的头发，就像在我腿上跳艳舞。”

在迈克的要求下这个男孩表示愿意谈话。会谈还不到五分钟，显然任何从摩斯口里吐出来的话，都因为他跟杰森·安德希尔是铁哥们而过度渲染。

“我不知道该怎么说这些，才能听起来不像个混蛋，”摩斯说，“可翠克西是自找的。”

巴索雷米往后靠在椅背上：“你觉得这才是事实？”

“呃……是的。”

“那天晚上你和翠克西性交了吗？”

“没有。”

“当你朋友在和她性交的时候，你一定在现场。”巴索雷米说，“否则你怎么可能知道她同意性交？”

“老兄，我不在现场。”摩斯说，“可是你也不在现场啊。我或许没有听到她说同意，但你也没听到她说不要啊。”

巴索雷米关掉录音机：“谢谢你。”

“结束了？”摩斯惊讶地问，“就这样？”

“就这样。”警官从口袋里拿出一张名片，递给摩斯，“如果你想到任何必须告诉我的事，可以打电话给我。”

“巴索雷米，”摩斯大声念出名片上的名字，“我以前有个叫霍莉·巴索雷米的保姆。我那时候大约九岁或十岁。”

“是我女儿。”

“不是开玩笑吧？她还住在这附近吗？”

迈克犹豫了下：“她不住在这里了。”

摩斯把名片塞进口袋。“下次你碰到她的时候，帮我跟她打个招呼。”他对警官稍微挥了下手，走了出去。

“我会的。”迈克说，他的声音像蕾丝一样松散。

丹尼尔开门，是性侵害顾问贾尼丝。“哦，我不知道翠克西约了和你见面。”丹尼尔说。

“她没有。”贾尼丝回答，“我可以跟你和劳拉谈一会儿吗？”

“劳拉去大学教书了。”他说，翠克西从楼上的楼梯栏杆探出头来。以前，翠克西不会那样畏缩，她会像闪电那样蹦跳下来，确定访客是不是来找她。

“翠克西，”贾尼丝看着她说，“我必须告诉你个坏消息。”

翠克西下楼，悄悄地走到丹尼尔身边，像她小时候看到某样害怕的东西。

“杰森·安德希尔的辩护律师要调阅我和翠克西的谈话录音。”

丹尼尔摇头：“我不明白，这不侵害隐私权吗？”

“只有和被告的谈话有隐私权。很遗憾，如果是受害者，就不一样了。你的日记、你与精神科医师谈话的记录都会被当作证据。”她看着翠克西说，“还有你和性侵害顾问的谈话。”

丹尼尔不知道贾尼丝和翠克西谈过什么，可女儿正站在旁边颤抖。“你不能交出录音带。”她说。

“如果我们不交的话，你会被送去坐牢。”贾尼丝解释。

“我去，”丹尼尔说，“我愿意替她坐牢。”

“法律不会接受。相信我，你不是第一个志愿者。”

你不是第一个。丹尼尔慢慢地把这几个字凑在一起：“这种事以前发生过？”

“很不幸，是的。”贾尼丝承认。

“你说我告诉你的话不会传出那个房间！”翠克西叫道，“你说你会帮助我。这样是帮助我吗？”

翠克西飞跑上楼，贾尼丝想追上去：“让我去跟她谈。”

丹尼尔上前一步挡住她。“谢谢，”他说，“可是我想你做的已经够多了。”

法律赋予杰森·安德希尔辩护的权利，巴索雷米警官在电话里解释。“法律规定受害者的可信度可以被质疑。”他补充说，“恕我直言，你女儿的可信度已经遭到质疑。”

“她之前就和那个男孩发生关系了。”

“她喝了酒。”

“她的陈述前后不一致。”

丹尼尔回答：“例如？”

结束了和警官的交谈，丹尼尔呆住了。他走上楼，打开翠克西的房门。她躺在床上，背对着他。

“翠克西，”他尽可能用平静的声音说，“那时你真的是处女吗？”

她僵住：“什么？连你都不相信我了？”

“你对警察说了谎。”

翠克西翻过身来，看上去大受打击：“你听信那个愚蠢的警官而不……”

“你在想什么？”丹尼尔爆炸了。

翠克西吓一跳，坐起来。“你在想什么？”她叫道，“你知道的，你一定知道发生过什么事。”

丹尼尔回想起有几次，他在窗前看到翠克西在约会回来后，还待在杰森的车子里很久。他告诉自己应该给她隐私权，可是那样到底对吗？他假装没看见，因为他无法忍受看到那个男孩的脸靠近他女儿，看他的手掠过翠克西的胸部下面。

他看到过丢进洗衣机里的毛巾有眼影浓妆的污迹，但不记得翠克西曾画过眼影出门。当他听到劳拉抱怨，她最喜欢的高跟鞋、衬衫或口红不见了，而他在翠克西的床底下发现时，他保持沉默。他假装没有注意到最近翠克西的衣服越穿越紧身，步伐闪动着自信的光彩。

翠克西说得对。只因为一个人不承认某些事改变了，不代表它没有真的发生过。或许翠克西的确把一切搞砸了……不过，他也是。

“我知道，”他震惊自己的声音那么大，“我只是不想知道。”

丹尼尔看着女儿。翠克西脸上还看得出以前顽固的小女孩时的模样——她下巴的弧度，黝黑的长睫毛，明显的雀斑。她还没有完全改变，还没有。

他把翠克西拉进怀里，但感觉她没有贴着他。丹尼尔明白，法律不会保护他女儿了，那意味着他必须自己来。

“我不能告诉他们，”翠克西啜泣，“那时你就站在那里。”

丹尼尔回想起：当医生问翠克西她是否是处女时，他在诊疗室里。

她的声音很小，事实卷得像蜗牛那么紧。“我不想你生我的气。我以为如果我告诉医生我和杰森已经做过了，她就不会相信我被强奸。可就算那样，这依旧可能是强奸啊，不是吗，爸爸？只因为我以前说同意，不代表这次我不能说不要啊！”她哭得很厉害，在他身上颤抖着。

你没有签过合约就成了家长，但责任已经用隐形墨水写下。在一些时刻你必须支持你的孩子，即使其他人都不赞同。即使你的孩子先把桥烧毁了，重建这座桥还是你的工作。或许翠克西没有说出全部的事实。或许她喝了酒。或许她在派对上调情。可如果翠克西说她被强奸，那么丹尼尔就一定相信。

“宝贝，”他说，“我相信你。”

几天后的早上，丹尼尔出去倒垃圾了，劳拉听到门铃声。她走到玄关开门，才发现翠克西已经在那里了。她穿着棉绒睡裤和T恤，盯着站在门外的男人。

希斯穿着工作靴和羊毛背心，他看起来像几天没睡了。他困惑地看着翠克西，好像想不起在哪里见过她。劳拉接近了。“我要跟你谈谈。”他急促地说，但还没说完她就打断了她。

她碰了碰翠克西的肩膀。“上楼去。”她坚定地说，翠克西像只兔子迅速溜走。然后劳拉再转身面对希斯：“我不敢相信你竟敢上我家来。”

“有些事情你必须知道……”

“我知道的是我不能再跟你见面了。”劳拉说。她在颤抖，一半由于害怕，一半由于希斯的靠近。他没有站在她面前时，比较容易说服自己，他们的关系结束了。“不要这样。”她低声说完，关上门。

劳拉闭上眼睛，靠在门上休息。万一丹尼尔没去倒垃圾，万一是他开门，而不是翠克西呢？他会从希斯看到她时的神情变化，一眼就察觉出希斯是谁吗？他会掐希斯的喉咙吗？

如果他们打架，她会站在受害者一边。可是，是谁呢？

恢复平静后劳拉上楼梯，朝翠克西的房间走去。她不确定翠克西是否知道，或者她是否会怀疑。她当然会注意到最近爸爸妈妈很少说话，而爸爸睡在沙发上。她一定会猜为什么她被强奸那晚，劳拉在办公室过夜。可如果翠克西心里有疑问，她也闷着没说，就像她通过直觉明白劳拉刚悟出来的道理：一旦承认错误，它会迅速成长，直到没有办法再收回来、藏起来。

劳拉很想假装希斯是富勒清洁用品公司的推销员，或任何陌生人，可她决定看翠克西怎么说。劳拉打开门，看到翠克西正在把衣服从头上脱下。“那家伙，”她的脸遮着，“他来干吗？”

嗯。

劳拉坐到床上。“他不是因为你来的。我的意思是，他不是记者之类。他不会再来了，永远。”她叹气，“真希望我不用和你谈这个。”

翠克西的头探出衣服领口：“什么？”

“结束了，彻底结束了。你爸爸知道，我们试着……呃，我们试着解决这个问题。我错了，翠克西。”劳拉说，几乎被自己的话噎到，“我真想一切都没发生过，可是不可能。”

她知道翠克西在瞪着她，如同翠克西以前瞪着一道解不出来的数学题：“你是说……你和他……”

劳拉点头：“是的。”

翠克西低下头：“你们谈到过我吗？”

“他知道你。他知道我结婚了。”

“我不敢相信你这样对爸爸，”翠克西说，她提高声音，“他年纪跟我差不了多少。真恶心。”

劳拉收紧了下巴。翠克西有权利那么愤怒，这是她欠她的，就当一点点补偿，虽然也没什么用。

“翠克西，我没想那么多……”

“是啊，因为你忙着做荡妇。”

劳拉抬起手要扇翠克西巴掌，她颤抖着把手从离翠克西的脸几英寸的地方收了回来，她们沉默了一会儿。“不，”劳拉深呼吸，“我们都不该做无法收回的事。”

劳拉看着翠克西，她的愤怒消散了，她流下了泪水。劳拉把翠克西拉进怀里，轻摇着她。“你和爸爸会离婚吗？”她的声音细细的，像小孩子。

“我希望不会。”劳拉说。

“你……爱那个男人吗？”

她闭上眼睛，想象希斯的诗，诗里的每一个字在她的舌头上都像有韵律的生动的美食。她想象那些激情刻不容缓的时刻，他们嫌开门锁的时间太长，迫不及待地扯开彼此的扣子。

可还有翠克西，劳拉记得喂奶的时候，翠克西的小手紧紧地抓着她的头发。她喜欢吮吸劳拉的大拇指，直到十岁还在没人看到的时候有这个习惯。翠克西相信风会唱歌，如果仔细听的话，还能学会唱那首歌。翠克西是丹尼尔和劳拉的曾经完美的关系的证据。

劳拉吻女儿的太阳穴。“我更爱你。”她说。

她刚刚差点转身背弃了这个家庭。她真的会那么愚蠢，重蹈覆辙吗？她哭得和翠克西一样剧烈，哭到不能分辨她们是谁抱着谁在寻求安慰。那一刻，劳拉感觉自己像一个火车出轨灾难中的幸存者，一个走出冒着烟的残骸的女人，发现手脚都还能动，虽然历经一场劫难，却毫发无伤。

劳拉把脸埋在女儿的颈窝。她或许已经错了好几回。奇迹可能不是发生的事，而是没发生的事。

最开始它出现在学校图书馆的电脑屏幕上，那种可以用杜威十进分类法查书的机器。正当九年级学生在做打字技巧测验时，它又散播到二十台笔记本电脑和计算机教室里的十台台式机。五分钟内，它已经传到学校护士桌上的电脑上。

事情发生的时候，翠克西在上选修课，制作校刊。虽然爸妈试着劝她暂时别上学了，但她还是来了。家本该是个安全的地方，但它已经变成了一个随时引爆的地雷区。她知道，来学校一点都不会舒服。

可她真的必须待在一个没有意外的世界了。

教室里，翠克西坐在长满青春痘还有口臭的菲利斯旁边，她是这些日子以来，唯一愿意跟她同组的女孩。她们正在用一个出版软件制作一篇关于篮球队输球的段落，计算机突然蓝屏了。“沃福特先生，”菲利斯大声叫，“我们的计算机死机了……”

老师过来，站在她们中间，按了几次Ctrl+Alt+Delete键，但计算机没有反应。“嗯，”他说，“你们两个何不在纸上编辑读者问答专栏？”

“等一下，它回来了。”菲利斯说，屏幕有色彩了。出现在屏幕中央的，是翠克西。她半裸地站在丽芙儿家的客厅。那是摩斯在她被强奸那晚拍的照片。

“哦，”沃福特先生含糊地说，“那，好了。”

翠克西觉得像有一根杆子穿透了她的肺。她跑离位子，抓起背包，跑向行政办公室。到了，她找学校秘书：“我必须和校长谈谈……”

但她的眼睛往下瞄到秘书桌上的电脑，看见自己的脸看着自己，她的声音突然像一根冰柱，断了。

翠克西奔出办公室，奔出学校大门，她继续跑，直跑到那座桥上。在她变成另一个不一样的人的前一天，她和丽芙儿站在这座桥上过。她从背包里掏着散落的铅笔、皱皱的纸和粉饼，最后终于找到了爸爸给她的手机，那是他自己紧急需要时用的。他接听了，她哭着说：“来接我吧。”

爸爸向她保证两分钟后他就会到那里接她，她才挂断手机，才发现她刚才打电话时没注意到的：爸爸的手机屏幕保护程序——原本是《X战警》漫画里的小淘气——变成了翠克西的照片。它已经传到缅因州四分之三的手机屏幕上。

巴索雷米听到敲门声吓了一跳。今天他休假——不过他已经去过贝瑟尔高中又回来了。他刚换好睡裤和警察学校的旧运动衫，那袖子被宠物俄妮丝汀咬破了一个洞。他开门，发现丹尼尔·史东站在门外。“请进。”他说。

今天学校发生那样的事，他不惊讶史东会来找他。他也不惊讶史东知道他住在哪里。像大部分警察一样，他的名字和地址虽然在电话簿里找不到，但贝瑟尔是个小镇，大部分人都知道别人家的事情。你开车上街的时候，可以从车子看出是哪个乡亲在开车；你经过一间房子，就知道谁住在里面。

例如，在翠克西·史东的案子引起他注意之前，他就知道有个颇有名气的漫画家住在这个街区。他不看漫画书，可警察局里有些家伙会看。据说，丹尼尔·史东是个温文尔雅的家伙，与他有暴力倾向的漫画英雄“野爪”完全不同。如果在杂货商场里恰巧站在他后面等结账，他不会介意为你签名。到目前为止，他和史东接触过几次，这家伙似乎很保护他女儿，史东显然难以相信会发生那种事，感到很受挫。有别于巴索雷米在他的警察生涯中碰到的一些男人，他们会打碎玻璃墙或借酒消愁，丹尼尔·史东似乎很能控制情绪——直到现在。他站在巴索雷米的门外，气得发抖。

史东把一张打印出来的、现在已经声名狼藉的翠克西半裸照塞给巴索雷米：“你有没有看过这个？”

巴索雷米看过了。今天早上大约三个小时内，高中、镇办公室、每个地方的电脑上，到处都看得到。

“我女儿受伤得还不够吗？”

巴索雷米出于本能地用平静的语调，放柔声音说："我知道你很生气，可我们已经尽力在做我们的事了。"

史东的目光扫过巴索雷米的居家服。"是啊，你看起来像在很努力地工作。"他的目光回到警官脸上，"你跟我们说，安德希尔不会再跟翠克西有任何关系。"

"我们的计算机技术人员追踪到照片来自摩斯·明顿的手机，不是杰森·安德希尔的。"

"那有什么关系！我女儿不是该被审判的人。"史东的下巴往下沉，"我要法官知道发生了这件事。"

"但这样的话，他也会知道，你女儿是自己脱掉衣服的。他会知道，我约谈过的参加了那个派对的每个目击者都说，翠克西那天晚上挑逗过一大堆男孩。"巴索雷米说，"你听我说，我知道你很生气。可你不该现在把事情闹大，因为那样可能会起到反效果。"

丹尼尔·史东扯走警官手里的照片："如果是你的女儿，你也会那么说吗？"

"如果是我的女儿，"巴索雷米说，"我会很高兴，我会高兴得不得了，因为那表示她还活着。"

真相像水银一样在他们之间流动，那是他们最不想去碰触的有毒的东西。你以为在这个科技时代，父亲们之间会有某种网络，让有失去女儿的危险的家伙，直觉地认出某个已经走过这条路的人。结果，地狱不是看着你爱的人受伤，是在爱的人受伤后，才明白为时已晚。

巴索雷米以为丹尼尔·史东会表示慰问，为他刚才说的话道歉。可那家伙把照片丢在他们俩之间的地上，像中世纪武士丢下以示挑战的手套。"那么在所有人当中，"他说，"你应该最了解。"

她没有多少时间了。

妈妈的声音从楼梯上传来。妈妈变成了什么都要管的保姆，不让翠克西离开她的视线，除非她上厕所。爸爸正在骂巴索雷米警官或者学校主管。他们可以烧掉每一张她可怕的照片，但有什么差别呢？几个月后，还是有人会有机会在法庭上将她剥光。

她坐在马桶盖上，肘关节不小心撞到了墙。“该死！”她叫道，泪水夺出眼眶。

小时候，翠克西说脏话的话会被罚用肥皂水漱口。那时她四岁，和爸爸去超市，她重复了爸爸在收银员算不出该找多少钱时低声咒骂的话：用“该死”的收款机算。

现在她知道所有两个字的词了，它们只是不像大部分人认为的脏话。

爱情。

帮助。

强奸。

停下。

然后。

小时候她怕黑。衣橱的门必须关紧，她用椅子卡着衣橱的门把，以免恶魔从里面跑出来。她把毯子拉到脖子上，否则恶魔可能把她抓走。她必须趴着睡，不然吸血鬼可能会把木桩插进她的心脏。

好些年后的现在，她还是怕——不是怕黑，而是怕过下去。日子一天一天地过，看不到尽头。

“翠克西？”

翠克西又听到妈妈在叫，她迅速打开药柜。好笑的是，没有人告诉过你，被强奸不是最糟糕的。事实上，摔了一跤时候的痛，跟你站起来后的痛相比，差远了。

那种门只用一根拉直的铁丝钩就能开锁。劳拉踏进浴室，她看到白色的洗手台，翠克西身下的地上，她的衣服上全是血。翠克西用割开的手腕抱着自己的胸部。“喔，我的上帝。”劳拉惊叫，她抓紧翠克西的手臂，想让血不要再流出来，“喔，翠克西，不……”

翠克西的眼皮在颤动。她看了劳拉一眼，失去了知觉。劳拉抱着女儿软绵绵的身体，她知道她必须站起来去拿电话，但她也知道如果她留下翠克西去拿电话，她永远不会再见到活着的翠克西了。

几分钟后，救护人员到了。他们连珠炮般的问劳拉：她昏迷多久了？她以前自杀过吗？剃刀片是从哪里来的？劳拉回答了每一个问题，可没有人问她：如果杰森·安德希尔不是翠克西最大的威胁？如果翠克西自己才是呢？劳拉也没有答案。

翠克西已经这样做一段时间了。不是令人震惊、引起注意的自杀，而是消遣性的割腕。讽刺的是，医生说可能就是因为那样，救了她的命。大部分割腕的女孩都是水平划过手腕，轻轻划几条线。这次翠克西割得比较深，但还是和平常同样的方向。当真的人，或比较了解的人，会用垂直式的割腕自杀，那样血流得更快。

不管哪一种方式，如果劳拉没有及时发现，他们可能现在正站在女儿的墓前，而不是医院的病床前。

房间里的灯关掉了，翠克西的手指上有个会发光的红色夹钳，用来监视她的含氧量。某个人，可能是护士给翠克西穿上了病号服。丹尼尔不知道她的衣服哪去了。他们要留下来作为证据吗，像她被强奸时穿的衣服那样？用来证明一个女孩绝望地想换取幸存者的头衔？

“你知道她以前曾自残吗？”劳拉轻声问，她的声音穿透了屋内的黑暗。

丹尼尔抬头看她和她眼中的光芒：“不知道。”

“你觉得我们是不是本应该知道？”

她不怪他，她的声音里没有那样的口气。她在想他们是否没注意到线索，忽略了蛛丝马迹。她想知道翠克西开始变成这样的时间。

丹尼尔知道没有答案。就像空中飞人在高空中荡秋千：你怎么能真的知道特技演员哪一秒钟会荡开，哪一秒钟会放开秋千？你不能，就是那样。只能从结果去推理：成功地降落或螺旋形地摔下。“我想翠克西尽她最大的努力不让我们发现。”

他突然想起有一年万圣节，翠克西准备装扮得像一串葡萄。她五岁，对万圣节戏服很兴奋——他们在地下室花了一个月，把混凝纸做成球形，再漆成紫色。可当翠克西要出门去挨家挨户说“不给糖就捣蛋”讨糖果时，她不肯穿上葡萄装。

天色暗了，传说中有巨妖和巫婆……很多原因，总之，孩子害怕了。翠克西，他那时问她：“*你怕什么？*”

她终于说：“*如果我看起来不像我，你怎么知道我是谁？*”

劳拉的手握在一起，头低着，她的嘴唇在动。虽然她已经不上教堂了，但她是在天主教家庭长大的。丹尼尔从来都不是虔诚的信徒。从小到大，他和妈妈都没去过教堂，虽然大部分邻居都去。尤皮克人上基督教的莫拉维亚教堂，信仰坚定。一个爱斯基摩人，同时相信耶稣是救世主，和一只海豹的灵魂在它的膀胱里，直到猎人把它送返大海，并不矛盾。

劳拉把翠克西的头发从脸上拨开：“但丁相信，上帝把自杀者的灵魂困在树干里，作为惩罚。在最后的审判日，他们是唯一没得回灵魂的罪人，因为他们曾经抛弃他们的灵魂。”

事实上，丹尼尔知道这一点。那是劳拉的研究中少有的吸引他的部分。在尤皮克人的村里，青少年流行自杀，可是那里连一棵树都没有，真是讽刺。

翠克西动了一下。丹尼尔注视着她。翠克西的目光慢慢聚焦，看着这个陌生的房间。她的眼睛充满希望地大张，又失望地黯淡下来，仿佛她突然明白，她没有达成那个美好的愿望，她还在这里。

劳拉爬到床上，抱紧翠克西。她对翠克西耳语，丹尼尔但愿他也能那么流畅地说那些话。可他没有劳拉那么好的语言能力，他无法许下“翠克西会好的”的承诺。他能做的只是为她重新画这个世界，直到它变成一个她想要存在的地方。

丹尼尔看见翠克西向劳拉伸出手，坚定有力地握住。然后他溜出病房，经过护士和护理人员和病人，他们一点都没注意到，他就在他们眼前变了。

丹尼尔买了：

工作手套和一卷胶带。

一包破布。

火柴。

渔夫的片鱼刀。

他开出三十英里远，去不同的镇买，用现金支付。

他处心积虑不留下证据。警方调查时，会死无对证。丹尼尔已经明白，受害者不会赢。

杰森发现只有在练习冰球的时候，他才能专心。他聚精会神，强悍地切入，溜得很快，自信优雅地操纵着球杆。就这么简单：如果你百分之百地专注于冰球，你就不会去想别的。比如，学校里谣传翠克西·史东企图自杀。

他听到消息的时候正在休息室里准备上场，他开始颤抖得很厉害，进淋浴间坐了下来。一个他喜欢的女孩，他睡过的女孩，差点死了。他想象翠克西长发散在脸上笑着的模样，然后下一分钟那张脸在地面六英尺之下的坟墓里，上面爬满了虫。他吓坏了。

等到他恢复镇静，看到摩斯在休息室里绑溜冰鞋的鞋带。是摩斯开玩笑地黑了学校的计算机系统，把翠克西在玩脱衣扑克时拍的照片传上去的。杰森曾经很生气，但他不能对那些跟他击掌，表示支持的哥们儿说。他的律师甚至说，再也找不到比拍下那种照片更打击对方的证据了，杰森的运气真好。可万一这个恶作剧对翠克西来说太过分了呢？他已经因为某件他没有做的事被怪罪。她要是死了，账又算到他头上来怎么办？

“你的确是这个星球上最倒霉的家伙。”摩斯说。他的话勾起杰森另一个想法。如果翠克西自杀成功，那他就可以摆脱官司了。

练习结束了，大家在闲聊，不可避免地，话题集中在翠克西的自杀事件上。杰森匆匆离开溜冰场，脱下打球的装备护具。他是第一个离开溜冰场的，他上了车，钻进驾驶座，发动车子，然后头靠在方向盘上想休息一会儿，想着翠克西。“上帝啊。”他呢喃。

在他听到耳边响起的声音时，杰森已经感觉到他的喉结上架着一把刀。“你离上帝已经够近了，”丹尼尔·史东说，“开始祈祷吧。”

丹尼尔要杰森开车去靠近河边的沼泽地。丹尼尔开车经过这里一两次，知道当地的猎人喜欢到这里猎麋鹿，而当他们守候猎物时，都会把车子藏起来。丹尼尔选了这里，因为这里的植物生长得茂盛，一直蔓延到水边。那可以提供足够的掩护，让雪覆盖不了地面，这样他们走在沼泽湿地上就不会留下脚印。

他用刀尖抵着男孩，要杰森退后到抵着松树跪下来，然后丹尼尔用胶带把男孩的双手和脚踝，结实地捆在树上。丹尼尔不断想着劳拉说过的关于但丁的话——自杀者的灵魂会困在树干里。翠克西如果自杀了，她的灵魂就会困在树干里，而杰森的身体现在环绕着树干。杰森反抗的时候，这个想象的画面正是丹尼尔所需要的，给他力量去制服这个十七岁的运动员。

丹尼尔燃起篝火，杰森奋力挣扎，想挣脱胶带，他的手腕和脚踝都破了皮。男孩终于颓丧地靠着树干，垂下头："你要对我怎样？"

丹尼尔拿起刀，滑到杰森T恤下边。他把刀子往上划到男孩的喉咙，运动衫割成了两半。"这样。"他说。

丹尼尔有条不紊地割开杰森的衣服，直到他全身赤裸地颤抖着。他把破碎的衣服和牛仔布丢进火里。

杰森开始意识到事情的严重性，他的牙齿开始打颤："我要怎么回家？"

"你以为我还会让你回家？"

杰森困难地吞咽口水，他的眼睛盯着丹尼尔握在手里的刀子。"她现在怎么样了？"他轻声问。

丹尼尔感觉他身体里压着的花岗岩大门爆炸开了。这个混蛋还有权利问翠克西的健康状况？丹尼尔将刀压抵着杰森的睾丸。"你想知道流血的滋味吗？你真的想知道她的感觉是怎么样的吗？"

"求求你，"杰森脸色苍白地哀号，"喔，上帝，请你不要。"

丹尼尔将刀锋往前推一点点，一道血线涌出杰森腹股沟的皱折处。

“我发誓，我没有对她怎样。”杰森哭叫着企图扭开丹尼尔的手，“我没有。不要。上帝。拜托停下来。”

丹尼尔的脸逼近到离杰森一英寸：“我为什么要停？你当时可没有停。”

那一刻，在理智和愤怒之间，翠克西同时滑进他们两个的脑海中。杰森崩溃痛哭，丹尼尔想起了自己是谁。他低头看着自己的手，握着刀。他眨了眨眼睛，看杰森。然后他摇摇头，想让自己清醒。

他不在阿拉斯加的冰原上，也不在他要抢劫酒或现金的村里的商店。他是丈夫，他是父亲。他这么做证明不了什么，却会失去所有。

丹尼尔摇摇晃晃地站起来。他把刀子掷向上百英尺远的地方，刀落在了河中央，他走回哭到难以呼吸的杰森旁，从口袋里拿出男孩的车钥匙，他把钥匙紧紧地包在自己仅剩的一点好心里，塞进杰森还被胶带绑着的手里。

丹尼尔改变这个决定不是因为同情，也不是慈悲。是因为他明白，尽管有极大的差异，他和杰森·安德希尔还是有相同的地方。杰森和丹尼尔一样艰难地明白了，我们绝不是我们所想的那种人。我们假装成那种人，但即使全心全力地假装，我们还是不能变成那种人。

你还好吗？
别管我。我只想找到我女儿。

还有多远？
很远。地狱共九层，我们只到第二层。

你为什么会对地狱这么了解？
我很早以前就在这里受苦，我的朋友。

标出的有九层，可里面还有孤立的区块和地域……有些到现在还在建造中。

这一层是为了你们所谓的安然公司破产案而建造的。

玩数字的家伙们。

小心！我们抵达第三层了。

第三层地狱是给
暴食者住的。
他们注定要因为自己的
贪婪在泥沼里不断下
沉。地狱凶恶的看守狗
刻耳柏洛斯是一只三头
犬，它看守着他们。
一大堆需要减肥的家
伙和一条狗？听起来
不怎么吓人。
CGRRRRR
我忘了告诉你，它是
一只超级大的狗。

赶快跑进
洞穴里!

嗯……请告诉我你即将变成某种动物，能打败那只野兽。
我也希望有那么简单。

事实是……我无法控制我的变形。就像是……它们在控制我。
我变成动物后，我能做的只是努力控制我的行为。似乎每一天我的人性都越来越少，兽性越来越多。
可是……怎么会这样呢?
这很可怕。要是有一天我的人性荡然无存……只剩下兽性了呢?

我的记忆……
很模糊。
大约不到一年前，我还是个管道维护员……
嘿，邓肯。
……第六区里，
那是什么？
可能是一匹狼。
我过去看看。
咔嚓！
谁在那里？
我记得的最后一件事是看到了一双眼睛……像火一样烧灼着我。
几个小时后他们才找到我。
我的喉咙被咬噬过……
可我还活着。
公司的医生帮我处理伤口，说我健康无虞。
……不到一星期我就回去工作了。

回来工作很开心吧，邓肯？
天啊！！！
我们被攻击了！
那是什么呀？
邓肯，他们人太多了！
那些恐怖分子杀了我们所有人，除了我。
我想到了我的女儿。我多么爱她……
……接着，周围所有的事开始模糊。

我在黑暗中醒来。
然后，突然变得很亮……
……我看见……
……刚刚发生了什么。

4

杰森花了半个小时才用钥匙把胶带锯断。他把手臂往前伸，麻掉的手臂血液又开始循环，灼痛不已。比这更糟糕的是冷。他踉跄地站起来，跑到史东要他下车的地方，祈祷车子还在那里。

冰球具袋里有衣服，他穿上球衣和有衬垫的裤子。他怕随时都会再遭到伏击。他的手抖得厉害，试了四次才把钥匙插进去发动车子。

杰森开车到警察局，只想着不能让翠克西的爸爸逍遥法外。可是当他开进停车场，他听到丹尼尔·史东的声音又在脑子里响起：**告诉别人，我就杀了你**。坦白说，杰森相信这话。那个家伙的眼睛里有某些东西不像是人类。杰森觉得，那家伙什么事都做得出来。

他太专注于沉思，没有看到有人走过停车场。杰森紧急刹车，车子往前倾一下，停住了。是巴索雷米警官，就是他逮捕的杰森，他一手放在他的车盖上，向下看着他。杰森突然想起法官传讯他时说的话：如果杰森和翠克西·史东或她的家人有任何形式的接触，他都会被送进少年拘留所。他已经被控强奸，如果他向警察报告发生了什么事，他们会相信他吗？要是他们质问丹尼尔·史东，而丹尼尔坚持是杰森先接近他的呢？

警官走到驾驶座旁。“安德希尔先生，”他说，“什么风把你吹到这里来了？”

“我……我想我的轮胎可能漏气了。”他设法找借口。

警官绕着车子走了一圈。“看起来不像。”他靠近车子。杰森看到他正迅速地用目光打量自己。“有别的我可以帮得上忙的事情吗？”

他想说*他押走我，把我绑起来，还威胁我*，但这些话都挡在了牙齿的栅栏后面。杰森摇了摇头。“没有，谢谢。”他说。他发动车子，以蜗牛的速度开出停车场，感到巴索雷米的目光一直跟着他。

那一刻，杰森决定不告诉任何人出了什么事：朋友、爸妈、律师、警察。他不敢说出来，他太害怕了，怕引起更严重的反效果。

他发现自己在想：翠克西也有同样的感觉吗？

酒鬼会在马桶的水箱里藏一瓶杜松子酒，毒瘾者会把一次的紧急用量塞进手肘处的毛绒都磨掉了的外套折缝里，丹尼尔则随时在车里放一本画簿和一支笔。他正在医院的停车场里画画。不是画他漫画书里的英雄，而是画他的女儿。他画她刚出生的模样，裹着毯子像个寿司；他画她学走路的第一步；他画自己生日时她给他做的意大利面早餐，当时他惊呆了；他画学校的戏剧公演，她从舞台跌进观众席；他画他们住过的高楼饭店，他们在电梯里花了几个小时，按了所有的电梯按键，然后看每个楼层有没有不一样。

他的手痛得很厉害，一条线都没办法再画了，丹尼尔收拾起画纸下车，朝翠克西的病房走去。

阴影像巨人的手指横在床上。翠克西又睡着了，劳拉坐在床边的椅子上，也在打盹。他凝视了她们一会儿。无疑，翠克西长得更像妈妈。不只是她们的发色相同：有时候翠克西抛给他的一瞥或者一个表情，会令他想起多年前的劳拉。他怀疑他如此深爱翠克西的原因就是，她让他再一次爱上他太太。

他蹲到劳拉面前。空气的流动触到了她的皮肤，她醒了，睁开眼睛，目光与丹尼尔的目光交错。那一刹那，她展开笑容，忘了她在哪里，忘了女儿出了什么事，以及他们两个人之间出了什么差错。丹尼尔发现自己的双手握成拳，仿佛想在这一刻消失之前抓住它。

她瞄向翠克西，确定她还在睡觉："你到哪里去了？"

丹尼尔当然不会告诉她实情："开车转转。"

他脱下外套，开始把他刚才画的画铺到病床的浅绿色毯子上。一张是丹尼尔接到电话，知道妈妈过世的消息的那天，翠克西坐在他大腿上问，*如果大家都死了，世界会停止吗*？还有翠克西抓着一只毛毛虫，猜它是男生还是女生。他把她流下脸颊的泪抹掉，翠克西推开他的手说，*不要擦掉我的感情*。

"你什么时候画的？"劳拉低语。

"今天。"

"那么多……"

丹尼尔没有回答。他知道没有语言能表达对翠克西的爱，所以，他希望她醒来的时候，能看到这些回忆。

他要记住为什么无法承受让她走。

从朋友肯恩那里，丹尼尔知道了语言是种不可忽视的力量。和大部分尤皮克爱斯基摩人一样，肯恩的人生准则有三个。第一，思想和行为不可分。肯恩的爷爷多次解释，当你整天想着哪个五年级女生得邮购一个地道的胸罩时，你无法捕猎到一只麋鹿。你必须一直把麋鹿放在心里，它们下次在你打猎时才会回来。

第二，个人的想法不如长者的智识——换句话说，做长辈叫你做的事，不要抱怨。

第三条丹尼尔最难理解：语言是非常有影响力的，它能改变别人的思想，就算没有被说出来。这就是为什么，摩拉维亚教堂搬去冰原后，牧师告诉尤皮克人，他们星期日必须离开钓鱼营去做礼拜，亲近耶稣，他们并没有真的想去，但他们还是答应了。牧师觉得他们公然说谎，但尤皮克爱斯基摩人认为那是一种尊重的方式：他们很喜欢那牧师了，无法拒绝他，所以他们只是默认，假装同意。

是这条准则最终让丹尼尔和肯恩分开了。“明天是个打猎的好天气。”肯恩对丹尼尔说，丹尼尔同意。可第二天肯恩径自跟爷爷去猎驯鹿，没有邀请丹尼尔。丹尼尔花了几年才有勇气问肯恩，为什么没邀请他去。“可我每一次都邀请你了啊。”肯恩困惑地说。

丹尼尔的妈妈试着对他解释：肯恩永远不会直接邀请丹尼尔去打猎，因为丹尼尔可能想做别的事。正式的邀请是失礼的，因为光把话讲出来，就可能使丹尼尔改变他第二天本来想做什么的心意。肯恩太喜欢丹尼尔了，不愿冒那个风险。但当你十三岁，你不会意识到文化差异。你感觉星期六的每一分钟都孤单地度过，你希望被邀请。你注意到的只是寂寞。

丹尼尔开始孤立自己，因为那样受的伤害会比被排挤少。他从来没有想过，让一个无法直白地邀请丹尼尔去打猎的尤皮克男孩，开口问丹尼尔是他做了什么而让丹尼尔生气，可能更加困难。在那两年里，丹尼尔让自己忙着破坏学校的建筑物、喝醉、偷雪地摩托车。肯恩只是丹尼尔以前认识的某个人。

直到一年后，当丹尼尔站在体育馆肯恩的尸体前，他的双手沾满了肯恩的血，他才明白尤皮克人的准则一直是对的。一句话可能改变一切。一句话可能像火一样绵延开来。

一句话可能救了他们两个人。

你能明确地知道自己的人生是什么时候开始崩溃的吗?

对劳拉来说，她发现每次好像都有预兆。翠克西被强奸之前她自己和希斯的外遇；她当年意外怀孕之前，丹尼尔在街头画她后，她决定去找他。她第一眼看到他时就知道，从那一刻起，她看到的其他东西都变了。灾难像雪崩一样有飞快的加速度，你更担心逃不出去，而不是找不到它的源头。

要看出翠克西的人生什么时候毁了比较简单。一切始于杰森，终于杰森。如果翠克西从来不曾认识他，如果她从来没和他约会，这些事都不会发生。没有强奸，没有自残，也不会企图自杀。今天劳拉认真地想过：全都怪杰森。他是翠克西之所以会撒谎的根源；他是让劳拉无法看清自己女儿的罪魁祸首。

她完全清醒地躺在床上。翠克西还在医院，她不可能睡着。医生向劳拉保证，他们会密切观察翠克西，如果一切顺利的话，他们明天就可以带她回家。可劳拉还是忍不住去想，翠克西现在还好吗，现在是否有护士在照顾她。

丹尼尔也没睡着。劳拉听到他在楼下的脚步声，凌乱得像没有标准答案的开放式问题。她听到他走上楼的声音。过一会儿；他站到了床边。“你醒着吗？”他轻声问。

“我没睡着。”

“我可以……我可以问你问题吗？”

她的眼睛仍盯着天花板：“可以。”

“你害怕吗？”

“怕什么？”

“遗忘？”

劳拉知道他想说什么。虽然谈论翠克西是世界上最艰难的事，他们还是必须谈谈。如果不谈，他们可能会忘了以前翠克西的模样。

这是个荒谬的进退两难的局面：如果你不忘记创伤，你就不会前进。但你如果真的忘记了创伤，你等于愿意放弃过去的自己的模样。

这就是为什么，即使他们没怎么讨论过，“强奸”这个词仍像烟雾罩在他们头顶上。这就是为什么，即使他们在温和地谈话，他们的脑子里的每一个除了“强奸”的词就是“不忠”。

“丹尼尔，”劳拉承认，“我一直都很怕。”

他低下身跪下来，她过了一会儿才明白他在哭。她不记得曾看到丹尼尔哭过。他以前说过，他还是个小孩的时候把眼泪都哭光了。劳拉在床上坐起来，被子从她身上掉下去。她双手抱住丹尼尔垂下的头，轻抚他的头发。“嘘。”她轻声安慰，拉他上床，拉他进她怀里。

刚开始劳拉安慰他，这是劳拉还能给的。丹尼尔被劳拉的手安抚得情绪缓和了。可劳拉感觉气氛很快转变，丹尼尔的身体压上她的身体，他的动作充满了现在就要的急迫感。她感觉脉搏在他的手指下快速地跳动，她仿佛回到过去，记得多年前的他也是如此急切，她也乐于回应。但就像开始时那么突然，丹尼尔停住了。黑暗中，她只能看到他眼中的光彩。“对不起。”他喃喃说，往后退。

“不要说对不起。”她向他伸出手。

丹尼尔需要的，是放开最后一根克制的线。他包围劳拉，不让对手退场。他摩挲她的肌肤，咬她的颈部。他抓起她的双手，将它们越过她的头固定住。“看着我。”他命令，她张开眼睛与他的目光交锁。“看着我。”他又说，然后他进入她的体内。

劳拉在他身下激情地扭动，迎接他的每一次律动。丹尼尔的手臂把她抱得更紧了，她的头往后仰，到达高潮。她感觉到丹尼尔的迟疑、他的愉悦，和最后不顾一切的畅快。

等他贴在她身上的汗冷了，劳拉用手指在丹尼尔右边的肩胛骨写道：对不起。即使她知道，隐藏在一个人背后的真相，是最容易被忽略的。

尤皮克人说，从前有个人老是跟他妻子吵架。他们什么事都吵。妻子说丈夫懒惰。丈夫说妻子只想跟别的男人睡觉。终于，妻子去找了村子里的巫师，央求把她变成别的生物。变成任何东西都可以，我就是不要做女人，她说。

巫师把她变成了乌鸦。她飞走，筑了一个巢，在那里和别的乌鸦交配。可每天晚上，她还是飞回村子。乌鸦不能进入屋里，所以她坐在屋顶上，希望看见她丈夫。她想着他什么时候才能走到外面。

一天晚上，他走出门，站在星光下。*喔，她想，你真可爱。*

这句话掉进她丈夫伸出来的手里，就这样，乌鸦变回了一个女人。就这样，丈夫要她再做回他的妻子。

第二天早上，冷风悄悄钻进屋里。丹尼尔下楼煮一壶咖啡，他的牙齿冻得颤抖。他打电话去医院：翠克西整晚睡得很安稳。

喔，他也是。他之前的错误是不承认他和劳拉之间出了多大的问题。或许问题浮出表面之前，只得尝试下最后这招。

他在壁炉前弯下身子，劳拉在棉绒睡衣外套了一件毛衣，下楼来了。他点燃塞进壁炉的纸。劳拉的头发束在背后，她的脸颊还泛着从梦里醒来的红晕。“早安。”她溜过他身边，给她自己倒了杯柳橙汁。

丹尼尔等她说点昨晚的事，比如承认他们之间的关系变了，可劳拉甚至没有直视他的眼睛。他的勇气立即消失了。要是他们昨晚做的像蜘蛛网般的结合并非如他所想的，是改善他们关系的第一步……而是个错误呢？要是她跟丹尼尔在床上的时候，一直都不情愿呢？“医院说我们九点可以去看翠克西。”他平静地说。

听到翠克西的消息，劳拉转过头：“她现在怎么样了？”

“很好。”

“很好？她昨天还要自杀。”

丹尼尔坐到他的脚跟上。“嗯……跟昨天比起来，那……我想她今天的情况相当好了。”

劳拉垂眼看着桌子。“或许我们的情况也是。”她说。

她的脸红红的，丹尼尔才明白她前面不是尴尬，而是紧张。他站起来，走到她身边。在他们昨天晚上上床和今天早上太阳上升之间的某一个时刻，世界在他们身下变了。不是他们向对方说了什么，而是他们没说的：原谅和遗忘混在一起，像一个铜板的两面，然而它们不可能同时存在。选择一面就得牺牲另一面。

丹尼尔的手臂环绕着劳拉的腰，他感觉她在颤抖。“好冷。”她说。

“是冷死了。”

“你听说天气会转冷吗？”

丹尼尔面对她：“我想没有人预料得到。”

他张开手臂，劳拉依偎进他怀里，她闭上眼睛靠着他。“我想事情只是发生了。”她回答。壁炉里的木头爆出的火花升上烟囱。

医疗保险上写，不能出医院。如果越过门槛时跌倒，还可以向医院起诉。但不论如何，如果你选择踏出医院然后把自己往一辆车前面丢，没人会管你。

翠克西脑子里转着这样的念头。

今天早上她必须开始坐下来和精神科医生谈话，显然在接下来像永远那么长的五个星期里，她必须每个星期谈两次话，全因为她看到浴室里的一个铜戒指就去抓。如果这像她和性侵害顾问贾尼丝谈话，终将在开庭后结束，那就无所谓。但她必须接受精神科医生的心理治疗，否则她就得一直待在医院的精神科楼层，和一个会吃她自己头发的室友一起住。她还必须吃药，在父母的监视下，他们真的会检查她的嘴巴两侧还有舌头下面，确定她没有假装吞药。妈妈从今天早上到医院后，就一直很努力地在微笑，翠克西觉得她的脸都要裂开了，而爸爸一直问她需要什么。她很想回答，我要新的人生。

翠克西既希望大家都别来吵她，又想不明白为什么大家都把她当成麻风病人一样。当愚蠢的精神科医师坐到她对面，问一些例如“你现在想自杀吗”之类的话时，她感觉自己好像正从剧院二楼的包厢在观看整出戏，是一出喜剧。她希望扮演自己的女孩会说些聪明话，比如，喔，是啊，谢谢，我现在很想自杀……但我会克制到观众都走光。然而，她看着那个真的是她的女演员像块幸运饼干一样折在一起，突然放声大哭。

翠克西最想要的，不可能得到——她想回到那种只会担心科学课考试会不会过、哪一所大学会要她那样的问题，而不是每个人都为她担心的这种女孩。

要回家了，她几乎一上车就闭上眼睛，假装睡觉。但其实她在听爸妈在前座的谈话。

“你觉得她的声音听起来正常吗？”

“什么意思？”

“你知道，她大部分说话都变得没有高低起伏。”

“或许是因为吃药。”

“他们说这药要吃上几星期才会生效。”

“那我们在这段时间怎么保证她安全？”

如果不是如此肯定这是他们自找的麻烦的话，翠克西会为她爸妈感到难过。但毕竟，妈妈昨天没必要打开浴室的门。

她感觉她隐瞒的真相像颗饭后的薄荷糖。如果够小心的话，那味道就能持续很久。她没有告诉精神科医师或者爸妈真相。不管他们多么想从她口里挖出来，在她忍不住大声吐露出来之前，她就会把它们吞下去。

翠克西在他们的车接近离家最近的那个街角时，开始表演伸展肢体和打哈欠的戏码。妈妈转过身来，脸上挂着万圣节面具似的笑容：“你醒了！”

她爸爸从后视镜里瞟她：“你需要什么吗？”

翠克西转头，凝望窗外。或许她其实已经死了，这里是地狱。

他们的车开进了车道，就在翠克西觉得事情不可能更糟的时候，她看到丽芙儿在那里等着。她们上一次的谈话显然没有留下再次谈话的余地，翠克西当时感觉她好像被世界隔离了。可现在，丽芙儿看起来挺紧张的。

丽芙儿敲敲车窗：“嗯，史东太太。我，嗯，你知道，想跟翠克西谈谈。”

妈妈皱眉：“我真的不认为现在是最好的时机……”

“劳拉，”爸爸打岔，他从后视镜里抛给翠克西一个眼神，“由你决定。”

翠克西从后座下车。她躬着肩膀，那样手腕会深藏进外套的袖子里。“嗨。”她谨慎地说。

丽芙儿看起来就像翠克西过去二十四小时以来的感觉——仿佛她完全是泪水做的，却又试着在别人注意到之前，努力维持着人的形状。她跟着翠克西进屋，进了房间。翠克西经过浴室的时候是个可怕的时刻，昨天的事情发生后，有人清理过了吗？门关着，她赶紧溜进房间，免得想更多。

“你还好吗？”丽芙儿问。

翠克西不再上她走假同情路线的当了：“你怎么还敢来？”

“什么？”

“你是不是想带一撮我的头发回去，然后向大家炫耀你接近过我？喔，对，我没有头发了。我开始看精神科医师时剪掉了。”

丽芙儿吞咽口水：“我听说你差一点死掉。”

翠克西的爸爸以前常说，*差一点不算数。除非是在玩掷马蹄铁套柱游戏或者丢手榴弹的时候。*

强奸呢？

“你差一点关心我吗？”翠克西说。

丽芙儿的脸皱了起来：“我是个不折不扣的白痴。我生你的气，因为我以为那些全都是你报复杰森的计划，你对我不够信任，没有告诉我……”

“我从来没有……”

“等一下，让我说完，”丽芙儿说，“而且那天晚上摩斯对你的注意胜过对我了，所以我生你的气。我想报复你，所以我说……我说的和他们说的都一样。可是我听到你在医院，我一直在想那多可怕，万一你，万一你……我都没来得及告诉你我相信你。”她垂下脸，“全都是我的错。我愿意做任何事来弥补。”

翠克西不知道丽芙儿说的是不是真心话，即使是，也不代表还能再信任她。丽芙儿随时都可能跑去找摩斯、杰森和其他冰球队员，捏造古怪的故事博取他们的欢心……或许她没那么坏，或许丽芙儿会来这里，也不是因为愧疚，或者她妈叫她来的，而仅仅是因为，她和翠克西一样记得，她们五岁的时候，她们都相信仙女们住在厨房的橱柜里，当你打开橱柜的门时，她们就会躲在锅碗瓢盆下。全世界只有她们两个知道。

翠克西看着她："你要知道我是怎么做的吗？"

丽芙儿点头，向前伸长脖子。

翠克西慢慢地撕下缠在她手腕上的绷带，锯齿状的伤口露了出来，在发炎。

"哇，"丽芙儿吸了一口气，"好恶心。痛吗？"

翠克西摇头。

"你有看到光、天使或者上帝吗？"

翠克西努力地想了想。在她昏迷之前，她记得的最后一件事是，暖气边缘的铁锈。"我什么都没看到。"她说。

"我想也是。"丽芙儿叹气，然后她看着翠克西，笑了。

翠克西想要回以微笑。很久以来的第一次，她叫她的大脑做某件事，然后它真的做了。

翠克西自杀未遂的三天后，丹尼尔和劳拉坐在玛莉塔·苏廉史达的办公室里，翠克西坐在他俩中间。巴索雷米警官坐在他们的左边，坐在桌子后面的检察官撕开一包顽皮吸管糖。"请自己拿。"她说，然后她转向翠克西说，"我很高兴你能来跟我们见面。几天前我们无法确定你是否能来。"

丹尼尔伸出手去握住女儿冰冷的手："翠克西已经好多了。"

"能维持多久？"检察官问，她的双手在桌上交叉，"史东先生，我不想显得冷漠无情，但这件案子到目前为止，唯一前后一致的事是：它缺少一致性。"

劳拉摇头："我不明白……"

"身为检察官，我的工作是向陪审团呈现事实，让他们在合理的怀疑范围内，发现你女儿是被杰森·安德希尔强奸的受害人。而我呈现的事实是你女儿向我们描述的。那意味着，我们所知道的几乎只有她提供给我的一面之词，它的可信度堪忧。"

丹尼尔感觉下巴收紧了："我想，一个女孩企图自杀，那就相当可靠地表明她饱受创伤。"

"或许是这样，但或许是因为她精神不稳定。"

"所以你放弃了？"劳拉怀疑地说，"你认为这是一桩棘手的案子，你就不办了？"

"我没有那么说，史东太太。可是如果连我都不能确定发生了犯罪行为，那我有道德上的责任不把案子送上法庭。"

"你有证据，"丹尼尔说，"采集的强奸证据。"

"是的。但证据里也包括实验室验出的翠克西口里的精液。但根据她自己的陈述，她那天晚上没有口交。而杰森·安德希尔声称他们是双方同意的性交——既有口交也有性交。"检察官翻过一页档案，"翠克西说她被强奸的时候，她尖叫着说不要，她说她的朋友丽芙儿不可能听到，因为在放音乐。然而，根据其他目击者的说法，在她被性侵的时候没有放音乐。"

"他们都说谎了。"丹尼尔说。

玛莉塔看着他："说不定说谎的人是翠克西。她对你谎称她那晚只是去朋友家安静地过夜。她谎称她是处女……”

“什么？”劳拉说，她惊讶得张大了嘴巴。丹尼尔想起，他没有告诉劳拉警官对他说的话。他是真的忘了，还是故意忘记？

“……她对急诊室的医生谎称手腕上的伤口是强奸当晚抓伤的，但其实那早在星期五晚上之前就有了。”玛莉塔继续说，“翠克西不实的陈述现在导致一个问题：她还说了哪些谎？”

“我要跟你的上司谈谈。”劳拉命令道。

“我的上司会告诉你，我还有一百件其他的案子要我起诉和处理。我没有时间给老是叫‘狼来了’的受害者。”

丹尼尔无法看翠克西。他想如果他看了，他可能会崩溃。在他长大的地方，一个乱叫“狼来了”的尤皮克男孩会永远变成狼。而男孩的家人会说他咎由自取。他的余生都会透过黄色的狼眼，远远地看着他以前的家人。

丹尼尔转向巴索雷米警官，他沉默得像20世纪70年代的陪审团：“告诉她关于照片的事。”

“他已经跟我说过了，”玛莉塔说，“我为了阻止那些照片带进法庭将会忙得不可开交。”

“那是显示翠克西是个受害者的完美的证据……”

“它与那天晚上的性侵事件无关，它只告诉我们，翠克西在性侵事件发生之前不是个唱诗班的女孩。”

“你们全都闭嘴！”翠克西一出声，所有的眼睛都转过去看她。“你们没注意吗，嘿，我在这里。所以可以请你们全都不要再当作我不在场好吗？”

“当然可以，翠克西，我们很想听听你想说什么。”

翠克西吞咽口水：“我没想说谎。”

“所以你承认你说过谎？”检察官问。

“是有好多……漏洞。如果我不记得整个过程，没人会相信发生了什么事。”她把她的袖子往下拉过手腕。丹尼尔注意到过去几天来她常那么做，他每次看了心都皱起来。“我去丽芙儿家，那里有好多人，大部分我都不认识。一堆女孩玩彩虹……”

“彩虹？”丹尼尔不解。

翠克西开始抓她外套的边缘。“就是每个女孩涂不同颜色的口红，男孩……你知道的，那里会留下……”她摇摇头。

“到了那天晚上派对结束的时候，阴茎上有最多颜色的人赢。”玛莉塔直截了当地说，“差不多这样？”

翠克西点头，丹尼尔听到劳拉的吸气声。“是的，”她轻声说，“不过，我没有玩。我以为我能做到，因为我想要杰森嫉妒，可是我还是做不到。后来大家都回家了，除了杰森、摩斯、我和丽芙儿，我们开始玩脱衣扑克。摩斯突然给我拍照，杰森很生气，然后一切我都不记得了。杰森来找我的时候我在浴室，可我不记得我们是怎么去客厅的。我真的什么都不记得，直到他在我身上。我以为如果再等久一点，记忆会回来，可是没有。”

检察官和警官互觑一眼。“你是说，”玛莉塔讲清楚，“你醒来后发现他在和你性交？”

翠克西点头。

“你记得其他细节吗？”

“我的头非常痛。我想他可能把我的头撞到地上或什么的了。”

巴索雷米走向检察官。他在她身后翻档案里的数据，直到他翻到某一页，指着说：“急诊室的医生注意到，似乎有精神分裂状态。她刚到警察局做笔录时反应迟钝。”

“迈克，”检察官说，“得了吧。”

“如果是真的，这个案子会变成严重的性侵害，”巴索雷米劝说，“翠克西的陈述中，所有的前后不一就会对控方有利。”

“我们需要证据。药物停留在血液里最多只有七十二小时。”

巴索雷米从档案夹里拿起一份检验报告：“好在你有事故发生后六个小时的样本。”

丹尼尔完全搞不清楚状况：“你们在说什么？”

检察官转头说：“现在这个案子是以青少年案件审理。但如果性侵时翠克西失去意识，或是她被下了某种会损害她评估或控制性行为的药的时候，就不一样了。如果是那样的话，根据法律，杰森·安德希尔的案件将会被视为成人案件审理。”

“你是说翠克西被下药了？”丹尼尔说。

检察官的目光固定在翠克西脸上。“如果不是那样，”她回答，“就是你女儿为了帮她自己圆谎又挖了一个洞。”

“克他命在街头有一打名字，特别K、维他命K、奇巧、瞎乌贼、安定猫、紫色等。”威妮丝·普荷姆说，她脱下乳胶手套，丢进巴索雷米脚边的垃圾桶，“克他命是一种非巴比妥酸盐，被用在动物和人身上作为快速麻醉药。它也是一种性兴奋剂。年轻人喜欢拿它当狂欢药丸，因为它的分子组成与天使尘（PCP）很像。它会产生分裂状态，让他们感觉好像心灵与身体脱离，以及幻觉、健忘……”

迈克央求在州立实验室工作的威妮丝优先帮他做检验，尽管她已经积压了两个月的案子。他答应拿两张波士顿棕熊队的贵宾看台票作为酬谢。威妮丝是个单亲妈妈，她儿子是个狂热的冰球迷，而薪水不高的威妮丝负担不起一张85美元的票，他知道她拒绝不了他的请求。但是，要去哪里花自己的薪水弄到两张熊队的贵宾看台票他还不知道。

他们检验了两种最普通的约会强奸毒品，G水和氟硝西泮，都呈阴性反应。迈克快承认，他们又被翠克西耍了。他注视着计算机屏幕，滚动出难懂的数字。“谁会在缅因州贝瑟尔镇贩卖克他命？”他夸张地问。

“克他命呈液体状时被卖给兽医的话是完全合法的麻醉剂。也因为它是液体的，就很容易做成约会强奸药。它没有味道。你把它放进女孩的饮料中，她不到一分钟内就会昏迷。接下来的几个小时，她会愿意做任何事……并且，最好的地方是，她不会记得发生了什么事。”计算机跑出了最后的分析结果，威妮丝看着它，“你说你的被害人对你说谎？”

“多到让我希望我为辩方工作。”迈克说。

她从她发辫卷高形成的发窝里抽出一支荧光笔，在一片结果上面画黄线，犹如插上克他命阳性的黄旗。“继续你的工作吧，”威妮丝回答，“翠克西·史东说的是实话。”

大部分人相信，爱斯基摩人的语言里，形容雪有一百种讲法。其实追根究底尤皮克族的语言，你会发现有十五个说法：qunuk（雪花）、kanevvluk（细雪）、natquik（吹雪）、nevluk（凝结的雪）、qanikcaq（地上的雪）、muruaneq（地上柔软的深雪）、qetrar（积雪上层的硬壳）、nutaryuk（刚落下新鲜的雪）、qanisqineq（漂浮在水面上的雪）、qengaruk（雪堆）、utvak（雪块）、navcaq（雪檐）、pirta（暴风雪）、cellallir（大风大雪）和pirrelvag（严重的暴风雪）。

每次看到雪，丹尼尔就会想到尤皮克语。他望向窗外，那些词中的一个，或者它的衍生词，在他脑中会比英语更早跳出来。但缅因州这里的雪，有些却不能用阿拉斯加的语言来形容。比如东北风，或者在融雪的季节那种像鹅绒落在地上的雪，或者让松针看起来像水晶一样的冰风暴。

那些时候，丹尼尔的心会完全空白。就像现在：他知道一定有个词能形容这个冬天第一场真正的暴风雪。雪片像孩子的拳头那么大，落得好快，仿佛暗灰色天空的裂缝破了个洞。十月和十一月也会下雪，可不像这种。这是会让学校主管取消下午的篮球比赛，固特异轮胎店大排长龙的那种暴风雪；这是会让从外地开车过来的在公路旁停下来，让家庭主妇多买一加仑牛奶的那种暴风雪。

它下得快到令你意外。你还来不及把你从五月就放进阁楼的雪铲拿下来，也没机会拿出可笑的木制圆锥形帐篷，罩住颤抖的杜鹃花，保护它们抵御风雪。

丹尼尔知道，它是那种，你都没来得及收好不知道在哪儿的草耙，还有你常用来修剪黑莓丛的树剪。你兜着圈子走，希望在永远地生锈之前，能被它们绊倒，就找到了。可你从来不那么做，反正一定会因为疏忽而丢东西，处罚只是等到春天才能再看到它们。

翠克西不记得上次在雪地中玩耍是什么时候了。她还是个小孩的时候，爸爸常会在后院造一个小雪橇，让她沿着一根管子滑下来。有些时候她会翻倒，看起来像个笨蛋，就不那么酷了。后来她就把她冰熊牌的橡皮底雪靴，换成流行的高跟鞋。

她找不到雪靴了，它们埋在堆了太多东西的衣橱下面。她只好借了妈妈还放在湿衣间里等着阴干的雪靴。由于暴风雪，妈妈取消了下午的课。翠克西把围巾绕着脖子围好，把一顶前面印着红色“戏剧女王”的帽子戴到头上，套上一副爸爸的滑雪连指手套，朝外面走去。

这就是妈妈以前常说的，可以堆雪人的大雪天——湿度正适合把雪堆在一起。翠克西把雪压成一个球。她把雪球滚过草地，像白色绷带卷了起来，凌乱的草地上留下了一长条像棕色的舌头一样的印迹。

过了一会儿，她看着自己造成的伤害。院子看起来像一条疯狂的被子，草地上的条纹形成了三角或四角形边。翠克西抓起另一把雪，开始滚第二个雪球。第三个。几分钟后，她站在雪球们间，它们怎么会这么快就变这么大，大到她没法把一个举到另一个上面。她小时候是怎么堆雪人的？或许她没堆过。或许总有人帮她堆好。

门突然打开，妈妈站在那里，试着透过纷飞的雪花看清楚她，她尖叫着翠克西的名字。妈妈看起来像快疯了，过了一会儿翠克西才明白：妈妈不知道她跑到外面来了，她担心翠克西会自杀。

“我在这里。”翠克西说。

死于大风大雪倒不是个坏主意。小时候，铲雪机铲起雪后堆成一座雪山，翠克西常在里面挖一个藏身处。她称它为她的冰屋，尽管爸爸告诉过她，美国的爱斯基摩人从来不住在冰屋里。后来，她看到一篇报纸上的文章说，一个住在佛蒙特州夏洛特市的小孩，他也和她一样，喜欢挖一个冰屋，但屋顶倒塌，落到了他头上。他窒息身亡时，他父母还没发现他失踪了。从此她就再也不那么做了。

妈妈走到外面，立即陷进深及脚踝的雪中。她穿着翠克西的靴子，她一定发现了翠克西霸占了她的雪靴后，从翠克西衣橱里的杂物堆里挖出来的。“你需要帮忙吗？”妈妈问。

翠克西不需要。如果她需要，她会事先邀请妈妈一起出来。可她无论如何也无法想象，怎么才能把雪人那愚蠢的肚子放到它的底座上。“好。”她让步。

妈妈从雪球的一边推，翠克西试着从前面拉。但即使她们一起用力，还是挪不动雪球。“欢迎到第四层地狱。”妈妈笑着说。

翠克西一屁股坐到雪地上，让妈妈给她上经典文学课。

“你的一边是吝啬鬼，另一边是贪心鬼，”她妈妈说，“他们永远都推着巨石互相撞击。”

“我有点希望在那发生之前把这个大雪球弄上去。”

妈妈说：“为什么，翠克西·史东？那是个笑话吗？”

从医院回家后，家里的轻松时刻都变得很珍贵。电视上演情景喜剧时，会马上换频道。感觉要展开笑颜时，要把它压制下去。最近发生了那么多事，感觉快乐似乎不恰当。翠克西想，好像他们都在等着一个人挥魔杖说，**现在没事了，继续过你的人生吧**。

要是她就是那个该挥动魔杖的人呢？

妈妈开始堆一个雪坡。翠克西在她旁边把中间的雪球推得越来越高，直到它到了那个作为雪人底座的雪球上。她再用雪把接缝包起来。然后她把头搁到最高点。

妈妈鼓掌，可就在这时雪人倾斜，倒下。它的头滚进地下室的一个窗檐里，像颗蛋那样从中间裂开，只有大大的球形底座原封不动。

翠克西感到挫败，她拿一颗雪球打它。妈妈看着，然后也开始做雪球。没多久她们两个都对那个大雪块不断地投掷雪球弹，直到它被击垮，从中间裂开，成了胖胖的冰山块，躺在她们之间。

翠克西躺到地上喘气。她好久没有感觉那么……正常了。她想到，如果一个星期前那件事的结局不同，她现在就不在做这些了。她前段时间只想着逃离这个世界，忘了考虑她可能会错过什么。

当你死了，就不能用舌头接住雪花；就不能把冬天深深地吸入肺里；就不能躺在床上，看镇上的铲雪机经过的灯光；就不能吮着冰柱，直到额头隐隐作痛。

翠克西望着摇摇晃晃的雪花，说："我有点高兴。"

"高兴什么？"

"高兴……你知道……那事没成。"她感觉妈妈的手伸过来抓她的手。她们两个的手套都湿了。

她们回到屋里，把衣服放进烘干机里。十分钟后，衣服就会干得好像从没湿过。

翠克西想哭。能知道接下来会发生什么事，真好。

因为暴风雪，冰球练习取消了。杰森下课后回家，像他保释的条件，躲进了自己的房间，用iPod听白色条纹乐队（The White Stripes）的歌。他闭上眼睛，在心里传球给摩斯，腕力击球、挥杆射门，球打到了上门框。

将来有一天，人们会谈论他，不是因为强奸案。他们会说，*喔，杰森·安德希尔，我们一直都知道他会成功的*。他们会把一件他的球衣的复制品，挂在镇上吧台后面的镜子上，他的名字面向外面，放在角落里的电视会优先播放棕熊队的比赛。

杰森本来有很多事情都预先安排好了，他相信他可以做到。上了一两年大学后，成为某所大学的冰球队明星。或许他会像达特茅斯学院的休斯·杰西曼，第一场球就被选进美国国家冰球联盟并签约。教练曾告诉杰森，他从没见过像杰森这么有天分的前锋。他说如果你真的很想要什么，你就得学会去闯、去得到。

他幻想了一百次美好的远景。突然，房门打开，杰森的爸爸生气地走进来，猛地将杰森的头戴式耳机扯了下来。

"搞什么鬼？"杰森坐起来说。

"你想告诉我你第一次漏掉没说的事情吗？你想告诉我那该死的

毒品是从哪里来的吗？”

“我不吸毒。”杰森说，“我干吗碰会毁掉我运动生涯的东西？”

“喔，我相信你，”他爸爸嘲讽地说，“我相信你没有吸毒。”

这对话转来转去，令杰森摸不着头脑：“那你在发什么神经？”

“达奇·奥斯特哈斯律师打电话到我公司，说他今天得知了检验报告。他们曾抽取的翠克西的血液经分析表明，有人在她的饮料里下药，令她昏迷。”

一股热量爬上杰森的脊椎骨。

“你知道达奇还告诉我什么吗？现在有了检验报告，检察官因此有足够的证据把这个视为成人案审理。”

“我没有……”

爸爸太阳穴上的青筋在跳动：“杰森，你自毁前程，你他妈的为了一个镇上的妓女连前途都不要了。”

“我没有给她下药。我没有强奸她。她一定在血液样本里搞鬼，因为……因为……”杰森的声音降低，“天啊……你居然不相信我。”

“没人会相信。”他爸爸郁闷地说。他伸手从裤子的后口袋里拿出一封已经拆开的信，把信递给杰森，离开了房间。

杰森坐到了床上。信的最上方是贝瑟尔学院的压印凸字和回信地址，冰球教练在上面草写签下了他的名字。他开始看信：鉴于最近的情况……撤销原本提供的为期一年的大学年度奖学金……相信你能了解我们的处境，该事件有损本院的荣誉。

信从他手中掉下去，飘到了地毯上。没有耳机的iPod发出沉默的蓝光。谁能想到，人生崩裂的声音竟是完全默然。

杰森双手掩脸，自从所有纷乱发生以来，这是他第一次哭。

暴风雪停了，街道清干净之后，贝瑟尔镇的商家都出来铲净他们外面的走道，他们说着今年多么幸运，大风雪没使镇上的行政经理取消每年一度的冬节。

冬节一向在圣诞节之前的星期五举行，是个直接促进本地经济的花招。警车旋转着蓝色的头灯，把梅恩街封锁起来。商店会开到很晚，旅馆会免费供应热苹果汁。圣诞节的灯光在枝桠光秃的树上，像萤火虫一闪一闪。会做生意的农场主人运来生病了似的麋鹿，四周围起活动栅栏，装成北极的宠物动物园。书店的老板打扮成圣诞老人，七点钟到那里，一直留到把所有排队的小朋友的节日愿望都听完。

今年，为了联合本地的运动英雄，镇办公室前的广场封了起来，灌满了水充当临时的溜冰场。本地的一支有竞争力的花式溜冰队“冰卡宝贝”会在今晚的例行游艺表演里率先登场。贝瑟尔高中的冰球冠军队被选定和当地临时成军的童军队打一场冰球友谊赛。

发生了那么多事情后，杰森没打算去凑热闹，但教练打电话来，说他有义务为球队效力。但教练没具体说，杰森得以什么姿态抵达。离镇上的闹市区有十五分钟的车程，在路上他喝了750毫升爸爸的杰克丹尼威士忌。

杰森坐到板凳上穿冰鞋，摩斯已经在溜冰场上了。“你迟到了。”摩斯说。

杰森把鞋带打双结后，抓起球杆快速地从摩斯旁边经过。“你是来讲话的还是来打球的？”他飞快地溜到场中央，绕过几个连溜冰都溜得不利落的小孩。摩斯和他碰头，他们用一连串复杂的手法传球。场外，家长们欢呼着，以为这是游艺会的一部分。

教练大喊开球，杰森溜去就位。他面对的童军队男孩只到他屁股那么高。球掉下来，高中队让小孩抢到。杰森去干扰他的球棍，偷走球，把它带到球门那里。他把球向球门的右上角挥去，那个地方小个子的守门员不可能阻止得了进球。杰森得分了，他兴奋地使劲在空中挥动球杆，环视其他的队友，可他们都犹豫不前，观众也不再欢呼。“我们不是应该进球吗？”他口齿不清地大喊，“这里连规则都改了吗？”

摩斯把杰森带到溜冰场的旁边：“老兄，这只不过是池上冰球，而且他们只是小孩。”

杰森点头，甩一甩头。又一次开球，这次小孩拿到球，杰森慢慢地往后溜，无意去追球。他不习惯在没有护墙的场地打球，他被这临时溜冰场衬里的塑料边绊倒，跌到了观众的手臂上。他看到丽芙儿·盛托瑞利-温斯坦，还有其他半打同校的学生的脸。“对不起。”他呢喃着摇摇晃晃地站起来。

他再踏到冰上，杰森朝球溜去，用屁股将一个球员撞开。他的对手只有他体型的一半大，体重约是他的三分之一，那小孩被他撞飞起来。

男孩撞到了同队的守门员，他们滑进球门撞成一堆，哭了起来。杰森看到小男孩的爸爸穿着普通鞋子匆忙跑到冰上。

“你今天哪根筋不对？”摩斯溜近杰森问。

“是意外。”杰森回答，但摩斯在他背后闻到了酒味。

“教练会臭骂你一顿。你溜走吧。我帮你说话。”

杰森看着他。

“快走。”摩斯说。

杰森最后再看了男孩和他爸爸一眼，然后迅速溜向他脱下靴子的地方。

我没有死，但已失去了生命的气息：

你想象夺去了生命和死亡的我，

变成了什么。

劳拉念完《神曲·地狱篇》里最后一章路西法的诗句，合上书。路西法无疑是全诗里最迷人的角色：他的腰部以下冻在冰湖里，三个头啃咬着罪人当大餐。他曾是天使长，曾有选择的自由——事实上，就是因为这自由，他选择与上帝争战。如果路西法是自愿选择走这条路的，他事先知道他会落到这种痛苦的下场吗？

他会不会觉得自己有些活该？

有没有反派英雄这种角色？

劳拉想到她犯了每一层地狱的罪。通奸罪。她诱惑学生，背叛雇主，她的大学。如果将希斯归为无辜的被利用者，那也可以被视为背叛罪。她蔑视上帝，不理会她的婚姻誓词。她蔑视家庭，在翠克西最需要她的时候，与翠克西疏远。她对她丈夫说谎，她生气、愤怒，播种争吵。她是欺骗学生的指导老师，学生来找她希望她是个良师益友，结果她变身为情人。

劳拉唯一还没有犯的罪是杀人。

她的手伸向桌子后面，那是有一次在私人旧货拍卖中买来的古董人头瓷器。它是白色的，很光滑，大脑的区域分成四小部分：智慧、荣耀、报复、福气。她开玩笑地在头盖骨上放了一个上面有两个红色恶魔角的发带，那是有一年万圣节学生送的礼物。她把发带拿下来，戴在自己头上，看大小是否合适。

有人敲她的门，希斯走进了她的办公室。“是因为你头上的角，你看起来挺高兴，”他说，“还是你只是很高兴见到我？”

她扯下发圈。

“五分钟。”他关上门，锁上，“你欠我的有那么多。”

爱情听上去总是那么痛苦：你恋爱，你心碎，你昏了头。人们从爱情里满身伤痕地突围出来，是奇迹吗？婚姻的症结，或者说它的力量，是它创造了距离，你永远不再是刚走入婚姻的那个人。如果幸运的话，几年后你们还可以认出彼此。不幸的话，结果你可能在办公室里和一个比你小十五岁的男孩在一起，把他的心倒进你张开的双手中。

好吧。如果她要坦白的话，她喜欢希斯懂得抑扬顿挫的诗律，还有抒情诗歌。她喜欢看他俩经过橱窗时玻璃上的映像，每一次都令她惊喜。她喜欢在雨天的下午，她本应该在批改作业或参加系上的会议，却和他在玩拼字游戏。虽然不能因为她打电话请病假，就意味着她不是教授；也不能因为她抛弃家庭，就意味着她不再是太太、妈妈。当追根究底，她最深恶的罪，是从一开始就把这些全忘了。

“希斯，”她说，“我不知道怎么才能把分手变得更容易一点，可是……”

她打住话头，突然明白她差点说出来的话是：*可是我爱我的丈夫。我一直都爱他。*

“我们必须谈谈。”希斯平静地说。他把手伸进牛仔裤后口袋，把一卷卷起来的报纸扔到桌上。

劳拉看过了。头版刊登检察官提出的新指控。杰森·安德希尔已经被作为成人审讯，因为被害人血液中验出了约会强奸迷药的成分。

“是克他命。”希斯说。

劳拉不解地对他眨着眼睛。据检察官说，翠克西身上验出的毒品并非常见的约会强奸迷药。报纸也没有刊出是哪一种毒品。“你怎么知道？”

希斯坐到桌边。“这是我必须告诉你的事。”他说。

当爸爸第三次按喇叭，翠克西对敞开的门喊道：“我来了！”上帝，又不是她想到镇上去，他今天晚餐要用来做比萨的奶酪上长的霉菌多到可以归类成抗生素，又不是她的错。虽然她没有在做什么惊天动地、不能够被打断的事，可她父母没看到她就感到不安，他们的担忧令她沮丧。

她踩进她找到的第一双靴子，朝外头已发动的卡车走去。“我们不能只喝汤吗？”翠克西说，她没精打采地坐进座位，其实她真正的意思是：*我要怎么样才能使你们信任我？*

她爸爸挂上一挡把车开下长坡：“我知道你要我让你独自留在家里。可我希望你理解我为什么不能那么做。”

翠克西对着车窗翻白眼：“随便。”

他们接近镇上，那里有很多车。人们穿着鲜艳的连帽毛皮外套和围巾，蜂拥着过街，像流动的五彩碎纸。翠克西感觉她的胃在翻腾。“今天是什么日子？”她轻声问。她在学校看到贴得到处都是的海报：冰就是美丽。别做孤独的雪花，来庆祝冬节。

三个她认识的同校女生靠近他们的车子，她们的衣角擦过他们的车前保险杠，翠克西缩进座位里。大家都会庆祝冬节。小时候她爸妈会带她来拍拍在相机店旁边的那只可怜的老麋鹿。她还记得看到平常是老师、医生、女侍的人，在那个晚上全变成维多利亚时代的唱圣歌的人。去年，翠克西和丽芙儿扮成小精灵，她们两个穿着双层的紧身滑雪衣，递拐杖型的糖果给轮流坐在圣诞老公公腿上的小孩子们。

今年，如果她走在梅恩街上，感觉一定会完全不同。起初没人看到她，因为天色挺暗。可最终，会有人无意中撞到她。他们会说，对不起，然后才发现她是谁。他们会轻拍身旁的朋友，对她指指点点。他们会互相靠近耳语说，翠克西怎么完全没化妆，她的头发怎么看起来像一星期没洗了。可以预见的是，她走到梅恩街的另一头之前，他们的目光已经在她的外套背后燃烧，像镜子聚焦了阳光，瞬间将她烧成灰烬。

“爸爸，”她说，“我们不能回家吗？”

爸爸瞥了她一眼。他必须绕过梅恩街，现在车子还离杂货卖场后面挺远的地方。翠克西可以看出他在权衡抵达他的目的地与翠克西的极度不安，孰轻孰重……还将她的自杀未遂记录纳入考量。“你待在车里，”她爸爸让步，“我马上回来。”

翠克西点头，看着他走过停车场。她闭上眼睛，数到五十，听自己的心跳声。

但结果是，翠克西以为自己最想要独处，但却令她无比的害怕。旁边的车门一关上，她就跳了起来。前面倒车的车灯照着她，她把头低到碰到领口，不让那个司机看到她的脸。

她爸爸已经去了三分钟了，她开始恐慌。买些愚蠢的奶酪需要那么久吗？万一有人来停车场，看到她坐在这里呢？离群众聚集过来，骂她贱人和婊子，还有多久？如果他们决定砸了车窗，把她当成女巫，处以私刑，有谁会救呢？

她从挡风玻璃往外看。顶多十五秒，她就能跑到杂货卖场的大门口。现在爸爸应该在排队等候结账。她可能在那里撞见某个认识的人，但她至少不会孤单。

翠克西下车，跑过停车场。她可以看到杂货卖场饮食部的窗子，还有在风中轻打着卖场外墙的整排购物车。

有人过来了。她看不出那个人是不是爸爸——块头够大，可是街灯在他背后，让人看不清楚样貌。翠克西知道，如果是爸爸，他会先看到她。如果不是爸爸，那么她会以光速跑步经过陌生人。

翠克西在冲刺时，踩到一块黑色的冰块，她的脚滑了出去，一只脚扭到了，她可以感觉自己要跌倒。就在左臂摔到人行道上前，她被刚刚她避免接近的人扶起。“你还好吗？”他说。她抬头，发现抓着她上臂的人是杰森。

他放开她的速度和他抓住她时一样快。翠克西的妈妈说过，杰森不能接近她，甚至不能在小路上和她擦肩而过——如果他那么做的话，他会在开庭之前就被送进青少年拘留所。可是或许妈妈搞错了，或者杰森忘记了，因为他摆脱了刚才放开她的恐惧，开始向前接近她。他闻起来像酿酒场，声音粗嘎：“你是怎么跟他们说的？你到底想对我怎么样？”

翠克西想办法呼吸。冷风渗进她的牛仔裤后面，她的靴子里的冰已经变成了水：“我没有……我不是……”

“你必须跟他们讲实话。”杰森哀求，“他们不相信我。”

这对翠克西来说是新闻，像一把刀利落地穿过她的惧怕。如果他们不相信杰森，也不相信她，那他们相信谁？

他在她面前蹲下来，那个动作让翠克西回到了那时候。好像强奸又会发生一次，好像她无法控制她自己身体的一分一毫。

“翠克西。”杰森说。

他的双手分别放在她的两条大腿上，她想脱身。

“你必须去讲清楚。”

他起身站在她面前，双手握着她臀部。

“现在。”

他说完“现在”，头往后仰时口里热热的东西吐在了她的肚子上。他说“现在”的时候已经太迟了。

翠克西深吸一口气，用尽全力尖叫。

突然杰森没有俯在她身前了。翠克西抬眼看到他正努力闪躲她爸爸的拳击。“爸爸！”她尖叫，“不要！”

爸爸转头，嘴唇裂开流血：“翠克西，进车里去。”

她没有进车里。她慌乱地退开他们的战场，站到街灯的光晕下，注视着爸爸。这个男人曾在她的房间抓蜘蛛，然后把它们放进纸杯里拿到外面去放生；这个男人这辈子都没打过她。现在他却在狂殴杰森。她害怕极了，被眼前的一切震住了。好像她看到了一个从来没见过的人，却又发现他一直都住在隔壁。

肉体碰撞的声音让翠克西想到，波特兰的渔夫抓起青鱼用力拍打码头，它静止不动了，他们再将鱼切片。她捂住耳朵，看着地面，看到掉落在地上的意大利奶酪片的包装袋，已经在他们打架时被靴子踩破。

“如果你在任何时候……”爸爸喘着气说。

他一拳打到杰森的肚子。

“……任何时候敢再靠近我女儿……”

一拳打到杰森的右颚。

“我会杀了你。”就在他的手往后，预备向前伸再挥出一拳时，一辆车开经停车场，车灯的光线照亮了一切。

上一次被丹尼尔揍的人已经死了。在阿基亚克高中的体育馆，丹尼尔将肯恩摔到地板上，虽然他的头已经有了一个弹孔。他想要肯恩叫他别打了。他要肯恩坐起来还击。

校长蹑手蹑脚地走进这个噩梦，他看到呜咽的丹尼尔、地上的来复枪，洒在看台上的血。校长震惊地说，**丹尼尔，你做了什么？**

丹尼尔跑掉，他跑得比校长和警察快。有几天，他成了嫌疑谋杀犯，他喜欢那样。如果丹尼尔有意杀肯恩，那么他就不会因为没有阻止那件事发生而感到内疚。

丹尼尔离开镇上的时候，围绕着他的谣言已经逐渐消失。那是肯恩的猎枪，上面没有丹尼尔的指纹。肯恩没有留下自杀的纸条，那在村里很少见，可是他把篮球球衣留在桌上给他妹妹。丹尼尔的嫌疑撇清，不过他还是离开了阿拉斯加。不是因为恐惧在那里的未来是什么样子的，而是因为他在那里看不到任何未来。

有时候，他刚醒来，一个想法会像棉花一样卡在嘴巴的上颚：死了就不会受伤。

今晚他在杂货卖场里其实是被一个用硬币付账的老太太耽搁了。等待的时候，他一直在批评自己。翠克西自杀未遂后，起先显得疏远又沉默，可过去几天她的本性不时会跳出来。不过，从他们抵达镇上的那一分钟起，翠克西又显得僵直又茫然，宛如旧病复发。丹尼尔不想把她一个人留在车上，可是也不忍强迫她离开那个安全的区域。只进去买一样东西会花多少时间呢？他匆匆走出卖场，只想着要尽快带翠克西回家。

走到街灯下他才看见：那个混蛋的手在他女儿的手臂上。

一个从来不会暴怒的人可能很难理解。可对丹尼尔来说，那种感觉就像穿上一件柔软的羊皮旧外套，它被埋在衣橱里很深的地方，他以为他很早以前就已经把它送给某个需要的人了。一瞬间理智被完全失控的情绪征服。他的身体开始燃烧，怒气在耳朵里嗡嗡作响。他从一片血红色的朦胧看出去，他尝到自己的血，然而他知道自己停不了。他自豪，肾上腺素使得他迅猛地挥拳，指关节因为一再出击而擦伤，丹尼尔开始慢慢想起他以前是谁。

在阿基亚克，每一次跟恶霸打架，每一次在酒吧外与醉鬼斗殴，每一次他打破车窗伸手进去开上锁的门，都好像丹尼尔完全踏出了自己的身体，注视着进了那个躯壳的龙卷风。在残暴的行动中，他迷失了自我，那是他一直希望的。

他停了下来，杰森颤抖得很厉害，丹尼尔明白，他的手掐着男孩的脖子，他才能站着。“如果你在任何时候……任何时候，敢再靠近我女儿，”丹尼尔说，“我会杀了你。”

他看着杰森，努力记住男孩服输的表情，因为丹尼尔要在法庭上，陪审团递交裁决结果的那天再看到一次。他缩回手臂，目光聚焦在男孩的下颚，只要再强力地往那个地方打上一拳，就能把他击昏。突然间车子接近的强光笼罩了他。

那正是杰森需要的摆脱丹尼尔的机会。他推开丹尼尔，拼命奔逃。丹尼尔眨眨眼，他刚才的专注力崩溃了。事情结束了，他无法控制自己的手颤抖。他转向卡车，他叫翠克西在车里等的，他打开车门。“对不起你必须看到……”丹尼尔打住话头，女儿不在车上。

“翠克西！”他大喊，搜寻停车场，“翠克西，你在哪里？”

停车场该死的非常阴暗，丹尼尔看不见，所以他开始在车与车之间的走道上跑来跑去。可能是翠克西看到他变成一只野兽太沮丧了。她宁愿从油锅往火里跳，也要尽可能离他远一点，即使那意味着她必须跑进闹市区？

丹尼尔开始跑上梅恩街，叫喊她的名字，他狂乱地从黑暗中跑向庆典的场地。他把唱圣歌的队伍推到一边，把手牵手一起走的一家人冲开。他冲翻一个枫糖浆冰沙的摊头，小孩子正把热过又在冰沙中冷却的长条枫糖浆滚到棒冰的棒子上。他站上人行道旁的长凳，居高四下望着纷乱的人群。

好几百人，可是翠克西不在其中。

他走回车子。她可能已经回家了，虽然她得在雪中花上好一会儿才能走完四英里的距离。他可以开着卡车沿路找她……可是万一她没离开镇上呢？要是她回去找他而他不在原地呢？

要是她在回家的路上先被杰森找到呢？

他把手伸进驾驶座旁的贮物箱摸索他的手机。家里没人接电话。迟疑了一下，他打去劳拉的办公室。

上次他这么做时，她没有接电话。

第一声铃响后她就接了，丹尼尔的膝盖放松地往下沉了一点：“翠克西不见了。”

“什么？”他可以从劳拉的声音听出她濒临恐慌。

“我们在镇上……她在车里等……”他知道他几乎语无伦次。

“你在哪里？”

“在杂货卖场后面的停车场。”

“我马上过去。”

手机断线，丹尼尔把它放进他的外套口袋。或许翠克西会打电话给他。他站起来，想在记忆中回放他和杰森打架那一段，可是他无法分析出那过程是三分钟，还是三十分钟。翠克西可能在他打第一拳时就跑开，也说不定是最后一拳。他那么一心一意地想痛打杰森，以至于没有注意还站在面前的女儿。

“拜托，”他对他早就放弃去信仰的上帝轻声说，“请让她平安。”

远处的一个动作吸引了他的目光。他转过去，看到一个影子经过停车场另一头的树丛后面。丹尼尔走出街灯照得到的地方，走向他看到几乎融进黑夜的影子。“翠克西，”他叫道，“是你吗？”

杰森·安德希尔站着，双手抓着高架桥上的木制栏杆，想看清楚下面的河是不是完全结了冰。翠克西的爸爸把他打得半死，他的肋骨在抽痛，他也不知道第二天早上要如何解释他挨揍的脸，还能不泄露他违反了保释条件——他与史东家的人接触了，不止一个，而是两个。

如果他们要把他当做成人审判，会有什么后果？一旦他们发现他接近翠克西，他会被送到真正的监狱，而不是类似少管所吗？

或许那也没什么关系。贝瑟尔学院明年不要他去打冰球了。他希望有一天能做职业球员的心愿也等于死了。为什么？就因为那天晚上在丽芙儿·盛托瑞利-温斯坦家时，他体贴地回去看翠克西，想确定她没事吗？

三个星期前，他是缅因州排行第一的高中冰球队员。他的平均成绩高达3.7，能一场球连得三分，连不认识他的小孩都假装认识他。高中学校里的女孩，甚至一些本地的女大学生，都可以随他选，可是他竟愚笨地迷恋上了翠克西·史东：一个黑洞，她伪装她是心地澄净的女孩，澄净到你看着她就觉得看到了自己。

他十七岁，但人生已经完蛋了。

杰森凝视着桥下的冰。如果案子在春天来到之前开庭……如果他的官司打输了……离他看到河水再次流动还有多久？

他倾下身，手肘靠在木头栏杆上，假装他现在就可以看到流动的河水。

劳拉跑向他的时候，丹尼尔坐在街灯下："她回来了吗？"

"没有。"他说着慢慢站起来，"或者她在家，但没接电话。"

"好，"劳拉说，她绕着小圈子踱步，"好。"

“一点都不好。我跟杰森·安德希尔打了一架。他把手放在翠克西身上。我……我……我太冲动了。劳拉，我把他揍得很惨。翠克西全都看到了。”丹尼尔做个深呼吸，“或许我们该打电话给巴索雷米。”

劳拉摇头：“如果你打电话给警察，你必须告诉他们你跟杰森打架了。”她平静地说，“丹尼尔，那是侵犯人身的行为，他们会因为这种暴力行为逮捕你。”

丹尼尔沉默地想起他上一次和杰森接触——在树林里，用刀子。就他所知，那个男孩没有对任何人提及那件事。可如果丹尼尔这次打他的事情浮出水面，那么男孩上一次的伤痕从何而来就昭然若揭。

而且那次不只是施暴，甚至足以称之为绑架案。

他转身问劳拉：“那我们该怎么办？”

她向他走近一点，街灯的光线像一件斗篷一样罩在她的肩膀上。“我们自己找她。”她说。

劳拉跑进屋里，叫唤翠克西，可没人应答。她没脱外套，颤抖着走进阴暗的厨房，转开水龙头，拿冷水泼脸。

不可能会发生这种事。

她和丹尼尔商议的策略是：他在街上找翠克西，劳拉回家，说不定女儿会回去。**你必须冷静下来**，她告诉自己，**事情会解决的**。

电话铃响，她抓起电话。翠克西。可在话筒贴近耳朵之前，脑海里产生了另一个想法——万一是警察打来的呢？

劳拉吞咽口水：“喂。”

“史东太太……我是丽芙儿。翠克西在吗？我必须跟她说话。”

“丽芙儿，”她回答，“翠克西不在。你今天晚上看到过她吗？”

“我？没有。”

“喔。”劳拉闭上眼睛。“我会告诉她你打来过。”她说。

她挂断电话，坐到餐桌旁，告诉自己要坚强地等待，不管接下来会发生什么事。

每个夏天，巡回的游乐场都会经过缅因州。他们开着有篷的卡车抵达，车篷打开来，露出投棒球、丢圈圈、射气球的游戏；还有巨大的白色卡车打开来，像一只睡觉的鹿站起来，变成过山车；另一辆卡车改成了电影《夺宝奇兵》的主角印第安纳·琼斯的密室。还有给小孩坐的，不会离地的热气球；有巨大的青蛙用粉红色的石膏舌头在小圈子里追逐苍蝇；由适合公主坐的旋转木马。翠克西每年最期待坐的是云霄飞车。

云霄飞车最前面画着中国人新年舞的大龙头，后面是五辆坐车，最后是漆着金色花饰的弧形尾巴。那些折叠卡车可以变出窄小的环形钢轨连着一个铁路小站。云霄飞车的老板留着细长的马尾，手臂上有好多刺青，靠近才能看清那并不是袖子。

翠克西总是努力搭龙头的嘴巴后面的第一辆坐车。对给小孩坐的云霄飞车来说，它的速度快得惊人，而最前面的车比其他车还快，转弯的时候你会感觉快被甩出去，突然停止的时候更是觉得骤然。

翠克西十一岁那年夏天，她像平常一样爬进第一辆，她意识到有点不对。她没法把安全杆拉下，越过膝盖。她必须侧着身子，把自己斜塞在车里。翠克西说服自己，这不是同一辆云霄飞车，他们升级了，不舍得把车子做大一点，可云霄飞车的老板说什么都没变。

他说谎。她知道，因为他说话的时候把他的马尾甩开，然后看着她胸前T恤上龙飞凤舞印着的字：贝瑟尔农场“A”垒球。

直到那一刻，翠克西还期待着去上中学随之而来的优越感。她常把“青少年”这个词挂在嘴边，享受那爆炸浴盐般嘶嘶的发音。那时候她还没想到，有得必有失，她曾经感到舒服的位置可能不再适合她了。

接下来的夏天，翠克西十二岁，她和丽芙儿在游乐场被赶了下来。她们只能不玩任何游乐设施，买一份炸洋葱花，在人群中闲晃，找她们认识的小孩。

翠克西颤抖地站在贝瑟尔银行前面时想的就是这些。现在已经是半夜了，冬节成了回忆。警察在梅恩街设的路障已经撤除，圣诞灯泡的插头已经拔掉。垃圾桶里塞满纸杯、塑料苹果汁罐，和断掉的拐杖糖。

银行有一面大镜窗，它总是令翠克西着迷。这两年每次她经过，她都会对着窗看自己，或者看看有没有人跟她一样那么做。可当她还小的时候，这面镜子总是会吓她一跳。她很多年都没跟爸妈说一个秘密：贝瑟尔有个女孩长得跟她一模一样。

从镜子里，翠克西看到爸爸靠近。她看着他，像看着像他的双胞胎，而她站在她的双胞胎旁。他碰触她的那一瞬间，宛如破解魔咒。她站不住，她累坏了。

他抓住摇晃的她。“我们回家。”他说。他把她抱起来靠在他怀里。

翠克西把头靠在他肩上。她注视着闪烁的星星，它们呈现出了一些图案。别人似乎都看得出星星排出的字母，而她一辈子也不可能看得懂。

丹尼尔回到家，劳拉的车停在车道上。计划是她开车回家，在家里等，以防翠克西自己回家。丹尼尔在贝瑟尔街上找，以防她没回家。他把翠克西抱出卡车，她睡得很熟。他把她抱上楼，进她房间，脱下靴子，拉下她外套的拉链。他犹豫了一下，想帮她换上睡衣，但最后还是让她和衣而睡了，他帮她拉上被子盖好。

丹尼尔站起来，发现劳拉站在门口。她睁大眼睛看着翠克西，脸色苍白得像粉笔。“喔，丹尼尔，”她低语，做着最悲观的猜测，“出事了。”

“没有出事。”丹尼尔柔声说，拥抱她。

总是知道做对的事，说对的话的劳拉，此时仿佛六神无主。她环抱着丹尼尔的腰，突然哭了起来。他领她进阴暗的走廊，关上翠克西房间的门，免得她受到干扰。“她回家了，”他勉强挤出笑容，即使他感觉他指关节的擦伤底下全是瘀伤，“那最重要。”

第二天早上，丹尼尔在浴室里对着镜子检查身上的伤。他的嘴唇裂开了，右边的太阳穴青肿，右手指关节红肿破皮。还有他们父女关系的伤害。昨晚翠克西筋疲力尽地睡着了，丹尼尔还没有机会向她解释他昨晚怎么了，怎么会变成野兽。

他洗脸，擦干。要怎么对自己的女儿解释——看在上帝的份上，她还是个强奸案的受害人——暴力对男人来说就像能量：可以转换，但绝对不会湮灭？要怎么告诉一个非常努力地想要开始做全新的自己的女孩，你无法忘记你的过去？

丹尼尔光脚踩在地板上，有种深入骨头的冷。厨房窗外悬挂的冰柱尖得像箭一样。丹尼尔推测今天气温没法爬到零摄氏度以上。翠克西站在冰箱前，穿着棉绒睡裤、一件丹尼尔在自己的抽屉怎么也找不到的T恤和一件已经太小的蓝色浴袍。在她伸手拿柳橙汁的时候，手腕伸出袖子太多。

原本在桌前专心看报纸的劳拉抬眼望着丹尼尔。他不禁猜想，她在看关于他和杰森昨晚打架的新闻。“早安。”丹尼尔迟疑地说。他们的目光相遇，不发一语地交流着：*她好吗？她有没有说什么？今天可以看做寻常的一天吗？该假装昨晚什么事都没发生吗？*

丹尼尔清了清嗓子：“翠克西……我们必须谈谈。”

翠克西没看他。她旋开盒装柳橙汁的盖子，把它倒进玻璃杯里。“我们没柳橙汁了。”她说。

电话铃响。劳拉站起来接电话，她把话筒拿进与厨房连着的客厅去听。

丹尼尔坐进太太空出来的位子，注视着梳妆台旁的翠克西。他爱她，她以信任他回报他的爱，结果她的信任换来的是，看他在眼前变成一只野兽。他的暴行真的跟野兽没有太大不同，她被强奸时一定感受到过这种惨遭野兽施虐的痛苦。光这点就令丹尼尔痛恨自己。

劳拉回到厨房，挂上电话。她动作僵硬，表情呆滞。

“是谁打来的？”丹尼尔问。

劳拉摇摇头，用手掌掩嘴。

“劳拉。”他催她说。

“杰森·安德希尔昨晚自杀了。”她低语。

翠克西摇了摇空的柳橙汁纸盒。“我们没有柳橙汁了。”她又说一遍。

翠克西在浴室让热水流了十五分钟才踏到莲蓬头下。浴室的小空间里充满蒸汽，那样她就不会看到镜子里的自己。噩耗进驻他们家，震惊之后，没人知道该怎么办。妈妈像鬼一样的溜出厨房。她爸爸闭着眼睛，双手抱头坐在桌旁，他心烦意乱，都没有注意到翠克西离开了。爸妈都没发现她消失进了浴室，也没有像上个星期那样要求她把门开着，以便他们察看她的情形。

重要的是什么？

不会再开庭审理强奸案。不必再担心她站到证人席前会不会住进精神病院。她可以随便发疯。她也可以在未来三十年内，在精神科病房留个床位，每分钟都用来想她做了什么。

比克牌的剃刀早就藏起来了，它曾掉在洗手台柜子的裂缝后面，翠克西于是偷偷把它放在那里，以备不时之需。她把它找出来，放在洗手台上。她用沐浴乳的塑料瓶用力敲它，直到粉红色的外壳裂开，里面的刀片滑出来。她用指尖掠过刀片的边缘，感觉皮肤像洋葱的皮拨开一层。

她回想杰森亲吻她是什么感觉，她呼吸着他刚刚呼吸过的空气。她试着想象永远不再呼吸是什么样子。她想到爸爸打他，他的头突然向后仰的样子，她想到爸爸对她说的最后一句话。

翠克西脱下睡衣，踏进莲蓬头下。她蹲在浴缸里，让水洒在身上。她放声，沮丧阴郁地大哭，在哗哗的水声中没有人会听到她的哭声，然后她割手臂，不是为了自杀，因为她不值得那么轻易地解脱，只是为了让痛苦在她体内爆炸之前释放一些。她在她的手肘弯曲处内侧割了四条线，写了一个字：

“不”。

血在她脚边打旋，又被冲淡成粉红色。她看向刚刺上的字。然后她举起刀片，在字母上划线，再画成格子，直到连翠克西自己也不记得她曾经想写什么。

我逃走，带着我的女儿搬家。阿拉斯加的冰原是这个世界上唯一可以去的地方，而且永远不会被发现。
几个星期后，我跟我女儿出门，去给雪地摩托车加油……
不许动！抢劫！
嘿……这个女孩可以给我们玩玩儿……
不许碰她！
爸爸！
我猜你可以想到接下来发生了什么事……
请看《不灭的野爪》第一集！

真是个精彩的故事……
……不过……幸好……刻耳柏洛斯似乎听累了。
第四层地狱……贪婪鬼与挥霍者……
别告诉我……这表示非常可怕和危险?
你有进步啊。

第七层地狱：自杀者之林。
第五层地狱：冥河中的沼泽地，愤怒者的归宿。
难道我认识你？
第六层地狱：冥界和异教徒之城。

救命！
第八层地狱：恶沟……
满布欺骗和怨恨。

5

晚上，杰森・安德希尔的鬼魂在翠克西的期盼下出现了。他的身体是透明的，脸是白色的，头颅后面有裂缝。她的目光穿透他，假装没注意到他突然不知从哪里出现了。

他是翠克西认识的人里面第一个死掉的。严格来说，奶奶在翠克西四岁的时候在阿拉斯加过世，可翠克西从来没见过她。她记得爸爸当时坐在餐桌旁，虽然电话那头的人已经挂断，他仍一动也不动地握着话筒，沉默像一只大黑乌鸦降落在他们家。

杰森一直看着地上，好像他必须跟踪自己的足迹。翠克西努力不去看他脸上的瘀青或衣领上的血迹。“我不怕你，”她说，她没说实话，“你不能再对我怎么样了。”她想知道鬼有没有超能力，不知他们是否可以透过亚麻和棉绒布，看到她的脚在发抖，不知道他们是否能吞下她的话，再把谎言像子弹那样吐还给她。

杰森靠得很近，近到他的手穿透了翠克西。感觉像冬天。他能将她往前拉，好像他是磁铁，而她已经分解为上千片金属屑。他把她从床上拉起，和她亲吻。他尝起来有深色土壤和泥水的味道。*我跟你还没完*，杰森发誓。然后他一点点消失，她唇上的压力最后也消散了。

翠克西躺在床上发抖。她感觉胸骨下住进了刺骨的严寒，像用冰做的第二个心脏。她回想杰森说的话，纳闷为什么他必须在他还没爱上她，就像她一如既往的那样之前，死去。

迈克·巴索雷米蹲在鞋印前，那些鞋印一直延伸到杰森往下跳的桥栏杆前面。仿佛男孩最后几步的秘密舞蹈。他把尺放在最清楚的鞋印旁边，然后用数码相机拍照。接着他举起一个喷雾罐，在附近喷洒薄薄一层红色的蜡。蜡结在雪上，那样他拿石膏混合水做模子时，任何纹理都不会化掉。

在等模子干的时候，他走下湿滑的河岸，到被搜证员彻底检查过的地点。在他的警察生涯里，他在这里办过两桩自杀案，这是贝瑟尔镇屈指可数的从高处跌下会造成重大伤害的地方之一。

杰森·安德希尔是侧身摔到地上的。他的头撞到了结冰的河面，一部分浸入了水中，手沾满泥土和枯叶。他的头下面的一摊血使雪地沾上了粉红色的污迹。

无论从哪一点来看，杰森都帮了纳税人一个忙，省下开庭和可能监禁的费用。当作成人强奸案审理使他被判刑的可能性大大升高，更具有潜在的毁灭性——巴索雷米见过更小的动机就逼得一些家伙结束他们的生命。

他跪到鉴识科的警察杰瑞旁边："你发现了什么？"

"玛丽亚·狄盛多斯，只不过比她冷上七十度。"

玛丽亚·狄盛多斯是上一次在这里跳水的人，她在盛夏失踪了三个星期，河上划独木舟的人闻到了腐尸的恶臭才发现了她。

"找到什么了吗？"

"一个皮夹和一部手机。可能还有更多东西，雪相当深。"正在采集尸体血液的杰瑞抬头看了看巴索雷米，"你昨晚看孩子们在镇上的游艺会球赛了吗？"

“我在值班。”

“我听说杰森喝醉了……不过他还是个一等一的好球员。”杰瑞摇摇头，“如果你问我，我真觉得该死的可惜啊。”

“我没问。”巴索雷米说着站起来。他已经去过安德希尔家，告诉他们儿子过世的消息。葛丽泰·安德希尔应的门，她看着他的脸嚎啕大哭。丈夫只比她稍微镇静一点。他感谢巴索雷米通知他们，说他想即刻去见杰森，然后他光着脚走到外面的雪地上，没有穿外套。

是巴索雷米的上司带给他关于霍莉的消息的。当他看到警察局局长半夜站在他家门廊上，他知道发生了最糟糕的事情。他要求开车去现场，站在霍莉的车撞过去的栏杆旁。他记得，去医院的太平间指认霍莉的尸体。巴索雷米把布拉开，看到她手臂上的针孔，身为家长他简直是瞎了。他把手放在霍莉的心脏上面，只为了要确定这是事实。

安德希尔夫妇想要在验尸之前见杰森。任何没有目击者的死亡案件，尸体都会被送去给法医判定死亡原因，就这个角度来说，意外、自杀、谋杀都一样。与其说这是警方的工作程序，不如说这也符合人性。我们都想知道出了什么问题，即使那个问题没有真正的答案。

杰森·安德希尔自杀后的星期一，两位心理学家被请去贝瑟尔高中，帮助学生走出哀伤。冰球队戴着黑色的臂章，发誓要赢得三连胜，拿州冠军向他们陨落的队友致敬。波特兰报纸的运动版一整版都在追悼杰森在运动方面的成就。

同一天，劳拉出门去采购。她漫无目的地在商店里走，拿起柑橘、整袋的去核梅干、杏仁条，还有意大利水牛奶酪球，看了又看。她知道皮包里有张购物清单，她该买些像面包、牛奶、洗洁精之类的生活用品，可是有一部分的她觉得正常的东西不再适用，没必要买了。她发现自己站在冷冻区前，冰柜的门打开，冷气涌至她靴子前面。里面一定有一百种不同口味的冰淇淋。你必须回家，忍受自己刚刚的选择，该怎么选?

她阅读桃子雪糕的成分，听到两个女人在隔壁的走道讲话，她藏在冰柜后听。“真是个悲剧，”一个女人说，“那个男孩本来前程似锦啊。”

“我听说葛丽泰·安德希尔一病不起了。”第二个女人说，“她的牧师对我的牧师说，她甚至可能没办法参加葬礼。”

一星期前，尽管杰森是强奸案的被告，对这个小镇大部分的人来说，他依然是个球星。而现在死使他简直成了神话般的人物。

劳拉的双手握紧购物推车的手把。她推着推车绕过转角，直到和在说话的两个女人面对面。“你们知道我是谁吗?”两个女人面面相觑，摇摇头。“我是被杰森·安德希尔强奸的女孩的妈妈。”

她为了让她们震惊才这么说的。她抱着微小的希望，希望这两个女人会感到羞耻而道歉。可是她们一句话都没说。

劳拉推着购物车绕过转角，走向没人排队的柜台结账。收银员的头发染得像蓝色的臭鼬鼠尾巴般的条纹，下唇穿了环。劳拉伸手进购物车，拿上来一盒塑料刀，她什么时候从架上拿下过这个东西?“你知道吗?”她对收银员说，“我其实不需要这个东西。”

“没关系。我们可以把它放回去。”

六包装的荷兰酸辣粉、防晒乳液、去疣药。“事实上，”劳拉说，“这些我也不想买了。”

她把购物车里的其他东西拿出来：培根粒、婴儿食品、泰国椰奶、幼儿学喝水杯、绑头发的橡皮筋、两磅绿色墨西哥辣椒、桃子雪糕。她看着输送带上的东西，似乎第一次看到它们。“这些东西我都不要。”劳拉惊讶地说，好像那是别人的问题，不是自己的。

安洁莉·穆克赫吉医生大部分的时间都在停尸间，不只因为她是郡里的法医，也因为当她偶尔到医院楼上去，她会一再地被误认为是医学院的学生，或者更离谱的，少女护工。她只有一米五十几，长着一张精致的娃娃脸，不过迈克·巴索雷米看过她为了断定躺在验尸台上的死者的死因把手伸进Y形切口直到手肘的深度。

“死者血液中的酒精含量是0.12%。”安洁莉说，她在一列X光片中搜寻，抽出一张，走向挂在墙上的看片箱。

法定的酒醉值是百分之零点一，那意味着杰森·安德希尔在从桥上栏杆掉下去之前都喝得烂醉。*幸好他没开车*，巴索雷米想，*幸好他只杀死了自己*。

“这里，”法医指着一张X光片说，“你看到了什么？”

“一只脚？”

“这就是为什么他们付你高薪吗？过来这里一下。”安洁莉清出一张工作台，拍了拍台面，“爬上去。”

“我不想……”

“爬上去，巴索雷米。”

他心不甘情不愿地爬上桌子，往下望着安洁莉的头顶。“我干吗要这么做？”

“跳。”

巴索雷米在桌上跳了一下。

“我的意思是跳下来。”

他摆动手臂，落了下来，落地时呈蹲伏状。“该死，我还是不能飞。”

“你用脚着地，”安洁莉说，“和大多数人往下跳时一样。当我们看到像那样的自杀案，X光片会显示脚跟骨折以及垂直压缩型的脊椎伤，但是这个罹难者身上并没有那种现象。”

“你是想告诉我他不是掉下去的？”

“不，他掉下去了。脑部有对侧外伤，表明是加速度坠落。当一个人头盖骨的后面着地，你会看到脑部前面的损伤，因为头盖骨的前面在后面重击到地面停止时还在继续落下。”

“或许他跳下去时是头着地。”巴索雷米提出意见。

“有趣的是，我也没有看到如果是那样的话会产生的骨折。我给你看看我发现了什么。”安洁莉递了两张照片给他，都是安德希尔的脸。他们完全相同，除了第二张有黑眼圈以及沿着太阳穴到下颚的瘀青。

“安洁莉，你打过死者吗？”

“在他变成尸体之前打才会呈现出来。”安洁莉回答，“这两张照片我间隔了十个小时拍摄。你送他进来，他没有瘀伤……脸部有一部分隐约有出血现象，可能是坠落时造成的。可是他被发现时是侧面着地，血液滞积于这一边的脸可能使挫伤不明显。当他被送进停尸间，仰躺着，血液就均匀地回流了。”她拿下他们看过的X光片，“我在实习时，有具女尸被送进来时没有明显的外伤，只有颈部的带状肌有一点出血。到验尸结束，她的脖子上出现了两个明显的手印。”

“有没有可能是他自己摔下来时撞到的？”

“我知道你会那么说。看这里。”安洁莉把另一张X光片放进看片箱。

巴索雷米轻轻吹了个口哨：“这是他的脸，嗯？”

“是的。”

他指向头骨太阳穴处的一个裂缝：“那看起来像是裂痕。”

“那是他着地的地方。”安洁莉说，“你看仔细一点。”

巴索雷米眯起眼睛。在颧骨和下颚都有较模糊的细纹裂缝。

“由坠落造成的裂痕会被挨揍引起的细纹阻挡，没有继续裂下去。坠落造成的头部创伤通常在我们戴帽子时的帽缘那一圈的部位。不过，被拳头用力猛击到脸上通常会打到帽缘下面。”

安德希尔太阳穴的裂缝辐射状延伸到眼窝和颧骨，却突然停在那些细如发丝的裂痕那里。

“死者的下巴和肋骨的组织也渗出红血球。”

“那代表什么意思？”

“那是还来不及显现的瘀伤。表示那里的组织有伤口，可是在血液能够减量，皮肤变得青一块紫一块之前，死者已经死亡。”

“所以在他决定跳下去之前，他打过架。”巴索雷米说，他的脑子里快速转动着各种可能性。

“你可能会对这个感兴趣。”安洁莉递给他一个显微镜载玻片，上面有很小的碎屑，“这是我们从死者的指甲缝挖出来的碎屑。”

“这是什么？”

“碎屑与桥的栏杆吻合。他的外套背后下端也有一些栏杆的木头碎片。”安洁莉瞥向巴索雷米。“我认为这个孩子不是跳下桥自杀的，”她说，“我想他是被推下去的。”

丹尼尔听到啜泣声，立刻以为是翠克西在哭。自从他们听到杰森自杀的消息后，几天来她动不动就会流泪，吃晚餐时、刷牙时，或看着电视广告时。她牢牢地抓着回忆，丹尼尔不知道该如何撬松，把她带回真实的世界。

他有时候抱她。有时候只是坐在她旁边。他没想阻止她流泪，他没有那个权利。他只是想让她知道，如果她需要他，他就在她身边。

这一次哭声传来，丹尼尔循声上楼。可是他并没有看到翠克西在哭，他转进自己的房间，发现劳拉坐在地板上，抱着一堆洗干净的衣服。“劳拉？”他问。

她听到她的名字，转过头来，抹了抹湿漉漉的脸颊：“对不起……我知道这样不对……可是我一直想到他。”

他。丹尼尔的心翻腾。要过多久他才会听到那种话，而不会感觉像被打了一拳？

“只是……”她抹抹眼睛，“只是，他也是别人家的孩子。”

杰森。知道劳拉不是为了那个跟她睡过的无名男子哭，丹尼尔立刻感到放松多了。但又发现她是为了某个不值得怜悯的人哭，那种放松感随即蒸发。

“我其实很幸运，丹尼尔。”劳拉说，“要是上星期翠克西死了呢？要是……要是你要我搬出去呢？”

丹尼尔伸出手去，把劳拉的头发塞到她耳后。或许你必须差一点失去什么东西，才会知道它的价值。或许他们两个的关系也是那样。“我永远不会让你走了。”

劳拉战栗了一下，好像他的话对她造成了冲击：“丹尼尔，我……”

“不必为我们的关系哭，”他说着捏捏她的肩膀，“因为一切都会恢复正常的。”

他感觉劳拉对他点了点头。

“也不必为杰森哭，”丹尼尔说，“因为他该死。”

在此之前他都没有讲出这句话，虽然从劳拉接到那通噩耗电话之前他就那么想了。这正是他画的那种世界：行为会产生结果，报仇和报答是故事的中心。杰森伤害翠克西，因此杰森应该得到惩罚。

劳拉退后，瞪大眼睛看着他。

“怎么样？”丹尼尔挑战地说，“我那么想你感到震惊？”

她沉默了一下。“不，”劳拉承认，“只是没想到你会把它说出口。”

巴索雷米进入软件程序看桥上鞋印的照片，拿它和杰森的鞋印比对，完全符合。不过，还有另一个鞋印的鞋底纹路与杰森的不同，可能是嫌疑犯的鞋印。

巴索雷米叹了口气，关掉了电脑屏幕，拿出犯罪现场搜集到的证物袋。他翻找杰瑞在死者附近找到的手机。摩托罗拉牌，与巴索雷米在用的手机完全相同。在缅因州这里，手机不像大城市有那么多种选择。杰森可能和他在同一家店买的手机。可能是同一个业务代表为他们安装的程序。

巴索雷米开始看手机。没有短信或语音留言。

他按快捷键，*8，打架的声音突然充满了整个房间。有被拳头击中的声音，有咕哝声和呻吟声。他听到杰森的哀求声中断，出现另一个熟悉的声音：**敢再靠近我女儿，我会杀了你。**

巴索雷米站起来，抓起外套，出门去找丹尼尔·史东。

“人死掉后会怎样？”丽芙儿问。

翠克西趴在床上，翻阅时尚美容杂志《魅力》，她看着她永远也买不起的皮包和鞋子。反正她也不需要皮包，她不想做那种，没法把她所需要的东西都放进牛仔裤后口袋的人。“会腐烂。”翠克西说，她翻页看下一则广告。

“太恶心了，”丽芙儿说，“不知道得花多久？”

翠克西也这么觉得，可她不想对丽芙儿承认。自从杰森过世后，他每天晚上都会在深夜到她房间找她。有时候他只是凝视着她，直到她醒来；有时候他会跟她说话。最后他会撞进她的身体中间然后离开。

她知道他还没有下葬，或许因为那样他才能继续游荡。或许一旦他的身体开始在棺材里分解，他就不会再出现在她的床尾。

从翠克西自杀未遂从医院回来，就像回到了从前——丽芙儿会在下课后来她家，告诉她错过的每一件事：两个拉拉队员喜欢同一个家伙，吵得不可开交；法语代课老师连一句法语也不会说；一个高二生因为厌食症住院了。丽芙儿还告诉翠克西贝瑟尔高中是如何处理杰森的死亡事件的。辅导老师带领大家谈青少年抑郁问题；各年级在班会时，校长透过广播宣布默哀悼念一会儿；杰森的储物柜变成了一个神龛，有人在那里用装饰纸条、贴纸，还有豆豆娃毛绒玩具纪念他。杰森死后变得比生前还伟大，翠克西现在想避开他好像更难了。

丽芙儿翻过身来：“你觉得死掉会痛吗？”

没有活着这么痛，翠克西想。

“你觉得，死掉以后，我们会去哪里？”丽芙儿问。

翠克西合上杂志：“我不知道。”

“我怀疑会不会和这里一样。那里有人气很高的死人，和怪咖死人。”

翠克西觉得那听起来像高中，像地狱。“我想那会因人而异。”她说，“譬如，如果你死了，就会有用不完的丝芙兰化妆品。至于杰森，那里会是个大冰球溜冰场。”

“可是人们会有交集吗？比如冰球球员决不跟只吃巧克力的人一起玩？还有那些喜欢整天在网上玩任天堂的家伙？”

“那里或许也有舞会或者什么的，”翠克西说，“或者有个布告栏，让你知道别人在干吗，你高兴的话可以去参加，不想去的话就不要去。”

“我打赌在天堂吃巧克力根本不算什么。”丽芙儿说，“如果可以想吃就吃，可能就不觉得那么好吃了。”她耸耸肩，“我打赌他们在从上面往下看着我们，因为他们知道我们过得比他们好，而我们太蠢了，身在福中不知福。”她侧过头看翠克西，“你猜我听说了什么。”

“什么？”

“他的整个头都撞烂了。”

翠克西感觉胃在翻腾：“那只是谣言。”

“完全不是。玛西雅・布尔哥哥的女朋友是个护士，她看到杰森被送进医院。”丽芙儿嚼着口香糖吹破泡泡，“我希望他如果去天堂，会贴上大的邦迪或做个整形手术什么的。”

“你为什么觉得他会上天堂？”翠克西问。

丽芙儿僵住。“我不是那个意思……我只是……”她的目光瞟向翠克西，“翠克西，他死了你真的高兴吗？”

翠克西看着自己放在腿上的手。有一会儿，它们看起来像别人的，苍白、静止不动，相对她其他的部分而言太沉重了。她强迫自己再打开杂志，假装全神贯注地看一个卫生巾广告，就不必回答丽芙儿的问题了。或许等她看了一会儿后，她们两个都会忘记丽芙儿问了什么。或许过一会儿后，翠克西就不会再害怕自己的答案。

但丁说，越深入地狱越冷。当丹尼尔想象地狱，他看到阿拉斯加的育空河和卡斯寇奎河形成的三角洲积雪的白色荒地，那是他从小长大的地方。站在冰冻的河面上，你会看到远处有烟袅袅上升。尤皮克族爱斯基摩人知道，那是河水解冻，蒸汽碰到严寒的空气所致，可是光线的错觉会令人胡思乱想。你可能认为你看到了恶魔吐出来的气。

丹尼尔在画第九层地狱，那是个平面世界，一个同时有白线和冰原的世界。那是个你越努力要逃得远远的，就陷得越深的地方。

丹尼尔刚画完最后几笔恶魔的脸时，就听到车道上有车开进来的声音。从工作室的窗户，丹尼尔看到巴索雷米警官正离开他的福特金牛座车。该来的总会来，不是吗？他走进停车场，发现杰森·安德希尔和翠克西在一起的那一分钟就知道。

丹尼尔在警官敲门之前就打开前门。“哇喔，”巴索雷米说，“真是服务周到。”

丹尼尔试着进行轻松机敏的社交应答，可他好像回到刚离开爱斯基摩村的时候，被一些他不明白的感觉冲击，比如从来没有见过的颜色和景物，从来没有听过的说法。“我能为你做什么吗？”他终于说。

“我们可以谈一谈吗？”巴索雷米说。

不可以，丹尼尔想。他领警官进客厅，请他坐下。

“家里其他人呢？”

“劳拉在教书，”丹尼尔说，“翠克西和一个朋友在楼上。”

“她还受得了杰森·安德希尔的死讯吗？”

那个问题有正确的答案吗？丹尼尔在说出口之前，先在脑子里回放比较几个适当的回答：“她相当沮丧。她大概感觉自己要负一部分责任。”

“你呢，史东先生？”警官问。

他回想早上自己对劳拉讲过的话。“我要他为他所做的事情受到惩罚，”丹尼尔说，“不过我从来没希望他死掉。”

警官盯着他良久："是这样的吗？"

他们头上传来"砰"的一声，丹尼尔抬头看。翠克西和丽芙儿在楼上大约已经聊了一个小时。丹尼尔刚才去看过她们，她们正在看杂志，吃金鱼牌饼干。

"你上周五晚上看到过杰森吗？"巴索雷米警官问。

"为什么这么问？"

"我们只是试着拼凑出他大概是什么时候自杀的。"

丹尼尔的心思回到更早的时候。杰森对警官说过他在树林里的遭遇吗？他们在打架的时候，开车经过停车场的人是否看清楚了丹尼尔的脸？会有别的目击者吗？

"没有，我没见到杰森。"丹尼尔说谎道。

"喔，我发誓我当晚在镇上看到你了。"

"或许吧。我带翠克西去杂货卖场买奶酪了。我们那天晚上想做比萨吃。"

"大约是什么时候？"

警官从口袋里拿出记事簿和铅笔。他的动作令丹尼尔发冷。"七点，"他说，"或许七点半。我们开车去卖场，然后就离开了。"

"你太太呢？"

"劳拉？她在大学里工作，然后回家。"

巴索雷米在他的记事簿上写下记录："所以你们全都没碰到杰森？"

丹尼尔摇头。

巴索雷米把记事簿放回他胸前的口袋。"好的，"他说，"就这样了。"

"对不起，我没能帮上忙。"丹尼尔站起来。

警官也站起来："你一定放心了。你女儿现在显然不必再出庭作证了。"

丹尼尔不知道该如何回答。只因为强奸案不会起诉了，并不代表翠克西受到的贬斥就能洗清。或许她不必作证，但她也回不到以前的她了。

巴索雷米朝前门走去。"上星期五镇上很疯狂，有些冬节的活动等等。"他说，"你得到你想要的了吗？"

丹尼尔僵住："对不起，你说什么？"

"奶酪。做比萨用的。"

他挤出笑容。"做出来的比萨美味极了。"丹尼尔说。

一会儿后丽芙儿告辞，翠克西提议送她出去。她站在车道上，因为出门时懒得穿外套，她冷得发抖。丽芙儿的高跟鞋的声音随着身影消失了，就在翠克西要转身回屋里时，一个声音从她后面冒出来。"有人保护着你的感觉很好，不是吗？"

翠克西转过身，发现巴索雷米警官站在前院。他看起来像冻僵了，好像他已经在那里等了一会儿了。"你吓了我一跳。"她说。

警官向丽芙儿消失的那个方向点了个头："我看到你和你朋友又说话了。"

"是，那样挺好。"她用双臂抱住自己，"你，呃，是来跟我爸爸谈话的吗？"

"我已经跟他谈过了。我有点希望跟你谈。"

翠克西瞄向楼上的窗子，那里有黄色的灯光，她知道她爸爸还在工作。她希望爸爸现在在这里陪她。他会知道什么该说、什么不该说。

如果一个警察要跟你说话，你必须跟他说，不是吗？如果你不跟他说，他会立刻知道有什么事不对劲。

“好，”翠克西说，“我们能进里面去吗？”

领着警官进湿衣间太奇怪了。她感觉她背后的衣服仿佛被他的目光看透，就像他知道关于翠克西的什么事，而她自己还不知道。

“你觉得怎么样？”巴索雷米警官问。

翠克西直觉地把她的袖子往下拉，藏起她最近在淋浴时划的新伤口：“我还好。”

巴索雷米警官坐到一张柚木长凳上：“杰森的事……不要怪自己。”

泪水在她的喉咙里泉涌，苦涩又难受。

“你知道吗？你让我想起我女儿。”警官说。他对翠克西微笑，然后摇摇头，“来这里……对我来说也不好受。”

翠克西低下头：“我可以问你一个问题吗？”

“当然可以。”

她想象杰森的鬼魂：在月光下泛蓝，血肉模糊。“他那样死，痛吗？”

“不会。很快就结束了。”

他在说谎，翠克西知道。她没想到警察也会说谎。有好一会儿他什么都没说，翠克西抬头看他，然后才明白，他就在等她这样。“翠克西，你有什么事情想告诉我吗，关于星期五晚上？”

有一次，翠克西坐在车里，爸爸开车碾过了一只松鼠。它不知道从哪里跑出来，在撞击的前一刹那，翠克西看到那只动物望着他们，知道它无处可逃了。“星期五晚上怎么样？”她问。

“你爸爸和杰森之间发生了一些事，是不是？”

“没有。”

警官叹气："翠克西，我们已经知道打架的事了。"

爸爸告诉他的？翠克西抬头看天花板，希望她是超人，有X光的视力，或者像《X战警》里的X教授，能用心电感应与人沟通。她要知道爸爸说了什么，她要知道她应该怎么回答。"是杰森开始的，"她解释，她一开始说，就滔滔不绝，"他抓着我。我爸爸把他拉开。他们打了起来。"

"那之后发生什么事？"

"杰森跑了……我们就回家了。"她迟疑地说，"我们是最后见到他的人吗……我是说，活着的时候？"

"我正在努力想搞清楚这个问题。"

这可能就是杰森为什么一直回来找她的原因。如果翠克西还能看到他，那么或许他就不会走。她抬头看巴索雷米："爸爸只是保护我。你知道的，是不是？"

"是的，"警官说，"是的，我知道。"

翠克西等他说些别的，可巴索雷米似乎凝视着湿衣间地上的红砖，思绪飘开了。"我们……谈完了吗？"

巴索雷米警官点点头："是的。谢谢你，翠克西。我自己出去就好。"

翠克西不知道还能说什么，她打开湿衣间的门，把门在她身后关上，留下警官独自在湿衣间里。她走上楼的半路上时，巴索雷米伸手拿起丹尼尔的靴子，把鞋底按到他从口袋里拿出来的印台上，然后再用力地压到一张白纸上。

巴索雷米在汉堡王快餐店的外卖窗口等他点的东西时，法医打电话给他。"圣诞快乐。"安洁莉说。

“提早了一个星期。”巴索雷米说。

窗口的女孩对他眨眼睛：“番茄酱、芥末、盐还是胡椒？”

“都不要，谢谢。”

“我还没告诉你我发现了什么。”安洁莉说。

“我希望是个能指向谋杀的有力证据。”

外卖窗口的女孩调整了下她的纸帽：“总共5美元33美分。”

“你在哪里？”安洁莉问。

巴索雷米打开皮夹，拿出一张20元钞票：“促进动脉硬化。”

“我们开始清理尸体了，”法医解释，“记得死者手上的污垢吗？结果那根本不是污垢。是血。”

“所以他抓了他的手，本想抓牢不掉下去？”

柜台的小姐倾身靠近一点，取走他手指间的钞票。

“我在实验室里验出干污渍里的血型，是O型阳性。杰森是B型阳性。”她顿一下让他吸收她的话，“那是血，迈克，但不是杰森·安德希尔的血。”

巴索雷米的脑子开始飞转：如果有了谋杀犯的血，他们可以比对嫌疑人的血型。取丹尼尔·史东的DNA很容易，就在丹尼尔最想不到的地方——他黏信封的唾液或丢进垃圾桶的汽水罐边缘。

史东的鞋印并不吻合，可是巴索雷米不认为那对逮捕他有任何阻碍作用。星期五晚上镇上有几百个人。谁没有走过桥上呢？而血液证据就可以定罪。巴索雷米想象丹尼尔·史东在结冰的桥上追逐杰森·安德希尔。他想象杰森努力不让他接近。他回想他和丹尼尔谈话时，他的右手指节贴着邦迪。

“我上路了。”巴索雷米告诉安洁莉。

“嘿，”汉堡王的服务员说，“你的食物还没拿呢。”

“我不饿。”他把车子开出等待取食物的行列。

“你不要找的钱吗？”女孩叫道。

我一直都想改变[①]，迈克想，可是他没有回答。

“爸爸，”翠克西把手浸进水槽里洗盘子的时候问，“你小时候是什么样子的？”

爸爸正在用海绵擦餐桌，没有抬眼看她。“跟你完全不同，”他说，“感谢上帝。”

翠克西知道爸爸不喜欢谈他在阿拉斯加长大的事，可她开始觉得她需要了解一下。她一直有个印象，爸爸是典型的郊区人：每个星期六早上做其他事之前，先推着除草机清理草地，看报纸的体育版；会温柔地把一只帝王蝴蝶暂时关进他双掌拱成杯状的牢笼中，让翠克西细数它的翅膀有多少黑色斑点。可这个脾气温和的人绝不可能当杰森流着血哀求他住手时，还一再痛扁。那张她熟悉的脸，第一次因为暴怒而扭曲，变得陌生。

翠克西相信答案一定是在她爸爸从来不想分享的那一部分人生里。或许丹尼尔·史东曾是个完全不同的人，当翠克西呱呱坠地，那个过去的他就消失了。她怀疑每个家长是不是都这样：在生孩子之前，他们都曾是别人。

“什么意思？”她问，“我跟你为什么有那么大的差异？”

“那是对你的赞美。我在你的年纪是个麻烦鬼。”

“怎样麻烦？”

她看得出他在衡量他的话，想举个他愿意说出来的例子：“嗯，

① 双关。原文change有“找零”和“改变”的双重意思。

譬如说，我常常逃跑。”

翠克西逃跑过一次，那是她很小的时候。她绕着街区走了两圈，终于在一个有阴凉的蓝色遮荫的灌木树篱下停下来，把那里当成自己的后院。她爸爸不到一个小时在那里找到了她。她以为他会生气，可是他不仅没生气，还爬到灌木丛下坐到她旁边。他摘了一打他一向告诉她绝对不可以吃的红莓果，放在手掌里压糊。然后他用红莓汁在她脸颊上画了一朵玫瑰，还让她在他脸上画斑纹。他跟她在那里待到太阳西斜，然后告诉她，如果她还打算逃走，她可要开始行动了，虽然他们两个都知道，那个时候翠克西哪里都不想去了。

“我十二岁的时候偷了一条船，”爸爸说，“我决定要去下游的昆哈加克。没有路通往那个冰原，只能搭飞机或坐船去。那时候是十月，天气很冷，钓鱼季接近尾声了。船的马达不动了，我开始漂向白令海。我没有食物，只有几根火柴和一点点汽油。突然我看到了陆地。那是努尼瓦克岛，如果错过它，下一站就会是俄罗斯了。”

翠克西扬起一边的眉毛：“这故事肯定是你编的。”

“我向上帝发誓是真的。我发疯了似的划船。在我试着要抵达岸边时，我看到浪花飞溅在礁石上。我明白如果接近那个岛，船会被礁石撞得粉碎。我迅速把塑料汽油箱绑在身上，那样如果船裂开，我会浮起来。”

听起来真像翠克西爸爸画的漫画书里某个角色夸张的求生倒叙——她都看过几十次了。一直以来，她都以为那些是他幻想出来的。毕竟，那些勇于冒险行为几乎不可能是照顾她长大的奶爸会做的事。可如果他就是超级英雄呢？如果爸爸每天创造充满了难以置信的英勇事迹、大胆行动，还有在险恶的环境里求生的漫画世界，是某个他曾经真的住过的地方，不只是想象呢？

她试着想象爸爸泡在世界上最严酷冰冷的海里载沉载浮，挣扎着要上岸。她试着想象这个曾经的男孩，长大成人后，在几个晚上前，痛扁杰森。“结果呢？”翠克西问。

“我被冲到岛上后，一个钓鱼的家伙，他在那一年对海边投下最后一瞥时，发现了我生的火，救了我。”爸爸说，“那一次之后，我每年逃跑一两次，可从来没办法跑太远了。那里像个黑洞：进入阿拉斯加的冰原的人会从地表上消失。”

“你为什么那么想逃走？”

她爸爸走到水槽前，拧干海绵：“那里没有我想要的东西。”

“那么这不是逃走。”翠克西说，“是想去找你想要的东西。”

爸爸没动，听她讲话。他伸手关掉水槽上的水龙头，抓起她的手肘，把她的手臂内侧转向较亮的地方。

她忘了邦迪在泡进洗洁精的水时脱落。她忘了不能把袖子卷起来。除了她手腕上的割痕之外，爸爸看到她在淋浴时弄的新割痕，像是爬向她前臂的楼梯。

“宝贝，”她爸爸轻语，“你做了什么？”

翠克西的两颊在烧。唯一知道她自残的人是性侵害顾问贾尼丝，而爸爸一个星期前命令她离开他们家。翠克西很感激这个小小的大恩典：贾尼丝不会再出现，她的秘密可以保住。“不是你想的那样。我不是又想自杀。只是……只是……”她望着地板，“那是我逃走的方式。”

当她终于鼓起勇气抬眼看，爸爸脸上的表情几乎令她心碎。她那天晚上在停车场看到的那个怪物不见了，取而代之的是她一辈子都相信的爸爸。她愧疚地试着拉回她的手，但是他不放开她。她没力气再拉扯，就像她小的时候想摆脱他时那样。他的手臂环抱住翠克西，紧到她几乎无法呼吸。那像是触动她崩溃的开关：她开始哭，像那天早上她听到杰森的噩耗后，在淋浴时那样放声痛哭。

“对不起，”翠克西哭湿了她爸爸的衬衫，“真的对不起。”

他们一起站在厨房里，感觉好像过了好几个小时，身旁有洗洁精的泡泡，和在金属架上晾干了像白骨般的盘子。翠克西心想，每个人可能都有两面：只不过有的人隐藏的功夫比别人好一点。

翠克西想象爸爸跳进几乎夺走他呼吸的冰冷海水。想象他看着围绕着他的撞成碎片的船。她打赌即使当他坐在那座岛上，浑身湿透冰冷，如果你问他，重来一次是不是还是会那么做，他会告诉你是的。

或许她比她爸爸想的更像他。

“忧伤派”的食谱秘方是由劳拉的曾祖母传给她的祖母，再传给妈妈的，虽然劳拉不记得有正式的传承，但十一岁的时候，她已经能默记下食材，熟悉步骤，知道要如何小心才能确保饼皮不会焦掉，红萝卜不会在原汁里分解，也知道要多少量，才能让吃的人心头的悲伤消失。劳拉知道，食材本身没什么特别的：一只鸡、四个土豆、白多绿少的韭菜、小洋葱、打好的鲜奶油、月桂叶和罗勒。“忧伤派”不可小觑，是因为你会发现任何一匙都不像真的。准备工序包括肉桂爆香混合胡椒，柠檬皮和醋用来醒饼皮……厨师在橱柜里翻箱倒柜找全材料，还只能用左手切固体的起酥油，再要滴进自己的一滴眼泪。

丹尼尔是平常家里做菜的人，可像这种非常时刻，劳拉会穿上围裙，拿出曾祖母的粗陶饼盘，它每次从烤箱里拿出来都会变个不同的颜色。丹尼尔得知他妈妈过世的那天晚上，劳拉烤了“忧伤派”当晚餐，虽然劳拉知道，他不会去参加葬礼，也不会为那个女人哭泣。翠克西的鹦鹉飞出去撞到浴室镜子，掉进马桶里淹死时，她也做了“忧伤派”。她第一次跟希斯上床的第二天早上，她也做了“忧伤派”。

今天她去杂货店买食材，发现自己脑袋空空地站在烘焙材料的走道中间。和自己的名字一样熟悉的食谱，从她的记忆中彻底消失。她说不出香料到底是要加豆蔻还是香菜。她忘了买蛋。

劳拉回到家，也没有像以前那么熟练自如，她拿出炖锅，却发现不知道到底该放什么进去。她沮丧地坐到餐桌旁，写下她记得的食谱，发现有好大一片空白，漏掉了不少材料。妈妈在劳拉二十二岁时过世了，她曾告诉她，食谱被写下来就可能被偷掉。劳拉痛恨地想，这个神奇的传承，竟因为她的粗心大意结束了。

她凝视着纸上空白的地方，翠克西下楼来了。“你要做什么？”她看着桌上一大堆食材。

“忧伤派。”劳拉回答。

翠克西皱眉。“你少了醋、胡萝卜和一半的香料。”她退回餐具室，拿出罐子，“还有鸡。”

鸡。劳拉怎么会忘了这个？

翠克西拿出一个用来搅拌的钵，开始量面粉和发粉预备做饼皮。“你没有得阿兹海默氏症吧？”

劳拉不记得曾教女儿做“忧伤派”的方法，不过翠克西左手拿起搅拌器，倒牛奶的时候闭上了眼睛。劳拉从桌旁站起来，开始剥她买回来的小洋葱的皮，只是剥到一半时忘了她为什么要这么做。

她回想起丹尼尔听到妈妈的死讯后，第一次吃完“忧伤派”时的表情。他双眼之间深深的垂直纹展平了，他的手停止了颤抖。她在想，这个家需要多少帮助，才能恢复正常。她奇怪为什么她妈妈从来没有想过要告诉她，少了一个步骤的后果有多严重，不只是对吃的人，也是对厨师。

她们刚把派上层的饼皮放上去，用香草画上她们名字的首字母，电话铃声响起了。“是丽芙儿，”翠克西对劳拉说，“我上楼接，你可以等下挂掉楼下的话筒吗？”

她把电话递给劳拉。过一会儿，劳拉听到她拿起分机。劳拉虽然很想听，但还是挂掉了电话。她转身，派已经可以进烤箱了。

她感觉它像是从天上掉到桌子上的。“好吧。”她耸耸肩大声说。她拿起它，放进了烤箱。

一个小时后，派凉了些，劳拉在它面前徘徊。她本打算把这个派当作全家人的晚餐，但她发现自己在用叉子挖着吃。本想只尝一口，到咬一口，又变成满嘴都是吃的。她的两颊鼓起，烫到了舌头。她一直吃到烤盘里连一点碎屑都不剩，吃到最后一丁点胡萝卜、丁香、菜豆都不见了，但她还是饿。

直到那一刻，她才想起关于“忧伤派”的这一点：不管你吃多少，还是不会饱。

威妮丝·普荷姆一看到巴索雷米走进实验室，就在他提出问题之前说了“不”。不管他要干什么，她都不干。她上次帮他做约会强奸药的检验已经够为难的了，目前实验室正处于过渡期，要从八个基因座的系统转换到十六个基因座的系统，他们平常没做完的工作已经够多了，现在简直翻了个倍。

“先听我说。”他开始央求。

威妮丝双手在胸前交叉听着：“我以为这只是个强奸案。”

“本来是的，现在强奸犯死了，但不能以自杀结案。”

“你为什么以为你找到了真正的行凶者？”

“是强奸被害人的爸爸。”巴索雷米说，“如果你的小孩被强奸，你会想对加害她的人怎么做？”

最后，威妮丝还是不肯点头。做完整的DNA检验要花很多时间，就算她把它放在一堆待办事项的最前面。但他的绝望中有些东西感动了她，她因此告诉他，她可以让他优先。她是十六个基因座系统验证小组的一员，她的设备里还有些剩余的位置。萃取DNA的程序是相同的，一旦实验室有空当，她就能用他的样本去跑其他的基因座。

巴索雷米在等她检验完成时睡着了。凌晨四点，威妮丝跪到他旁边摇醒他："你要听好消息还是坏消息？"

他叹气。"好消息。"

"我得到结果了。"

那是好极了的消息。法医告诉过巴索雷米，栏杆碎屑和死者手里的河泥沙可能污染了血液，DNA的检验可能会半途而废，不能成功。

"坏消息是什么？"

"你找错了嫌犯。"

迈克看着她："你怎么知道？我都没给你丹尼尔·史东的样本。"

"或许被强奸的孩子比她爸爸更想报仇。"威妮丝把结果推向他，"我做了性别基因检测，细胞核的DNA决定性别。那个留了一滴血给我们做检测的家伙，"威妮丝抬眼瞅他，"是女的。"

丽芙儿告诉翠克西星期日的计划，下午两点在贝瑟尔卫理公会教堂做礼拜，接着到西风公墓举行葬礼。她说学校会提早放学，因为很多人会去。六个高一的冰球队员担任抬棺者。为了纪念杰森，三个高三女生把她们的头发染成了黑色。

翠克西的计划很简单：她要睡过杰森的葬礼，即使她必须吞下一整瓶安眠药。她拉下房间的百叶窗，制造出人工夜晚，爬进被窝里。

你不会以为我会就这样放过你吧？

她还没张开眼睛就知道他站在那里。杰森靠着她的梳妆台，一个手肘已经变形穿过木头。他的眼睛几乎全都消失了，翠克西能看到的是像夜空般深邃的洞。

“全镇的人都会去，”翠克西耳语，“你不会注意到我是否在那里的。”

杰森坐到被子上头。*你呢，翠克西？我不在这里的话你会注意到吗？*

她翻身，希望他走开。可她反而感觉他亲密地蜷曲到她背后，他的话像霜一样落到她耳朵里。“你如果不来，”他轻声说，“你怎么知道我真的走了？”

过了一会儿，她感觉他消失了，把房间里所有多余的空气也带走了。翠克西喘着气下床，打开她房间的三个窗子。外面零下六摄氏度，风拍打着百叶窗。她站到一扇窗前，望着穿黑西装的人们走出家门，他们的车像磁铁一样经过翠克西的家。

翠克西脱掉衣服，站在衣柜前发抖。要去参加唯一爱过的男孩的葬礼该穿什么衣服？披麻戴孝，荆棘戒指，以示哀悔？她需要的是一件隐形斗篷，像爸爸有时候为他的漫画英雄画的，某种透明的可以遮掩她的材质，让每个人都不用对她指指点点，轻声交头接耳说，都是她的错。

翠克西唯一的深色裙装是短袖的，所以她挑了一件黑长裤，搭配深蓝色的开襟羊毛衫。因为到处都是雪，她必须穿靴子，穿裙子的话会显得很蠢。她不知道自己是否办得到——站在杰森的坟前，听环绕着的人们像传递一盒糖果那样，絮叨他的名字。可她知道如果她按她本来的计划，举行葬礼时待在房间里，这件事会永远萦绕在她心头。

她再次环视房间，检查梳妆台上面、床底下，还有桌子的抽屉里，她知道某样东西不见了，可终究她必须离开房间，没有勇气再冒迟到的风险。

在翠克西叛逆期的时候，她就知道了走廊上的哪一块地板踩上去会尖叫得像个叛徒，哪一块会沉默地保守秘密。最诡异的一块就在她爸爸的工作室门口，她有时会怀疑，爸爸是不是有先见之明，故意叫建筑商那么做。为了经过他房间而不弄出任何声音，翠克西必须沿着屋里的墙边走路，再滑到对角线，还要不撞到栏杆。再下去，只要避开第三和第七阶楼梯，她就大功告成。她可以到离家三个街口的巴士站，搭巴士到镇上，然后走路去教堂。

爸爸的工作室的门关着。翠克西做了个深呼吸，蹑手蹑脚地滑行，安静地跳下楼梯。湿衣间的地上看起来像肢解的现场：乱放的靴子，随意丢的外套和手套。翠克西从一堆凌乱中拉出她要的，用一条围巾蒙住她的下半张脸，轻手轻脚地打开门。

爸爸坐在卡车上，引擎发动着，好像一直在等她。他一看到她走出门就摇下车窗："进来。"

翠克西走近卡车，往里面看："你要去哪里？"

爸爸伸过手来为她开门："和你去同一个地方。"他扭着身子在车道上倒车，翠克西看到他的厚外套里露出衬衫领子和领带。

他们沉默地开了两个街口。她终于问："你怎么会想去？"

"我不知道。"

翠克望着被他们的轮胎旋飞的雪，落到公路中间安全的地方，道路上横线之间夹着点的油漆，如同缓慢难解的摩斯密码，像爸爸没有说出来的话，发送着信息：*可是你知道*。

劳拉坐在学生活动中心，希望自己有答复“安妮的信箱”的老师八分之一的聪明。他们似乎不费吹灰之力便知道所有问题的答案。

杰森过世后几天，她对专栏上瘾了，每天像渴望早上必喝的咖啡一样想读。

我老婆刚结婚时穿四号的衣服，现在她的尺码要加大、加大再加大。她是个很好的人，可她的健康令我担忧。我已经给了她健康书和运动录像带，可对她都没有帮助。我该怎么办呢？

——住在萨瓦纳的瘦子

我十四岁的儿子开始把他的四角内裤换成他在杂志目录上看到的丝质性感丁字裤。是这风潮还没有流行到我家乡呢，还是我该担心他有异装癖？

——来自内华达州的紧张妈妈

我姨婆临终前向我透露了一个秘密：我妈妈是婚外情的结果。我应该告诉我妈我知道真相了吗？

——困惑的加州人

劳拉渐渐对这些着迷，因为她不是唯一一个不知该如何是好的人。有些信很无聊，有些则令她心有戚戚焉。这些都暗示了一个普遍的真理：在人生的十字路口，我们半数都转错了弯。

她打开报纸翻到她要看的那一版，看卡通《大丹麦狗马默杜克》

和字谜游戏，然后找到读者问答专栏，她的咖啡差点泼出来。

> 我有外遇，已经结束了，我很愧疚。我想告诉丈夫，这样我才能重新开始。我应该说吗？
>
> ——罗切斯特市的一个后悔的人

劳拉必须提醒自己呼吸。

专栏作家回答：不能说你有悔意就够了。不知道才不会受伤。你已经对你的配偶造成了很大的伤害。你真的以为，为了洗净你的良心而令他痛苦是公平的吗？他们写道：你是个大女孩了，种什么因就会得什么果。

她的心跳得好快，她抬头看，以为周围所有人都在看她。

她小心地不问自己该问的问题：如果翠克西没有被强奸，如果她要和希斯分手那晚丹尼尔没有打电话到她办公室，她会承认自己有外遇吗？她会自己守着秘密，像灵魂里硌了块石头，像回忆里有毒瘤投下阴影？

不知道才不会受伤。

承认导致的问题是，你以为可以了结往事，重新开始，可它永远不会像船过水无痕。你不能抹掉你做过的事。劳拉知道，每次他看着你，在他想起要隐藏他眼中的失望之前，污点还是在那里。

劳拉想着她没有告诉丹尼尔的事，和丹尼尔没有告诉她的事。婚姻最好的结局不是基于诚实，而是真相可能引起伤害的次数和被无知拯救的次数权衡得出的结果。

她小心翼翼地折起报纸的边缘，沿着皱痕轻轻地把读者问答专栏整个都撕下来。然后她折起剪报，塞到胸罩的肩带下面。油墨弄脏了劳拉的手指，她看报纸有时候也会这样。她想象刺青穿透肌肤、骨头和血液，抵达她的心脏，那是个警告，是个提醒：不要犯同样的错误。

“准备好了吗？”丹尼尔问。

翠克西坐在卡车里五分钟了，她看着人们挤进小小的卫理公会教堂。校长已经进去了，镇办公室主任和镇务委员也进去了。两家本地电视台在教堂的台阶前转播，丹尼尔认出了一个晚间节目的新闻主播。“好了。”翠克西说，可是她无意走下卡车。

丹尼尔拔下车子的钥匙走出卡车。他绕到副驾驶座的车门，打开门，就像翠克西是孩子时那样，帮她解开安全带。她下车进入严寒的冷风中，他握住她的手。

他们走了三步。“爸爸，”她停下脚步说，“要是我做不到呢？”

她的迟疑令他想把她抱回卡车，安全地藏起来，永远不再让任何人伤害她。可是，他曾以艰苦的方式学到，那是不可能的。

他一只手滑到她腰上。“那么我会替你做。”他说。他领着她踏上教堂的阶梯，经过震惊得张大眼睛的电视摄影师，穿过嘶嘶耳语声不断的场地，到了该到的地方。

有一刻，教堂里每个人的目光都从垂挂百合花棺材里的男孩身上，转移到走进双开门的女孩。独自在外面的迈克·巴索雷米从一株粗大的橡树后面冒出来，蹲到丹尼尔和翠克西·史东在雪地上留下的鞋印旁。他在最清楚的较小鞋印旁边放下一把尺，再从口袋里拿出相机拍了几张快照。然后他将喷雾蜡喷到鞋印上，让红色的表面在雪上干一下，接着把石膏铺上去做模子。

等到哀悼者转移阵地上了车，随车队开往公墓下葬时，巴索雷米的车已在开回警局的路上，希望翠克西·史东的鞋印能与杰森·安德希尔死亡那天在桥上雪地留下来的神秘鞋印相吻合。

“哀恸的人有福了，”牧师说，“因为他们必得安慰。”

翠克西把自己稳稳地抵在教堂后面的墙上。她完全被来参加杰森葬礼的人们挡住了。她看不见闪着微光的棺材和倚着丈夫的安德希尔太太。

“朋友们，我们在此痛失英才之际，聚集在此，彼此安慰，互相扶持……最重要的是，我们来到这里纪念杰森·亚当·安德希尔，庆祝他在尘世的人生，和他在我们的上帝耶稣基督身边享福的未来。”

牧师的话被不停地打断。许诺不会哭的男人们紧绷地咳嗽，知道与其做不到不如不承诺的女人们抽噎着。

“杰森是一个太阳也会跟随他的男孩。今天，我们怀念他曾让我们欢笑，怀念他致力于他所做的每一件事，怀念他是个可爱的儿子和孙子，是个有爱心的表兄弟，是个忠诚的朋友。而我们最怀念他的，是杰森在他短暂的有生之年里，触动了我们每一个人。”

杰森第一次碰触翠克西，是在他的车子里，他教她开车。他对她解释，换挡的时候要轻轻地踩离合器。她开着小丰田汽车，摇摇晃晃地在空停车场里兜圈子。*当她熄火了无数次*，翠克西说，*或许我该等到十六岁再学*。杰森的手指包着翠克西握着换挡杆的手，指导她换挡，但她所想的，只是他的手温暖了她的手。然后杰森对她微笑。*何必等？*

牧师的声音像葡萄藤一样在生长：“在《圣经·耶利米哀歌》第三章，我们听到这些话：你使我远离平安，我忘记好处。我就说：我的力量衰败，我在耶和华那里毫无指望！我们，被杰森留下的人，一定会怀疑这些想法是否重压在他心头，使他相信没有其他的路可走。”

翠克西闭上眼睛。她在溜冰场后面的羽扇豆田里失去了贞操，扫冰车被丢在那里，让九月的花田有了人工冬天的味道。那天在溜冰场关门后，杰森向管理员借了钥匙，带她去溜冰。他绑好她的溜冰鞋后，叫她闭上眼睛。然后他牵着她的双手，向后溜得快到她感觉都要摔地上了。他们溜了一条直线停了下来，他说，*我们在写草书。你感觉到我们在写什么字了吗？*然后他绕着溜冰场溜了一个直角，一个圈，一个折角，一个曲线，最后是一道深拱。翠克西念出来，I LOVE O（*我爱O*）？杰森笑了。*很接近了*，他说。在那片豆田里，成堆的雪掩护着他们不让别人看到，杰森又一次快如闪电，翠克西没有完全跟上。当他进入她的身体里，她转过头去看羽扇豆在颤动的茎上发抖，那样他就不会知道，他弄疼她了。

“过去几天以来，不管你是杰森的家人还是朋友，都围绕着他的死的问题挣扎。你感觉痛，或许，那就是杰森最后几个小时的悲伤的感觉。重温你上一次跟他的对话。你可能会想，有什么我该说的或该做的，但我疏忽了？如果说了或者做了，会有不同吗？”

翠克西突然看到杰森抱着她躺到丽芙儿家客厅的地毯上。如果她那天晚上够勇敢偷瞄，她会看到他下巴上的瘀青，还有脸上败落的微笑吗？

“在您手中，喔，救世主，我们赞美您的仆人杰森·安德希尔。我们祈求您接纳这个您的孩子……”

他的气息落到她唇上，可他尝起来有虫的味道。他的手指非常用力地抓她的手腕，她往下看，只看到他的骨头，皮肉已经剥离。

“以您永无止境的慈恩接引他。赐予他永远的安详，和永恒的生命，在您的慈光中。”

翠克西试着从游思中回到牧师的话。她也渴望见到慈光，可是她能看到的只是，杰森的幽魂来纠缠她的漆黑的夜晚。或许那些夜晚是她自愿去找他的。全都混杂在一起。她无法区别真正的杰森和他的幽灵；她无法解开她要什么和她不要什么了。

或许一直都是这样。

尖叫声从她内心的极深处发出，她觉得那是共鸣，像音叉无法停止颤抖。声音自她的裂缝溢出，外流，像潮水冲向杰森的棺材，冲断它的支柱。翠克西双膝落地，人们的每一双眼睛，就像葬礼刚开始时那样，都在看她。她不敢让自己相信，牧师召唤的救世主已经穿透教堂的屋顶，把她抱到外面，她又能呼吸的地方。直到此刻她才有勇气睁开眼睛，发现自己安全地离开了教堂，躺在爸爸的怀里。

翠克西的鞋印吻合。但很不幸，雪靴是冰熊牌的，而在缅因州的冬天，大部分卖的都是这个牌子的靴子。它们的鞋底没有特别的裂缝，鞋跟也没有固定钉来证明杰森·安德希尔死的那天晚上，翠克西那双特殊的靴子曾到过桥上。换言之，留下的鞋印可以来自任何一个穿七号尺码，刚好也喜欢同款靴子的人。

身为强奸受害者，翠克西有作案动机。可单凭数百个镇民都可能有的鞋印，不足以说服法官核发逮捕证。

“俄妮丝汀，别去那里。”巴索雷米斥责他牵出来散步的宠物大肚猪。老实说，带一只猪到犯罪现场并不是专业的做法，可他日以继夜的工作，总不能老把俄妮丝汀留在家里。他想只要它不在被鉴识人员封锁起来的那个区域，应该就没关系。

“不要靠近水。”巴索雷米叫道。猪看看他，然后往下面的河岸跑去。“好，”他说，“淹死，看我理不理你。”

巴索雷米倾身在桥上的栏杆上，看着猪沿着河边走。被杰森的身体撞破的冰已经又结住了，那里的冰比其他地方的清澈。一面橙色的旗子钉在那里，用来标出犯罪现场的北面的边缘。

劳拉·史东的不在场证明已经查证过：电话记录证明她在学校，然后回到家里。有几个证人注意到丹尼尔和翠克西·史东出现在冬节的游艺场。一个司机在停车场看到他们两个和杰森·安德希尔在一起。

尽管他们体型悬殊，翠克西还是可能谋杀杰森。杰森喝醉了，只要适时地一推，可能就能使他翻到桥下，虽然杰森的瘀伤和被打裂的脸不可能是翠克西干的。巴索雷米认为最可能的情形是：杰森看到翠克西在镇上，跑去跟她讲话，丹尼尔·史东撞见他们在交谈，就把杰森海扁了一顿，杰森跑掉，翠克西跟踪他到桥上。

巴索雷米起先以为，丹尼尔说那天晚上在镇上没有见到杰森是为自己撒谎，而翠克西说他们打架后就回家是帮爸爸掩护。如果是相反的呢？如果翠克西说的是实话，而丹尼尔知道女儿那天晚上已经和杰森接触过，为了保护她而说谎的呢？

俄妮丝汀突然站住不动，用鼻子在地上拱啊拱的。天知道她发现了什么。她发现过最了不起的东西是，一只在他的车库地基下的死老鼠。他不怎么感兴趣地看它把挖出的一堆脏雪堆在身后。

然后一样东西泛着光。

巴索雷米滑下河岸有点陡的坡，从口袋拿出塑料手套戴上，从俄妮丝汀身后那堆雪里拉出一块男人的腕表。

那是一块艾迪鲍尔牌的手表，表面是宝蓝色的，有帆布编织的表带。带扣不见了。巴索雷米眯起眼睛看上面的桥，想象从这里到那里之间的距离和抛物线。杰森的手臂可能打到栏杆带扣断掉？法医发现男孩的指甲缝有栏杆的碎屑，手表是在他绝望地要抓住栏杆时掉落的吗？

他拿起手机，拨通法医的电话号码。安洁莉接听了，他说："我是巴索雷米，杰森·安德希尔有没有戴手表？"

"送来的时候没有。"

"我刚刚在犯罪现场发现一块手表。有可能知道这是不是他的吗？"

"等一下，"巴索雷米听到她翻纸的声音，"我这里有张验尸照片。左手的手腕处有一条带状的皮肤，比手臂上其他地方的肤色浅一点。你为何不拿去给他父母看看他们是不是认识？"

"我下一站就去。"巴索雷米说，"谢谢。"他挂掉手机，把手表装入证物塑料袋时，发现了刚刚没看到的东西——一根头发，被调整手表时间的旋钮夹着。

大约一英寸长，很粗糙，似乎是一根连着发根被扯断的头发。

迈克想到杰森典型美国人的英俊的脸庞，深色的头发，蓝色的眼睛。他拿起手表与他自己的白色衬衫袖子作比较。那根头发有夕阳般的红色，这种害羞的红像翠克西·史东的头发一般，巴索雷米感到大为放松。

"一个星期来两次？"丹尼尔开门看到巴索雷米警官又站在门口时说，"我一定中了彩票。"

丹尼尔还穿着他穿去葬礼，领尖上有两颗纽扣的衬衫，虽然他脱下领带，把它套在厨房的一张椅子上。他可以感觉警官越过他的右肩察看屋里的情况。

“史东先生，我可以跟你谈一下吗？”巴索雷米问，“……翠克西在家吗？如果她能跟我们一起坐下来谈就更好了。”

“她在睡觉，”丹尼尔说，“我们去参加杰森的葬礼了，她非常沮丧。我们一回到家，她就上床睡了。”

“你太太呢？”

“她在大学里。所以我想你现在只能跟我谈。”

他领巴索雷米进客厅，坐到他对面。“没想到你们会去参加杰森·安德希尔的葬礼。”警官说。

“是翠克西的主意。我想她想寻求一个结束。”

“你说她在葬礼时很沮丧？”

“那对她来说，情绪波动太大了。”丹尼尔迟疑，“你不是来这儿谈论这个的吧？”

警官摇摇头：“史东先生，在冬节那天晚上，你说你没有遇到杰森。可翠克西告诉我，你和杰森打了一架。”

丹尼尔感觉血液从他脸上流干。巴索雷米什么时候和翠克西谈过话？

“我应该假设你女儿说谎吗？”

“不，是我说谎，”丹尼尔说，“我担心你会以故意伤害罪起诉我。”

“翠克西也告诉我杰森跑走了。”

“没错。”

“史东先生，翠克西跟随了他吗？”

丹尼尔眨了眨眼睛：“什么？”

“她跟随杰森·安德希尔到了桥上吗？”

他回想起有辆车转弯时车灯照到了他们，然后杰森痛苦地逃走。

他叫唤翠克西的名字，发现她不在场了。“当然没有。”他说。

“很有趣，我采集到的鞋印、血和头发，都是她到过犯罪现场的证据。”

“什么犯罪现场？”丹尼尔说，“杰森·安德希尔是自杀。”

警官的目光刚往上移，丹尼尔想到翠克西不见后，他花了一个小时找她。他想起那天翠克西在洗盘子时，他看到她手臂上的伤口，他以为那是她自己弄出来的划伤，但说不定是别人绝望地想抓住她时候的抓伤。

翠克西遗传了丹尼尔的酒窝、修长的手指和超强的记忆力。其他呢？一个人会把报复、狂暴、逃避的基因遗传给后代吗？他埋藏了那么久的脾性，却出现在他最不希望出现的女儿身上？

“我真的很想跟翠克西谈谈。”巴索雷米说。

“她没有杀杰森。”

“那太好了，”警官回答，“这样她就不会介意我们采一点她的血液样品去做物证比对，让我们排除嫌疑。”他握着双手放在膝盖之间，“你何不去看看她是不是快醒了？”

丹尼尔虽然知道这不大现实，但是他真的相信，这次他有机会救他女儿，来弥补他没办法在她被强奸那天晚上救她，好像宇宙间胜利和失败的筹码在运转。他可以找律师。他可以偷偷把她带去南太平洋上的斐济岛、瓜达卡纳尔群岛，或某个永远不会被人找到的地方。他可以做任何事，他只是需要拟个计划。

第一步就是抢在警官之前跟她谈。

说服巴索雷米在客厅等候之后——翠克西毕竟还处于连她自己的影子都会害怕的阶段——丹尼尔走上楼。他在颤抖，害怕要怎么跟翠克西说，更害怕听到她的回答。上楼的每一步，他都在思考逃亡计划：先藏在阁楼或者他房间的阳台，或者将床单撕成长条，打结相连后丢出窗外让翠克西爬下去。

丹尼尔决定要直截了当地，在她睡意犹浓、意识朦胧，还来不及掩藏真心的时候问她。先听她的答案再做决定，要么带她下来见巴索雷米，证明警官错了，要么亲自带翠克西到地球最远的地方。

翠克西房间的门关着。丹尼尔把耳朵压在门上听，听到的只有沉静。

他们从葬礼回家后，丹尼尔坐在翠克西的床上，她蜷曲在他腿上，像有一回她得急性肠胃炎他照顾她那样，轻抚她的肚子和背，直到她入睡。现在他慢慢地转动门把，希望能逐渐吵醒翠克西。

丹尼尔首先注意到的是房间好冷。第二注意到的是窗子大开着。

房间像经历了一场热带风暴。衣服乱丢在地上。被子在床脚卷成球状。化妆品、活页纸和杂志乱七八糟地散落在地，像是从失踪的背包里倒出来的。牙刷和梳子不见了。翠克西用来放现金的小泥罐是空的。

翠克西听到楼下的警官讲的话了吗？还是她在巴索雷米抵达之前已经走了？她只是个女孩，她能走多远？

丹尼尔走到窗前用目光追踪她踏在雪上的之字形足迹，从她的房间到向下倾斜的屋顶，到伸展枝桠的枫树，到经过草地到没有积雪的人行道，足迹在那里消失了。他回想前一天他看到她手臂上的伤口时，她对他讲过的话，那是我逃走的方式。

他狂怒地看着结冰的屋顶：她可能会摔死的。

他紧接着又想到：她还会再自杀吗？

要是翠克西到了一个地方，吞药、割腕或一氧化碳中毒，而没有人阻止她呢？

一个人永远不是你表面看到的那样。对他而言是如此，或许对翠克西而言也是如此。或许——不管他相信什么，希望什么——她就是杀了杰森。

要是丹尼尔不是第一个找到她的人呢？

要是他是呢？

你很快就要死了，
通不过的。
这里就是你地狱
之旅的终点……
我会吃掉你……
看……第九层地狱
的门！通过这道
门，就是撒旦在等
着了……
闭上你的臭嘴。

邓肯……结束了。我们该走了!
嗯……邓肯?
邓肯，不！！！

邓肯……
是我，维吉尔！
你要记得你的女儿！
我们必须去救崔西！
崔……西？
我做了什么……？
我变成谁了……？
就在前面……去面对撒旦！！
邓肯！

邓肯!
好久不见了,
老兄!

6

已是十二月，接近圣诞节了，所有的广播电台都只播放圣诞颂歌。翠克西藏在卡车的突出于驾驶舱上方的那一节小车厢里。她看到这辆牛奶场的卡车经过高中操场。车门开着，附近没有人，她就爬了进去，躲在上层的角落，拿一些稻草盖着自己做掩护。

他们赶了两头小牛上车，它们没像翠克西想的装在下层，而进了她蜷曲的狭小空间里，差点踩到她身上。她想，这样它们就不能在路上站起来了。卡车上路后，翠克西把头伸出草堆，看着一头小牛。它的眼睛大得像行星，她伸出手指，小牛用力地吮吸着。

不到十分钟的车程，下一站到了，是另一个农场，一头硕大的荷尔斯坦因种牛跛着脚爬上卡车后面接上的坡道。它看着翠克西哞叫。饲主从牛屁股后面推它上车时，卡车司机说："真该死的可惜了。"

"是呀，它在冰上摔了一跤。"主人说。"进去，进去呀！"然后车厢的门关上了，一片漆黑。

她不知道卡车要开去哪里，她也不在乎。在这之前，翠克西一个人去过的最远的地方是缅因州的购物中心。她当时还想爸爸是否已经在找她了，她希望可以打电话给他报平安。可现在，她没法打电话。她可能永远都不会打了。

她躺到一只侧身躺着的小牛光溜溜的身体上。它闻起来有草、谷物和阳光的味道，它每次呼吸，翠克西都感觉自己也跟着起伏。她感到好奇，这些牛为什么被赶上车。或许它们要去一个新的农场过圣诞节。或者去做耶稣诞生剧的鲜活布景。她想象门打开，农场的工作人员穿着利落的连身工作服，进来把牛赶下车去。他们会发现翠克西，给她新鲜的牛奶和自制的冰淇淋，甚至不会问她怎么会待在载牲畜的卡车车厢里。

从某种程度上说，翠克西也感到不可思议。她在杰森的葬礼看到警官了，虽然他自以为他藏得很好。而大家都以为她睡着了，其实她站在阳台上，听他对爸爸讲话。

那足以令她明白她必须离开那里。

从某种程度上说，她又有点为自己感到骄傲。谁会想到她没有车，身上只有两百块就能逃走？她从来不认为自己是那种能够冷静面对危机的人，然而事到临头，你不会知道你有能力做什么。人生里一连串的点连成线的时候，你会感到惊讶。

她睡着了一会儿，夹在两只小牛突出的膝盖和球形的肚子之间，卡车又停下来，它们挣扎着要站起来，但空间狭窄，它们做不到。在它们下面，母牛开始用颤抖的低音哞叫。后面传来车厢拉杆拉开的声音，伴随着响亮的吱嘎声，车厢后面的门打了开来。

翠克西眯起眼睛适应光线，看到了之前没注意到的：母牛的右前脚上有外伤，使那只脚向内弯。两旁的荷尔斯坦因种牛都是公的，不会产奶。她往双开门外面斜着看去，车道尽头的招牌写着：新罕布什尔州，柏林市，拉鲁父子牛肉公司。

这里不是翠克西想象的宠物动物园，或老麦当劳的农场。这是屠宰场。

她迅速地从她的躲藏处爬起来，动物们被惊动了，正在解开母牛拴绳的卡车司机也吓了一跳。她像一颗子弹蹿过长长的碎石车道。翠克西直跑到肺几乎要烧起来，她到了一个像小镇的地方，有汉堡王快餐店和加油站。汉堡王令她想到小牛，她想，如果她能度过这场噩梦，她以后要做个素食主义者。

突然响起警车的声音。翠克西整个人呆住了，她的目光转向巡逻警车上的旋转蓝光。

警车呼啸着经过她，好像赶着去处理某个别人的急事。

翠克西用手抹一下嘴巴，做了个深呼吸，出发了。

“她走了。”丹尼尔愤怒地说。

巴索雷米眯起眼睛：“走了？”

他跟着史东上楼，站在翠克西的房门口，里面像刚被炸弹炸过，中间有一条细长的过道。“我不知道她去了哪里。”史东说，他的声音破碎，“我不知道她什么时候走的。”

巴索雷米花了不到一秒钟就知道他没说谎。第一，丹尼尔·史东离开他的视线不到一分钟，不足以向女儿透露她已是嫌疑犯；第二，丹尼尔·史东发现翠克西失踪后和巴索雷米一样惊讶，且正处于恐慌的边缘。

巴索雷米想，一个女孩如果没什么要躲的，怎么会突然失踪。可下一瞬间他想起，发现女儿不在你以为她在的地方是什么感觉，他改变了语气：“你最后一次见到她是什么时候？”

“她说要睡一会儿……大约三点半。”

警官从口袋里拿出记事簿：“她穿着什么衣服？”

“我不确定。她可能在葬礼之后换了衣服。”

“你有她的近照吗？”

巴索雷米跟史东下楼，看着史东的手指沿着客厅书架上的书脊划过去，拉出一本贝瑟尔中学八年级的年鉴。他翻到S的那一页。一张七寸的快照和一些皮夹尺寸的照片掉出来。“我们从来没把照片装框。”史东呢喃道。

照片排在一起，翠克西微笑的脸像安迪·沃霍尔①的复制绢印画。照片里的女孩用夹子把一头红色长发夹在背后。她笑得嘴咧得太开，一颗门牙有点长歪了。照片里的女孩没有被强奸过，甚至没有被亲吻过。

巴索雷米必须从她爸爸手里拿过翠克西的照片。他们都痛苦地明白，史东正努力不崩溃。为孩子流的泪会烧灼喉咙和角膜，会让人视线模糊。

丹尼尔·史东看着巴索雷米：“她没有做错任何事。”

“耐心等待，”巴索雷米说，他知道这不是个回答，“我会找到她。”

圣诞节假期前劳拉上的最后一堂课是关于活着的时候的罪恶。“但丁还漏了什么吗？”劳拉问，“或者现代的很糟糕的行为，是公元一三〇〇年那时候没有的？”

一个女孩点头：“毒瘾。没有给那些吸毒者留一层地狱。”

“那与贪吃同罪。”第二个学生说，“就是上瘾，不管上的是什么瘾。”

“同类相残？”

① 著名艺术家，波普艺术的倡导者和领袖，最出众的风格是不断重复影像，代表作《玛丽莲·梦露》。

“有，但丁把这个列进去了。”劳拉说，“乌果里诺。但丁把同类相残和兽行归为一类了。”

“危险驾驶？”

“菲力波鲁莽骑马，是早期意大利路上的恶霸。”劳拉看着沉默的讲堂，“或许我们该问的问题，不是21世纪是否有新鲜的罪恶……而是因为时代不同，人们对罪恶的定义是否改变了。”

“是呀，世界完全不一样了。”一个学生指出。

“没错，可看看依然相同的：贪婪、怯懦、堕落、控制欲——这些永远都存在。或许现代有恋童癖的人会开一个小孩的色情网站，而不是在地铁隧道打着手电筒出没；一个谋杀犯会选择利用电锯杀人，而不是光用他的双手……科技帮助我们在犯罪时更有创意，可是它不代表基本的罪恶有别于以往。”

一个男孩摇头：“似乎应该有个新地狱层，给像杰夫瑞·莱昂内尔·达莫那种会奸尸吃人的连环杀人狂魔。”

“还有参加电视真人秀的人。”一个学生插嘴，全班哄堂大笑。

“挺有趣，”劳拉说，“试想但丁把杰夫瑞·莱昂内尔·达莫放在麦克白地狱上面几层，为什么？”

“因为最严重的逃避责任的事是背叛。麦克白杀死了他的国王。这就像饶舌歌王埃米纳姆把他的老师Dr. Dre搞下去一样。”

从字面上看，学生说的是对的。在《神曲·地狱篇》里，激情和绝望的罪恶并不像背叛的罪那么重。在地狱较上层的罪人所犯的罪，是沉迷于他们自己的欲望，可对别人没有恶意。地狱中间层的罪人，犯了对他们自己或别人的暴力罪。而最下层的地狱留给骗子——但丁认为那是所有的罪恶之最。有背叛家人的，比如杀死自己的亲人；有背叛国家的，比如双面间谍和密探；有背叛恩人的，比如犹大、布鲁图斯[①]、卡西乌斯[②]和路西法，他们全都背叛了他们的良师益友。

“但丁的阶级制度还行得通吗？”劳拉问，“或者你们认为在我们的世界，地狱层的顺序应该重新编排吗？”

“我想把一个人头放进冷冻柜，比出卖国家机密给外国更糟。”一个女孩说，“这只是我的想法。”

另一个学生摇头：“我不懂为什么对国王不忠，比对老公不忠严重。如果有外遇，结果只会下到第二层地狱。那样好像太容易脱罪了。”

“说得好。”她旁边的同学开玩笑道。

“关键在于动机，”一个学生补充说，“好比过失杀人相较于谋杀。就像在一时冲动之下做某件事，但丁就原谅你。但如果你是做好整套计划预谋的，那就有大麻烦了。”

十年来劳拉都是这堂特别的课程的教授，甚至这些特别的话题也都是劳拉提出的，但在那一刻劳拉知道，但丁遗漏掉了一个能下到非常深的地狱的罪行。如果所有的罪行里，最重的罪是背叛别人，那么欺骗自己该当何罪？

应该有第十层地狱，像针头那样大小的地方，来装无数众生。那会过于拥挤，因为有些教授宁可藏在象牙塔里，而不愿面对伤心的家人。有在一夜之间长大的女孩；有不肯提及过去，把它倾倒到空白画纸上的丈夫；有假装可以做一个人的太太和另一个人的情人，还要让他俩保持距离的女人；有人骗自己过着完美的生活，即使所有的证据都和事实相反。

一个声音飘向她：“史东教授，你还好吗？”

---

① 晚期罗马共和国的一名元老院议员。他组织并参与了对恺撒的谋杀。

② 古罗马将军，刺杀恺撒的主谋者之一。

劳拉的目光聚焦到前排说话的女孩。“不好，”她平静地说，“我不太舒服。你们可以……你们提早回去放假吧。”

学生们像得到了礼物惊喜地散去，劳拉拿起公文包和外套。她走到停车场，进她的车，发动。

劳拉意识到回复“安妮的信箱”的女人错了。不能抹杀事实的存在，沉默只不过是个比较安静的说谎方式。

她知道她要去哪里，但她的手机响了。“翠克西……”丹尼尔说，他说的话远比她打算要做的事重要得多。

新罕布什尔州的杰佛森城的圣诞老人主题乐园充满了谎言。迁移来的驯鹿被毫无生气地关在一个假谷仓里，假精灵在工作坊里做玩具，伪装的圣诞老人坐在王座上，一大堆小孩排队要告诉他，他们想在那个大日子得到什么。家长们假装这些全都是真的，甚至说为圣诞老人拉雪橇的红鼻子驯鹿鲁道夫也是真的。还有翠克西自己，试着表现正常，但事实上她是超越所有人的超级大骗子。

翠克西看着一个小女孩爬到圣诞老人的腿上，用力地把他的胡子拉了下来。你会以为一个孩子，即使那么小，也会起疑，可事实并非如此。人们相信他们想要相信的，不管摆在他们眼前的是什么。

她不就是因为这个到这里来的吗？

孩提时代，翠克西当然相信有圣诞老人这回事。有好几年，算半个犹太人的丽芙儿非常实际，她向翠克西指出矛盾之处：圣诞老人怎么可能同时出现在菲伦商店和邦顿百货呢？如果他真的是圣诞老人，他不是应该不用问就该知道她想要什么吗？翠克西希望她能把这里的小朋友都集中起来，拯救他们，就像她上英语课读的最后一本书，《麦田里的守望者》里的主角霍尔顿·考尔菲德那样。看清现实，她会这么说，圣诞老人是假的，你们的父母欺骗了你。

她还要加上一句，他们还会再欺骗你。她自己的父母说她很漂亮，但其实她太瘦，棱角太多，还O型腿。他们保证她会找到白马王子，可他抛弃了翠克西。他们说如果她在他们规定的时间回家，收拾房间，履行承诺，他们会保证她的安全，但看看她现在落到什么地步。

她从一棵会放圣诞歌曲的冷杉木后面走出来，四下望望，看看有没有人在注意她。其实那样鬼鬼祟祟的，反而比较容易被看到。很难每隔一会儿，就转头去看背后，唯恐被认出来。她担心载她一程的卡车司机会用无线电向州警通报她的下落。她觉得圣诞老人村卖门票的男人瞄了她一眼，然后拿她的脸跟通缉海报上的照片做比对。

翠克西溜进洗手间，把水泼到脸上，她做个深深的、平稳的呼吸，逃避面对人群的压力。以前他们在科学课上解剖青蛙，她觉得她要吐到她的实验伙伴身上时，就是这么做的。她假装眼睛里跑进东西，斜眼看着镜子，直到洗手间只剩下她一个人。

翠克西把头塞到水龙头底下。它是那种得压一下才会流出水来的水龙头，因此她必须一直压着按钮让水持续地流。她脱掉长袖运动衫，拿它包裹头发，然后走进一间厕所，坐在马桶上。她翻找背包里的东西，因为只穿着短袖圆领T恤，她冷得发抖。

之前卡车司机停车抽烟时，她跑去沃尔玛超市买了染发剂。这种颜色叫“夜晚的闪亮盔甲”，可对翠克西来说，它看起来就是普通的黑色。她打开盒子阅读说明书。

运气好的话，没人会发现她在厕所里待了三十分钟。应该也没有别人会在厕所里待上三十分钟，然后觉得她很奇怪。翠克西套上塑料手套，混合染发剂和过氧化氢，摇一摇，把混合液喷到她头发上。她搓揉了一会儿头发，把塑料帽戴到头上。

她应该连眉毛也染吗？可以染吗？

她和丽芙儿以前常常谈论，如何在二十一岁之前就变成大人？年龄不如转折点重要：独自旅行、不出示证件就买啤酒、和男人发生性关系。她希望可以告诉丽芙儿，一瞬间长大是可能的，俯瞰你的人生，仿佛有一条线画在沙地上，你的人生从此分为了过去和现在。

翠克西在想自己是否会像爸爸那样，永远不回家了。当不是用手指在地图上游走，而是真的横越它时，这个世界究竟有多大？一条染发剂流下她的脖子，她在它流到衣领之前用手指抹掉了它。头发染出来的颜色像机油那么黑。她一瞬间假装自己在流血。如果她的心像别人怀疑的那么黑，她也不会惊讶。

丹尼尔把车停在玩具店大开的窗户前，看着丽芙儿把几张钞票和硬币找给一个老妇人。丽芙儿的头发编成辫子，她穿着两件长袖上衣，一层套在另一层上面，好像她料定无论怎么穿都会冷。透过玻璃的光线下她的影子，丹尼尔几乎觉得她是翠克西。

丹尼尔不可能坐在屋里等警察找到翠克西，让他们来问情况。巴索雷米一走，丹尼尔就侦察了下，确定警车没有偷偷地停在街角。丹尼尔开始思考，有什么翠克西的事是警察不知道的。她可能去哪里，信任谁。

目前，只有少数几个可能符合的人选。

客人离开了玩具店，丽芙儿注意到了他。“嘿，史东先生。”她挥挥手说。

她擦着紫色的指甲油，和翠克西今天早上的一样。一定是上一次丽芙儿来他们家时，她们一起涂的。他感到难以呼吸，他好想看到翠克西的紫色指甲。

丽芙儿越过他的肩膀看：“翠克西跟你在一起吗？”

丹尼尔想摇头，但这种想法又消失了。他看着可能比他还了解女儿的女孩，虽然这么承认令他很难过。“丽芙儿，”他说，“可以打扰你一下吗？”

就一个老家伙而言，丹尼尔·史东相当迷人。丽芙儿甚至那样对翠克西说过一两次，这话把翠克西吓坏了，因为他是她敬爱的爸爸。但撇开身份不谈，史东先生总是令丽芙儿着迷。她认识翠克西这么多年来，从没见过他发脾气。她们把卸甲水洒到史东太太房间的梳妆台时，他没发脾气；翠克西的数学考试不及格时，他没发脾气；甚至她们偷带香烟进翠克西家的车库被逮到时，他也没发脾气。他个性平静得几乎违反了人性，像类似电影《超完美娇妻》里的某种超完美爸爸，不会被激怒。就丽芙儿自己的妈妈来说，丽芙儿有一次发现妈妈把家里所有的餐盘往后院的篱笆上丢，因为她得知她正在交往的家伙劈腿了。丽芙儿和妈妈会彼此叫骂。事实上，妈妈简直以身作则教她说脏话。

翠克西是从丽芙儿那里学到骂脏话的。丽芙儿甚至想诱惑翠克西做出讨厌的事，纯粹为了激怒史东先生，可是一次也没有成功过。他好像深藏不露的歌剧演员，你会爱上他的悲剧情节：他看起来漂亮，但同时，你知道那只是表面。

今天有点儿不对劲。史东先生无法专心，即使在问丽芙儿问题时，他的眼睛还在四下张望。她一辈子嫉妒的亲切父亲代表人物，现在看起来心神不宁。如果丽芙儿和史东不熟的话，她会以为站在对面的人根本不是他本人。

“我最后一次跟翠克西讲话是在昨天晚上，”丽芙儿倾身越过玩具店的玻璃柜台说，“我大约十点打电话给她，跟她谈葬礼的事。”

“她有没有告诉你，在那之后她想去哪里？”

“翠克西最近不想出门。”说得好像她爸爸不知道那种情况一样。

“丽芙儿，这真的很重要，你要跟我说实话。”

“史东先生，”她说，“我干吗骗你？”

一个没有说出的答案盘旋在他们之间：因为你骗过。他们两个都想到在强奸夜之后她对警察说了什么。他们都知道嫉妒会像潮水涨潮，冲掉潦草地在回忆的岸上写下的诺言。

史东先生做了个深呼吸。“如果她打电话给你……请你告诉她，我在努力找她……一切都会好起来的，好吗？”

“她遇上麻烦了吗？”丽芙儿问，可翠克西的爸爸已经走出玩具店。

丽芙儿目送他的背影。她不在乎他认为她是个差劲的朋友。事实上，相反，因为上次她伤害了翠克西，这次她做了她该做的事。

丽芙儿把钥匙插进收银台里，打开抽屉。三个小时前，她偷走了那里的二十元钞票给翠克西。三个小时了，丽芙儿想，她该死的应该已经处于领先优势了。

出去找翠克西了，马上回来。纸条上那么写。

劳拉上楼走向翠克西的房间，好像她觉得一定是搞错了，好像她可能一开门就发现翠克西在那里，正在和代数方程搏斗，一边用耳机听iPod，沉默地随着音乐的节拍点头。当然，她不在那里，小小的卧室宛如翻天覆地，一片混乱。她在想是翠克西还是警察弄的。

丹尼尔在电话里告诉她，这个案件现在被当作凶杀案在侦查。杰森的死不是意外，而翠克西逃走了。

有好多东西要收拾，劳拉不知道要从哪里开始。她的手颤抖着整理女儿留下的东西，像一个考古学家仔细检查手工艺品，试着拼凑出那个用过这些东西的年轻女孩。橡胶丝球和颜色鲜艳的画图铅笔，这些是她了解的翠克西。其他的东西她无法理解：CD上令劳拉的下巴掉下来的歌词、形状像骷髅头的纯银戒指、藏在化妆粉饼里的安全套。或许她和翠克西还有些相同：当劳拉变成一个她几乎认不出来的女人时，女儿显然也是。

她坐到翠克西的床上，拿起电话听筒。有多少次劳拉打断翠克西和杰森的电话聊天，警告翠克西她该道晚安睡觉了？翠克西总是央求，**再五分钟**。

那些夜晚，她给翠克西的那些时间，加起来可以让杰森多活一天吗？她现在花五分钟，可以让她更正已经做错了的事情吗？

劳拉打了三次电话才打到对的警察局，巴素雷米警官来听电话时，丹尼尔走进了房间：“你在干吗？”

“打电话给警察。”她说。

他疾跨两步，夺走她手里的听筒，挂断电话：“不要。”

“丹尼尔……”

“劳拉，我知道她为什么逃走。我十八岁的时候被控谋杀，我也选择了逃走。”

他的坦白令劳拉顿时脑中一片空白。怎么可能跟一个男人在一起生活了十五年，让他进入你的身体，怀上他的孩子，而不知道关于他的那么重大的事。

他坐到翠克西的桌上：“那时我还在阿拉斯加。被害者是我最好的朋友，肯恩。”

“是……是不是你杀了他？”

丹尼尔迟疑："不是他们认为的那样。"

劳拉看着他。她想着翠克西，天知道她现在在哪里为了她没有犯的罪逃亡。"如果你没有杀他……那你为什么……"

"因为肯恩还是死了。"

从丹尼尔的眼中，劳拉突然看到了令人惊讶的东西：一千条鲑鱼从喉咙到尾巴切开流出的血，蓝色的有裂缝的厚厚的冰让脚底隐隐作痛，一只乌鸦坐在屋顶上……从丹尼尔的眼中，她明白了一些她以前不愿意承认的事：可能正因为如此，他比她更了解他们的女儿。

他改变姿势，手肘碰到了电脑鼠标。屏幕恢复了画面，出现了几个窗口：谷歌、iTunes、丝芙兰官网，还有令人心碎的强奸受害者网站，上面都是像翠克西这样的女孩写的诗。可她看地图网站做什么？她还不到能开车的年龄。

劳拉倾身越过丹尼尔的肩膀去抓鼠标。找到了！翠克西看过的历史网页。有几行填空栏：地址、城市、州名、邮政编码。下面有一排亮蓝色的字：*我们无法找出指定地点的路线*。

"喔，天哪，"丹尼尔说，"我知道她去哪里了。"

翠克西的爸爸以前会带她去树林，教她如何读懂大自然，那样她就会知道该往哪里走。他会考她如何辨别树木：童话故事里常见的铁杉有针叶；有窄沟的是椤树；像纸包起来的是桦树；树枝上长瘤的是糖槭。有一天他们看到一棵树干中间被有刺的铁丝网绕了一圈。*你觉得长成这样要多久？*但翠克西的目光被森林里的某个东西吸引了：阳光照耀在一块金属上的反光。

一棵橡树后面有一辆被闪电劈开的废弃汽车。两扇车窗破了；一些动物把杂草丛生的后座当成了自己的家。一条藤蔓从森林的地上攀爬过窗子，缠绕着方向盘。

司机到哪里去了？翠克西问。

我不知道，爸爸回答，他已经离开很久了。

他说把车子留在这里的人很可能嫌拖走它太麻烦。可是这个解释阻止不了翠克西更放肆的想象：那个人的头受伤，他离开车，在山里迷路了，最后脱水死在了荒郊野外，而白骨就在她家后院的南边。那个男人是在逃亡，汽车追逐战中躲避黑手党的杀手。他游荡进城里，得了失忆症，十年里完全不记得自己以前是谁。

翠克西在想象被废弃的车子时，有人把她旁边那间厕所的门关上了。她从神游中被惊醒，吓了一跳，低头瞄向手表。如果让染发剂在头发上停留太久，头发很可能会脱落，或变成紫色什么的。她听到冲马桶的水声、洗手的流水声，然后是开门时从外面传进来的嘈杂声。等洗手间里又安静了，她慢慢走出厕所，在洗手台冲洗头发。

她的前额和脖子都留下了染发剂的痕迹，但头发，她原本红色的头发，当她还是个小孩子时，让爸爸叫她是他的红辣椒的头发，现在成了灌木丛的荆棘，像枯萎的玫瑰丛。

她把已经毁了的运动衫塞进垃圾桶最底下，一个妈妈带着两个小男孩走进了洗手间。翠克西屏住呼吸，可那个女人并没有多看她一眼。或许真的挺简单。她走出洗手间，经过一个刚刚来换班的新的圣诞老人，走向停车场。她想到把车子留在树林里的男人。或许他在筹划自己的死亡。或许他那么做只是为了重新开始。

如果一个青少年想失踪，他成功的机会很大。离家出走的孩子很难追踪，直到他们混入毒品圈或卖淫圈被逮捕。大部分青少年失踪是为了寻求独立，或逃离虐待。他们不像成年人，警察可以用从自动提款机的记录、租车合约、航空公司的旅客名单进行跟踪。一个孩子很可能付现金、搭便车，不会引起别人注意。

一个小时内的第二次，巴索雷米把车停到了史东家附近的路边。翠克西·史东现正式登记为失踪人口，而不是逃犯。即使所有的迹象指向她，而她之所以会离开是因为她知道自己即将被控谋杀，他也不能因此指控她是逃犯。

在美国的司法体系里，你不能因为嫌犯失踪就认定他畏罪潜逃。在之后的审判中，检察官可能将翠克西的逃亡当成畏罪的证据，但如果巴索雷米不能说服法官签发逮捕证，那么就不可能有审判，否则她一旦被找到，就会被监禁。

其实他还没有展开逮捕她的行动，所以翠克西不能算逃走。上帝啊，两天前巴索雷米还深信丹尼尔·史东是凶手……直到物证还他清白。当然所谓的物证，还是个模糊的说法。他有一个符合翠克西靴底的鞋印——上千个其他镇民也能吻合。他有被害人身上的女性血液，那只能剔除半数的镇民人口。他有一根和翠克西的颜色大致相同的头发——那根有发根的头发满是没有被污染的DNA，但他还没取到翠克西的头发样品加以比对，而且近期内也无法取得样品了。

任何一个辩方律师都能开着悍马吉普车穿过那些侦查大漏洞。巴索雷米必须找到翠克西·史东本人，那样他才能切切实实地将她与杀杰森·安德希尔的凶手连起来。

他敲史东家的前门。再一次，没人应门，这次巴索雷米试着转动门把，锁着。他把双手在玻璃窗上拱成杯状遮挡反光，望向湿衣间。

丹尼尔·史东的外套和靴子不见了。

他走到车库中间，从一个小窗子往里望。劳拉·史东的丰田轿车两个小时前没在这里，现在停在一个车位上。丹尼尔·史东的卡车不见了。

巴索雷米用手捶屋子的外墙，骂了句脏话。他无法证明丹尼尔和劳拉·史东赶在警察之前出去找翠克西了，可是他敢打赌，当你的孩子失踪了，你不会去逛卖场买东西。一般你会紧张地坐在家里，等待她即将被送回家的平安消息。

巴索雷米捏捏鼻梁，努力地思考着。或许这样一来反而因祸得福。毕竟史东夫妇找到翠克西的概率比他还大，而巴索雷米追踪两个大人会比追踪他们十四岁的女儿简单得多。

现在他可以弄一张搜查令来搜查房子，可那对他没什么用处。没有一个实验室会觉得值得花功夫，去检验从翠克西的浴室里的牙刷，作为翠克西DNA的样品。他需要的是女孩自己同意，实验室会批准的血液样品。

那一刻，巴索雷米猛然想起他已经有样品了，就在封袋的强奸案证据里，那些曾为了不可能开庭的审判而留下的证据。

八年级时，健康课的一项作业是照顾一颗蛋。每个学生都拿到一颗蛋，你必须一直带着它，每三个小时“喂”它一次，一星期后它必须还毫无破损。这被认为是一种推动对避孕的巨大力量：让小孩子了解养一个孩子比他们想象的困难。

翠克西认真地做这项作业。她把她的蛋取名为班尼迪克，为它做了一个小袋子，挂在脖子上。她付给英语老师50美分，让她在她去上体育课时帮忙照顾蛋。她带着它和丽芙儿去看电影。上课的时候她把它握在手里，感觉着它的形状和重量。

即使到现在，翠克西仍不知道为什么蛋开始有细微的裂缝了。一天早上，在上学的路上，翠克西第一次注意到的。这项作业最后翠克西得了F，没及格。她爸爸满不在乎地说这是个愚蠢的作业，婴儿跟蛋完全不同。翠克西想，他说这善意的话，可能是因为就算是现实生活中，蛋换成了翠克西，他还是失败了：他如何知道翠克西现实和理想中的样子有什么分别？

她把外套的袖子拉高一点，看着手臂上的网状伤疤。那是她这颗蛋的细微裂缝，她想，她迟早会裂成碎片的。

“矮胖子[①]。”她说出声来。

翠克西旁边有个坐在他妈妈腿上的幼儿拍着手学她讲话。“矮胖子！”他弹着屁股叫，“栽了一个大跟斗！”他突然向后倒，快得让翠克西觉得他的头一定会砸到巴士站的地上。

他妈妈及时在惨状发生前抓住了他。“崔佛。不要玩了，好吗？”然后她转头对翠克西说，“他是《鹅妈妈童谣》的粉丝。”

抱小孩的妈妈其实很年轻，或许比翠克西大不了几岁。她围着破旧的蓝色围巾，穿一件军用剩余物资的外套。从他们身边的行李袋看，他们好像要搬家。不过人们带着小孩旅行都会大包小包一大堆。“我不懂那首童谣，”妈妈说，“我的意思是，蛋摔下墙破了就破了，国王所有的兵马为什么还要努力把蛋恢复原状呢？”

“蛋一开始干吗要坐在墙头呢？”翠克西说。

“对啊。我想《鹅妈妈童谣》准是疯了。”她对翠克西微笑，“你要去哪里？”

“加拿大。”

“我们去波士顿。”她让男孩蠕动着滑下她的腿。

翠克西想问，她是不是小男孩的妈妈，是不是意外怀了他。如

---

① 指《鹅妈妈童谣》里的一颗蛋，叫矮胖子。原诗为：矮胖子，坐墙头，栽了一个大跟斗。国王呀，齐兵马，破镜难圆没办法。

果，即使大家都认为你犯了人生中最大的错误，可是你不把它当成个错误，还以为是最好的事呢？

“噢，崔佛，你便便了吗？”女孩托起小男孩的腰，把他举到面前，闻他的屁股。她愁眉苦脸地看了眼脚边凌乱的行李，“我去处理他的便便，可以请你帮忙看着我的东西吗？”

她站起来的时候，尿布袋撞到打开着的背包，里面的东西散落一地：“喔，糟糕……”

“我来捡。”翠克西说。女孩抱着崔佛朝洗手间走去。翠克西开始把东西塞回包里：会放迪士尼歌曲的塑料钥匙、柳橙、一盒四支装的蜡笔、一片外包装松开的卫生巾、一根发带、一块可能曾是饼干的东西、一个皮夹。

翠克西迟疑了一下。她告诉自己，她只是想偷看一下年轻妈妈的名字，因为她不想问，不想冒和她说太多话的风险。

佛蒙特州的驾照看起来和缅因州的不大相同。最大的差异是，上面没有照片。有一次丽芙儿说服翠克西一起去酒吧，她用的就是佛蒙特州驾照。“一米六五，很接近。”丽芙儿说，虽然翠克西矮了十厘米。驾照上写着棕色眼睛，其实她是蓝色眼睛。

法恩·埃布尔那西住在佛蒙特州，谢尔本市，第一街34号。她十九岁。和翠克西差不多高，翠克西觉得那是个暗示。

她把自己的储蓄卡和一半的现金留给了法恩，把美国运通信用卡和驾照塞进她口袋。然后翠克西匆忙地走出佛蒙特巴士站，跳进等在路边的第一辆出租车。“要去哪里？”司机问。

翠克西看向窗外。“机场。”她说。

“如果不紧急的话我不会来求你。”巴索雷米央求道。他环视威妮丝·普荷姆的办公室，到处都堆得高高的档案、计算机打印数据和法庭证词的副本。

她叹气，都懒得从显微镜上抬起头看他：“迈克，你总是十万火急。”

“拜托。我在死掉的男孩身上发现一根有发根的头发，我有翠克西强奸证物里的血液，保留得很好、很干净。如果DNA吻合，我就只需要一张逮捕证了。”

“不行。”威妮丝说。

“我知道你积压了很多工作……”

“那不是原因，”她打断他的话，看着巴索雷米，“我不能打开密封的强奸证据。”

“为什么？那是经过翠克西·史东同意抽的血。”

威妮丝指出：“那是当时翠克西作为被害人的血液，不能用来证明她犯罪。”

“你不要再看电视剧《法律与秩序》了好吗？”

“也许你应该开始看。”

巴索雷米皱眉：“不敢相信你会这么做。”

“我什么都没做，”威妮丝说，她低身回去看她的显微镜，“起码在法官说可以之前我不会做。”

夏天的冰原像梦境。太阳待到凌晨两点才消失，在阿基亚克，人们睡得不多。小孩会聚在一起非法喝酒和抽烟，如果弄得到的话；如果弄不到，他们就会弄得满地糖果纸和汽水罐。比较小的孩子互相泼浑浊的绿色的卡斯寇奎河的水，即使是八月，他们只要泡在水里一会儿，足踝就会冻到没知觉。每一年，尤皮克族的某一个村子，都有人淹死。水太冷了，任何待在水里久到能学会游泳的人都会冻死。

丹尼尔八岁那一年的七月，他光脚沿着卡斯寇奎河岸走。赤杨树和柳树在河的一边形成了一道墙，另一边是三米高的堤岸，河水把布满草根的土冲刷进水里。每次他停下来，蚊子会珠串般落到他脸上，有时候它们会飞进他的耳朵，响得像来往于冰原上的飞机。丹尼尔会在河中央看到王鲑鱼肥厚的背像一条小型的鲨鱼。村里的人跳进铝制的渔船，整个冬天它们都像是在岸上搁浅的鲸鱼。尤皮克族的钓鱼营遍布于河岸上：有的像白色的帐篷布围起来的一座座城，有的把多节的竹竿钉在一起，再盖上蓝色的防水布，像慌张的老妇人的围裙在拍动。女人们在木板桌上，把王鲑鱼和红鲑鱼切成条状，挂在架子上风干，然后叫唤他们的孩子：kaigtuten-qaa？你饿了吗？Qinucetaanrilgu Kinguqliin！别惹你弟弟！

他在捡东西，一支结冰的树枝、一条风扇皮带、一个长尾夹，然后他看到一个有麻子点的尖端露出了泥沙外。不可能……吧？得经过训练，才能越过湿透了的大片漂流木，看到一根象牙长牙或化石骨头，可丹尼尔知道的确有这种事。学校里其他孩子就曾在河岸上发现乳齿象的牙齿，他们因为他是kass'aq（白人）而戏弄他，嘲笑他不知道如何射猎雷鸟，也不会从没有路的荒僻冰原骑雪地摩托车回家。

丹尼尔蹲下来挖象牙附近的土，即使河水冲进他挖的洞，让他的进展功亏一篑，他仍然奋力不懈。那是真正的象牙，就在这里，在他的手下面。他想象它长到过了地下水位，比在贝瑟尔的展览品还大。

河岸上两只乌鸦注视着他，喋喋不休地像在做实况报道。丹尼尔用力地想拉出象牙，巨大的象牙可能有十到十二英尺长；它可能重达两三百磅。它可能不只是巨大，而是quugaarpak。在尤皮克人的传说里，巨大的生物住在地下，只会在夜间出来。太阳升起的时候，如果它在地上被抓到，即使只抓到一小部分，它的整个身体会变成骨头，包括象牙。

丹尼尔花了好几个小时，努力想拉出整只象牙，可它卡得太牢固，插得太深。他必须离开它，带回援军。他在那个地点做了记号，他踩扁高高的芦苇，又在河岸上堆了一个石头小山，以示此处有象牙。

第二天丹尼尔拿了铲子和木头再去那里。他有个粗略的计划，在他把象牙从泥沙中挖出来前，得造一个挡水堰来阻挡河水流进洞里。钓鱼营工作的人没变，低垂到河水里的赤杨树也在那里，两只乌鸦同样在呱呱叫，可是他来到他昨天发现象牙的地方，象牙不见了。

人不能两次踏进同一条河流。或许那就是问题所在，或许水流强劲，冲刷掉丹尼尔留下来做记号的那堆石头。或许就像尤皮克族的小孩说的，丹尼尔太白了，以至于不能像他们一样做那些自然得像呼吸一样的事：用自己的双手寻找历史。

丹尼尔回到村子，才发现那两只乌鸦跟着他回家了。每个人都知道，如果一只鸟落在你家屋顶，那意味着它想陪伴你。但一只以上的乌鸦就完全不同了：孤独会是你的宿命，你别想再改变你的人生轨迹了。

玛莉塔·苏廉史达在巴索雷米踏进她的办公室时抬眼看他。“你记得一个叫戴维·弗莱明的家伙吗？”她问。

他坐到她办公桌对面的椅子上：“我应该记得吗？”

“1991年，他强奸了一个从学校骑自行车回家的十五岁女孩并企图杀害她，之后他到了另一个郡，杀了另一个人。这是最高法院的一个案例，关于第一个案子的DNA样品是否能拿来当作下一个案子的证据。”

“结果呢？”

“在缅因州，一个嫌犯在一个案件里的血液样品，可以用来作为后面的不同案件中的检验。”玛莉塔说，“问题是当翠克西·史东是被害人时，她同意取血液，与她是嫌犯时同意太不相同。”

“难道没有法律漏洞吗？”

“要看情况，”玛莉塔说，“单个样品，如果不是以法官授权的方式取得，而是通过当事人同意取得的，有三个情况。第一，警察告诉当事人，他的样品将作为任何调查用途，当事人同意；第二，警察告诉当事人，样品只用来做某一项调查用途，当事人同意；第三，警察告诉当事人，样品会用来作为某项特定的刑侦调查，当事人同意，但警察没有提及是否将用于别的用途。目前为止，你听懂了吗？”

巴索雷米点头。

“关于翠克西·史东的强奸证物，你到底是怎么对她说的？”

他回想起那天晚上他在医院见到那个女孩和她父母。巴索雷米不能完全确定，但他想他说了通常会对性侵被害人说的话：这将作为强奸案的刑侦调查的用途，DNA通常是陪审团会相信的证物。

“你没有提到要用在另一个潜在的案子吧？”玛莉塔问。

“没有，”他皱眉，“大部分强奸受害者眼前的麻烦已经够多了。”

“那意味着同意的范围含糊不清。大部分人假设，当警察要用一个样品去协助解决一个案件时，他们不会无限地将样品用于另一个目的。在缺乏明确的许可下，争议性可能很高，保留样品以备再次使用基本上是不合理的。”她摘下眼镜，“在我看来你有两种选择。你要么再去找翠克西·史东，要求她允许你用强奸证据的血液样品，作为新的侦查用途；或者你去向法官申请授权，要求抽取新的血液。”

“两个选择都不行，”巴索雷米说，“她失踪了。”

玛莉塔抬眼看他："你在开玩笑吗？"

"我也希望是。"

"那么就要更有创意一点。哪里还有她的DNA样品？她舔过戏剧社或青年民主团体的信封吗？"

"她忙着把割手臂当课外作业。"巴索雷米说。

"谁帮她处理伤口？学校护士？"

不，这是翠克西最大的秘密，她能够忍受剧痛秘而不宣，特别是在上学时间自残的时候。它让迈克想一个问题：她用什么来止血？邦迪、纱布、卫生纸？

她的储物柜里会有吗？

北极圈航空公司的冰原飞行员受雇于K300雪橇狗比赛单位，要载兽医飞去阿拉斯加州的贝瑟尔镇。"你也要去那里吗？"兽医问。翠克西点头，虽然她不知道那是哪里。"第一次去？"

"呃，是啊。"

兽医看看她的背包："你一定是个初级队员。"

是的，这个秋天她参加了足球初级校队。"我是前锋。"翠克西说。

"其他的昨天已经去检查站了。"飞行员说，"你错过班机了吗？"

他不如说希腊话吧！她听不懂他在说什么。"我生病了，"翠克西说，"我得了流行性感冒。"

飞行员把最后一箱补给搬上飞机："如果你不介意和货物挤一挤的话，我不介意让一个漂亮女孩儿搭我的飞机。"

肖特兄弟的机型看起来不像是性能很棒的飞机，它像有翅膀的露营车，里面装满了露营用品和集装架。

“你可以等明天的客机。”飞行员说，“不过暴风雪快来了。你可能整个比赛期间都要坐在机场了。”

“我宁可现在飞。”翠克西说。飞行员扶她上了飞机。

“小心点。”他说。

“嗯，我没事。”

“我不是在说你。”飞行员用指节敲敲一个松木箱子。

翠克西爬到狭长的木箱的另一边。她要和一副棺材一起飞到贝瑟尔?

“至少他不会跟你啰唆。”飞行员笑道，然后他把翠克西关进机舱里。

她坐到露营用品上，让自己贴着有铆钉的飞机金属墙。透过隔开她和飞行员与兽医的网状分隔板，她可以听到他们的谈话。飞机开始摇晃。

三天前，如果有人告诉她，她会搭一架飞机，坐在一具尸体旁，她会认为那是天方夜谭。可是绝望可以让人做出奇妙的事。翠克西记得她的历史老师告诉大家一个故事，一个早期的弗吉尼亚州的垦荒者太饿了，他杀死了太太，在冬天别的殖民开拓者还没发现前，把她用盐腌了吃掉。你第一天认为不可能的事情，说不定第二天就大有可能。

飞机倾斜着离开地面，松木箱滑向翠克西，抵住她的鞋底。还可能更糟呢，她想。至少他被放在棺材里，而不是尸袋。他至少不像杰森的尸体那样摔烂了。

飞机爬升到像混着星星的浓稠面糊的夜空。高空中更冷。翠克西把外套袖子往下拉。

呜呜……

她倾身靠向网板，兽医已经睡着了。“你说什么了吗？”她对飞行员叫。

“没有！”

翠克西坐回飞机边上，又听到了声音。有人安静地用灵魂在唱歌，一口气拉得很长。

那是从松木箱的棺盖下面传出来的。

翠克西呆若木鸡。一定是引擎的声音，也可能是兽医的鼾声。可是这次更大声了，她可以听到那声音的源头是棺材：呜呜呜……

要是那个人根本还没死呢？要是他被钉进棺材里想逃出来呢？要是他在里面抓，用指甲刺，疑惑自己怎么会困在那里呢？

呜呜呜，尸体叹气，喏喏。

她跪下来，手穿过网板抓住飞行员的肩膀。“飞机快停下来，”她叫道，“你必须现在就停飞！”

“你应该在我们起飞前就下去。”飞行员盖过引擎声回吼。

“尸体……没有死！”

她吵醒兽医了。他转头过来：“怎么啦……”

翠克西不敢去看棺材。她怕那么做，会有一只手从里面伸出来，还有一张噩梦里摆脱不了的脸，发出声音告诉她，他知道她没有告诉别人的秘密。

呜呜。

“那个声音，”翠克西说，“你们没听到吗？”

兽医笑了。“那是肺在膨胀。就像你如果带一袋薯片上飞机，它在起飞后会膨胀吧？你听到的是空气穿过声带的声音。”他对她微笑，“或许你该戒掉咖啡。”

翠克西觉得很没面子，她转回去面对棺材。她听到飞行员和兽医在取笑她的愚蠢，她的脸颊发烫。尸体虽然已经和包围他的木头一样是死的了，却还继续唱着。孤独的音调，像一首充满机舱的安魂曲，像没人想听的事实。

“真令人震惊，”贝瑟尔高中的校长杰布·艾隆森说，“翠克西在学校里似乎与同学们处得很好。”

巴索雷米甚至懒得斜眼看他一下：“你是说在她完全不来学校的之前还是之后？”

他对这位校长没什么耐心，当他女儿还是这里的学生的时候，这位校长也没注意到他女儿的行为有任何异常。艾隆森总是挂着一张悲剧的脸，似乎没法阻止下一个悲剧发生。

巴索雷米累了。他追着史东夫妻到机场，他们乘飞机去了西雅图，再从那里转机到阿拉斯加的安克拉治机场时将近午夜。根据美国运通信用卡提供给警官的线索，他们每张机票花了1292美元90美分。

他现在知道翠克西去哪里了。他只需要说服法官，有把她带回来的必要。

在深夜的这个时刻，巴索雷米挥舞着搜查令吵醒了校长。当他们经过时，门卫点头打招呼，推开学校垃圾车给他们让路。走在高中校园里，却听不到任何喧闹声，感觉很奇怪，几乎令人毛骨悚然。

“我们知道……那件意外……令她很难受，”校长说，“辅导老师葛瑞女士特别留心翠克西。”

巴索雷米根本懒得回答。贝瑟尔高中的管理层和美国任何其他的成人团体没什么不同：他们宁可假装每一件事都按他们希望的那样进行着，也不愿纠正学生在他们眼皮子底下的偏差行为。当翠克西割开她的皮肤，划开她的手腕时，葛瑞女士在做什么？或者当霍莉逃学绝食时，她又在做什么？

“翠克西知道她如果感觉被排挤的话可以来找我们。”校长说，然后他停在一个军绿色的储物柜前，“就是这个。”

巴索雷米举起从消防队借来的钳子，把密码锁剪断。他打开柜门，几打安全套蛇一般掉了下来。巴索雷米捡起一个。“好在她没有被排挤。”他讽刺地说。

校长喃喃地说了什么便往走廊的另一头走去，留下巴索雷米独自在那里。他套上一副橡皮手套，从外套口袋里拿出一个纸袋，然后他拨开储物柜里安全套，靠近一点看。

有一本代数课本、一本翻烂了的《罗密欧与朱丽叶》、共46美分的零钱、一把尺、一个坏掉的长尾夹。柜门内侧好把戏合唱团的贴纸下面，有一块嵌在门上的小化妆镜，镜角画了一朵花。镜子被人砸裂了，左下角缺了一块。

巴索雷米发现自己在照镜子，他猜想翠克西·史东在镜子里看到了什么。是个刚开始上九年级的女孩——其实还只是个孩子，正从镜子里看后面的走廊有什么活动，希望自己也能参与？或者现在这个躯壳，用祈祷熬过那一天，亦步亦趋，不想引起任何人的注意，成为那么多贝瑟尔高中不知名的青少年之一？

巴索雷米再往里看。它静止得没有生命迹象。

没有纱布或邦迪盒子。角落里也没有染了翠克西的血和压皱了的衣服。就在巴索雷米要放弃的时候，他注意到一张照片，卡在后面的柜壁和柜底之间，露出一角。他从口袋里拿出一把镊子，把它拉出一英寸，拿了出来。

那是一张两个吸血鬼的照片，两个女吸血鬼的嘴唇滴着血。巴索雷米细看再细看，原来是两个女孩抱着一桶吃了一半的樱桃。丽芙儿·盛托瑞利–温斯坦在左边。她的嘴唇是深红色的，牙齿上染了樱桃汁。另一个女孩一定是翠克西・史东，虽然有点难以辨认。照片里，她笑得眼睛眯成一条缝。洒落她背上的头发，颜色和樱桃相当接近。

巴索雷米直到看到她照片上的头发才想起，他第一次见到翠克西・史东时，她的头发长及腰间。但第二次见面，那些头发已经被她残忍地剪掉了。他记得性侵害顾问贾尼丝告诉过他，那是积极的做法，翠克西把头发捐给了为癌症病人做假发的慈善机构。

慈善机构接受赠与时会做记录，并给翠克西・史东的头发贴标签。

丹尼尔和劳拉坐在机场的酒吧里等待。阿拉斯加的安克拉治市在刮暴风雪，所以他们从西雅图转机的班机延迟了，已经等了三个小时，翠克西离他们又多三个小时远了。

劳拉已经灌了三杯酒。丹尼尔不确定她是因为恐高和害怕飞行，还是为翠克西担心，或两者都有。当然，他们有可能猜错，翠克西或许往南去了墨西哥，或正睡在宾夕法尼亚州的火车站。话说回来，翠克西不会是第一个因为出事而跑去阿拉斯加的孩子。许多人犯法想逃避法律的制裁，都跑去那里，最后一块尚待开发的广漠荒地。别的州很早以前就放弃花经费派人去冰天雪地抓逃犯回来。但阿拉斯加的州警却得追捕逃犯。丹尼尔记得有报纸报道，说人们从冰原中的小屋里被拖出来，因为被控强奸、绑架或谋杀引渡回其他州。他猜翠克西的照片已经用电子邮件发给阿拉斯加的警官们，不知道他们是否已经开始搜索。

不过，他从肯恩和他爷爷那里学到，搜索和猎捕是不同的。老人以前说，你必须澄清你的心，去想动物是如何想的，不然它会知道你来的。丹尼尔专心想，希望他不那么白，而且比较像单纯的肯恩。肯恩是那种，你如果跟他说“不要去想紫色的大象”，他就真的不会去想紫色大象的人。

现在丹尼尔要找翠克西，他一定得想她，那样她就会知道他在找她。

丹尼尔移开一个马提尼酒杯，那是别人的剩酒，他们一开始坐下来时就放在吧台上的。你自己不必清理善后，总有服务员来帮你收拾。那是他从来无法完全了解的一种爱斯基摩人和白人的文化差异。住在其他州的人不必为任何人负责。你只要为自己着想，你要保护自己。如果你介入别人的事，即使心存最大的善意，你也可能突然之间就必须为出了错而扛起全部的责任。一个见义勇为的人把一个男子从燃烧的车子里拉出来，但可能因为在救护过程中弄伤对方而被起诉。

尤皮克族人知道每个动物之间都有关联——人和野兽、陌生人和陌生人、丈夫和太太、父亲和孩子。伤害自己，别人可能会流血。你救了别人，可能也救了你自己。

更多回忆苏醒，仿佛已经脱节的印象令丹尼尔战栗。远处的基尔伯克山顶在非常冷的时候模糊了。雪橇狗等着它们的晚餐的发出的悲伤的陌生的叫声。从钓鱼营那里吹来的风干的油腻鲑鱼条的气味。他感觉像在捡起忘了编织的人生的线，而且还想继续这样编下去。

但机场有无数事物提醒他过去二十年来是如何生活的。旅行者涌出飞机跑道，拖着拉杆箱，用超大的百货公司袋子装着包装好的礼物。浓郁的咖啡香味从星巴克飘到走道。不断循环的圣诞歌曲从扩音喇叭里播出，偶尔被通知行李搬运员送来轮椅的广播打断。

劳拉说话了，丹尼尔吓了一跳，差点掉下座位。“你想会发生什么事？”她问。

丹尼尔瞥向她：“我不知道。”他满面愁容，想着现在翠克西可能遇上的所有麻烦：冻伤、感冒、野兽、迷路，还有迷失自我。“我只希望她之前是来找我，而不是跑掉。”

劳拉看着桌子：“或许她害怕你会往最坏的方向想。”

他表现出来了吗？丹尼尔虽然告诉自己翠克西没有杀杰森，虽然他会这么说直到声音沙哑，但是怀疑的种子已然种下，令他的乐观无藏身之处。他熟知的翠克西不可能杀杰森，但现在事实证明了，翠克西的很多方面他并不了解。

就算是这么严重的事，也没关系。就算翠克西告诉他，她空手杀了杰森，他也会理解的。谁比丹尼尔更了解，每个人的内心都有兽性，有时候它会从藏匿的地方跑出来。

丹尼尔想告诉翠克西的是，她并不孤单。过去两个星期来，变化的还有他自己。他绑架杰森，他狠狠地揍了那个男孩一顿，他对警察说谎，现在他要去阿拉斯加，这个世界上他最痛恨的地方。卸下丹尼尔·史东的身份，这个文明的外壳，不久后他会再次变成动物，就像尤皮克人相信的那样。

丹尼尔会找到翠克西，即使那意味着他因此得走遍阿拉斯加的每一英里路，即使他得回到过去——欺骗、偷窃、伤害任何阻挡他的人。他会找到翠克西，他会说服她，不管她做了什么，说了什么，他对她的爱都不会减少。

他只希望，当她看到他为了她变了模样时，她对他的感觉也还是一样。

翠克西和兽医在六点过后抵达了，K300的比赛总部已经热闹非凡。名单公告在白板上列出了雪橇手的名字，还有十几个比赛检查站的空白格子，可以贴雪橇手目前的进展。桌上有规章手册和路线图。

坐在桌子后面的女人正不断地接听电话，一遍又一遍地回答同样的问题。是的，比赛晚上八点开始。是的，狄狄·琼罗威穿一号背心。没有，义工人手不够。

人们开着雪地摩托车抵达，一走进长屋旅馆就脱掉好几件衣服。每个人都穿着厚垫防寒靴，戴着海豹皮帽，下垂的耳盖可以盖住耳朵。有人穿着一件式的防雪装，还有人穿着精心刺绣的毛皮连帽大衣。临时参加的雪橇手一进来就受到摇滚巨星般的对待，人们排队跟他握手，祝他好运。大家似乎都彼此认识。

你会以为在这样的环境下，翠克西看起来会荒谬不搭调，可似乎就算有人注意到了她的存在，他们也不在乎。当她从放在后面桌上的炖锅里拿了一碗炖肉吃，没人阻止她，于是过了一会儿她又去拿一碗。那不是牛肉，老实说，她有点怕知道那是什么肉。不过那是她将近两天来吃到的第一口食物，在这个时候，任何食物对她而言都是美味。

坐在桌后的女人突然站起来，走向翠克西。她僵住，料想算账的时刻来临。“让我猜，”她说，“你是安蒂？”

翠克西勉强微笑：“你怎么知道？”

“另一个耶稣会义工从吐鲁克萨克打电话来，说你是新人，你被雪堵在了界外。”

“界外在哪里？”

女人微笑：“对不起，那是我们对阿拉斯加以外其他州的称呼。在雪橇手抵达之前，我们会找人载你去检查站。”

“吐鲁克萨克？”翠克西念道。那个地名感觉好像是铁，“我想去阿基亚克。”

“喔，我们把前来此地的耶稣会义工都集中到吐鲁克萨克。别担心，我们没丢过任何一个义工。”她对着一个箱子点了点头，“对了，我叫珍。如果你能帮我把这个搬去起跑线，那就太好了。”

在珍戴口罩遮掩她的鼻子和嘴巴时，翠克西举起箱子，那里面全是一些摄影器材。“你得穿上外套。”她说。

“我只穿了这件来，”翠克西回答，“我的……嗯……行李在我朋友那里。”

她对珍所说的耶稣会义工和吐鲁克萨克毫无概念，所以她不知道这个谎言是否合理。还好珍只是翻了个白眼，拉着她走向一张上面摆满了K300商品特卖的桌子。“喏。”她丢给她一件羊毛夹克、一副连指手套和一顶在下巴那里有尼龙搭扣的帽子。她从总部后面的桌子上拿了一双靴子和一件带帽子的厚外套，“这些你穿都太大了，不过哈利等下就会醉得注意不到它们不见了。”

翠克西跟着珍走出旅馆，雪地的冬风呼呼地吹在她脸上。它不像缅因州的十二月那种冷。它是渗骨的冷，那种会刺进脊椎，让呼出来的气瞬间结晶的冷，那种睫毛会被冰凝住的冷。雪堆在走道两边，雪地摩托车停在右边几辆生锈的卡车之间。

珍走向其中一辆白色的卡车。有扇门是红色的，好像是从别的废弃的车那里移植到这辆来的。副驾驶座的坐垫里一束束填塞物和线圈冒了出来，没有安全带。它和翠克西爸爸的卡车完全不同，可是她还是挤进了座位。思念之情像一把刀插进她的肋骨之间。

珍花了一点功夫才使车子发动：“耶稣会从什么时候开始招募青少年义工了？”

翠克西的心脏怦怦直跳。“喔，我二十一岁了，”她说，“我只是看起来比较小。”

“嗯，否则就是我太老了。”她向一罐塞在烟灰缸上的野格牌利口酒点了个头，“你想喝的话请便。”

翠克西旋开酒瓶的瓶盖。她尝试着啜了一口，然后把酒吐到了仪表盘上。

珍笑出声。“对了，我忘了，耶稣会的义工是不喝酒的。”她看着翠克西拼命想用连指手套把她吐出来的酒擦掉，“没关系，我想那里面的酒精成分高到足以当酒精消毒液了。”

卡车向右急转，碾过雪堆的边缘。翠克西感到恐慌，没有路了。卡车从一个结冰的坡，滑到冰冻的河面上，然后珍把车开到了河中央。

起跑线和终点线已经设好了，两个长陡坡道封锁起来，上面插着K300比赛的旗帜。旁边有一辆大卡车，卡车后的平台上站着一个男人在测试麦克风。一辆辆破旧的卡车和雪地摩托车陆陆续续停靠了过来，弯弯曲曲地排成一条线。有些人把别致的狗名字漆在拖车上，有些人车后载了一群在吠叫的狗。远处有一艘在喷气的水路两用气垫船。珍说它要送信到下游去，今晚它会免费供应热狗，向比赛致意。

一对泛光灯照亮了夜晚。从翠克西到贝瑟尔以来，她第一次好好地看阿拉斯加的冰原。到处都是淡蓝色和浅银色，天空像一个倒扣的大碗，尤皮克族小孩坐在爸爸的肩膀上，星星落进了他们外套的兜帽里。她目之所及尽是冰原，怪不得人们曾经以为世界是平的，你会从世界的边缘掉下去。

翠克西觉得眼前的一切是如此熟悉，虽然她不可能真的见过，后来她想到，是的，她见过，这就是她爸爸画的地狱的样子。

雪橇手把雪橇钩到狗身上，一群人围拢到坡道上来。所有人看起来都胖胖的，全副武装地穿着抵御寒风的装备。小孩子伸出手让几只狗闻，它们挤成一堆，身上的拉索纠缠在了一块儿。

“安蒂，安蒂？”

翠克西没有应答，她忘了这个被赋予的名字。珍拍拍她的肩膀，站在她旁边的是个比她大不了几岁的尤皮克族男孩。他的脸宽宽的，肤色像榛子，他居然没有戴帽子。“威立带你去吐鲁克萨克。”珍说。

“谢谢。”翠克西回答。

男孩没看她的眼睛。他转身，开始走路，翠克西觉得那是暗示她该跟上。他走到一辆雪地摩托车前面，对它点个头，然后他骑上去开走了。

威立很快消失在泛光灯照不到的暗夜里。翠克西迟疑地站在雪地摩托车旁，不知道该怎么办。跟上他吗？她怎么知道怎么发动这车呢？

翠克西碰了一个手把。雪地摩托车的气味像她爸爸的除草机味道，累坏了。

她开始找发动的按键，威立回来了，手里抱着一件兜帽黑色狼皮的大号厚外套。他还是避免直视她，把外套递给她。她没有拿，他用手势比划着要她穿上。

那件外套仍有余温。翠克西怀疑这件外套他是从谁身上扒下来的，那人现在是不是正在严寒中发抖。她的手藏在过长的袖子里，她戴上兜帽，风终于不再直接吹到她脸上了。

威立爬上雪地摩托车，等翠克西上车。她瞟向他，万一他不知道去吐鲁克萨克的路呢？就算知道，大家要是发现翠克西并非他们在等的人，她该怎么办？最重要的是，她要怎么坐到雪地摩托车的后座，而不往前倾倚着这男孩？

虽然他们都穿着很厚的衣服，但衣服都层层压紧了。翠克西把自己推到后座的最后端，用连指手套握着旁边的扶手。威立发动了引擎，雪地摩托车呻吟着慢速前进，免得吓到狗。威立在坡道上调整方向，然后一踩油门，他们开始跨越冰原。

光是站着就冷得要命，更别提坐在全速飞驰的雪地摩托车上了，简直冷了五十倍。翠克西的心在冷得发抖，手握成拳，她无法想象如果男孩没给她穿上这件厚外套，会怎么样。

雪地摩托车的前灯在他们前方切出一个小三角形。其实根本没有路可言。没有街牌，没有红绿灯，没有出口匝道。“嘿。”翠克西在风中喊叫，“你知道方向吗？”

威立没有回答。

翠克西更用力地握紧手把。她头昏眼花，速度快得她几乎看不清周遭的景象。他们骑上河岸，经过狭窄的灌木林，然后他倒车骑上一条冰冻的河上面的桥，她向左倾着身子。

“我叫翠克西。”她说话不是为了要他回答，而是为了阻止她的牙齿打颤。说完她才想起她在冒充别人，“喔，我是翠克西，他们都叫我安蒂。”天啊，她想，我还能更蠢吗？

风吹进了翠克西的眼睛，她开始流眼泪，她冻得闭上眼睛。她倾身向前缩成一团，她的额头几乎要碰到威立的背了。他的体温正不断升高。

翠克西假装趴在她爸爸的卡车后座上，车在震动，就像爸爸开进快餐店的外卖窗口时，车碾过让车子减速的突出地面。她脸抵着金属台，经过一整天阳光的曝晒还是温的。他们会吃很多爆米花，多到妈妈把脏衣服放进洗衣机时，还能闻到上面的味道。

寒冷的疾风直吹她的脸庞。“我们快到了吗？”翠克西问，威立沉默不答，“你到底会不会讲英语？”

出乎她的意料之外，他踩刹车，雪地摩托车停了下来。威立转身，依旧避免直视她：“还有55英里的路。你要一路吼吗？”

翠克西被他的话刺伤了，她转开头，有诡异的光洒在前方的冰河上。

光来自他们头顶，是一抹粉红、白色和绿色的光，令她想起国庆节烟火绽放后留下的烟拖曳的痕迹。

谁会知道，当你把夜空的肚子切开一条缝，它会流出五颜六色？

“好漂亮。”翠克西低语。

威立随着她的目光望去：“Qiuryaq.”

她不知道那是闭嘴、抓好，或甚至是对不起的意思。他发动雪地摩托车，她仰首面对北极光。抬头看比较容易催眠，也比试着眯起眼睛看路少一点痛苦。仰望着北极光，似乎更容易想象他们快到家了。

我女儿在哪里？
你不想先和老朋友叙叙旧吗？
我真喜欢你的新模样，老伙计。嘿……你要喝啤酒吗？我们只有“欧朵”牌的，没什么酒精。这里毕竟是地狱。
小心！他是骗子！
他为什么说得好像他认识我？
嘿。我有个弄个新地狱层的点子……给那些在你面前谈论你，却好像当你不在场的人住。
我不可能认识你啊……
要打赌吗？
你一定记得，你查管线的那天晚上。

你在这里做什么?
自从你选择变成人，你就不那么记得过去的事了。
我们没有任何相似之处!
我们完全一样，我只是顺便提醒你，我们有非常多的共同点。
我所做的只是唤醒你身体里已经有的东西。
可是你怎么会知道那些?
邓肯，我的朋友……你不记得天堂了吗?

不可能！
他以前叫路西法。他曾是天使长……上帝的得力助手。
维吉尔，告诉他真相。
天堂为了是否要给人类自由意志而引发一场战争。
路西法被逐出天堂，堕入地狱。
等一下……如果撒旦曾是上帝的得力助手……那么我是谁？
爸爸！

她在哪里？
可这已经是最后一层地狱了。
在最下面一层地狱。
别相信你读过的所有东西。
你为什么掳走我女儿？！
从来都不是为了掳走你女儿，邓肯。是为了诱捕你。
我很乐意带你去找你女儿。你如果成功了，你和女儿就可以自由地回家。
可是你如果失败……她会死，你会死。而我会得到自由。
好。我要做什么？
打败我。还没有人曾经进第十层地狱，然后活着出来过。

7

麦斯·古富·雷诺司的工作是研究大部分人从来不会注意的东西：沾在受害者外套里的一丝地毯纤维、留在犯罪现场的一粒沙子是否来自国内的某个特定地区、制作放射性炸弹的现场的研磨咖啡粉末。身为国内仅有的两百个显微镜鉴识专家之一，麦斯相当忙碌。要不是迈克·巴索雷米在大学时代就认识了这个当时还是个瘦巴巴的小怪胎的话，他可能永远也没法请麦斯分析翠克西的头发样品。当年他们曾是室友，巴索雷米给麦斯做保镖，麦斯为他辅导化学和物理。

巴索雷米开车去波士顿的那天晚上，副驾驶座上放着一束翠克西·史东的头发。“生死染头”理发店还没把翠克西捐的头发送去“发之爱”慈善机构，那束头发躺在理发店后面房间的一个抽屉里枯萎，旁边放着过氧化氢和石蜡。现在迈克坐台面上，等着麦斯告诉他结果。

实验室里堆着许多盒灰尘、头发、纤维，等着做比对。麦斯的偏振光显微镜上方挂着麦斯心目中的英雄，法国犯罪学家埃德蒙·罗卡的海报。巴索雷米记得，麦斯在上缅因大学时就在看关于罗卡的书。“他烧掉自己的指纹，”麦斯有一次以崇拜的口吻告诉迈克，“只是为了看看它会不会长出原来的纹路！”

他们毕业将近三十年了，可麦斯看起来还是老样子，只不过头发更秃了，他一样很瘦，由于长期弯身看显微镜，显得有些驼背。

“呵。”他出声。

“什么情况？”

麦斯从他的工作桌离开：“你对头发了解多少？”

巴索雷米对着老朋友微微发亮的头顶笑了：“比你多。”

麦斯不理会迈克的调侃：“头发有三层，这对鉴识工作很重要。表皮层、皮质层、髓质层。如果你把一根头发比作铅笔，髓质层是石墨，皮质层是木头，表皮层是外面的漆。髓质层有时候是断断续续的，即使同一个人的头发也会有所不同。皮质层的细胞里有色素，这对我试着比对你的两个样品有重大的意义。目前为止，你听得懂吗？”

巴索雷米点头。

“拿到一根毛发，我可以告诉你，它是不是人类的毛发，它是来自高加索人、黑人或蒙古人种，它来自身体的哪个部位，以及这根毛发是否被强力拉扯、燃烧或挤压过。一根毛发可以排除一个嫌犯，但我不能用它去指出某一个特定的人。”

他说着身体又弯回显微镜前：“我看到的两件样品都是中等直径发干，直径有轻微的差异，髓质层连续，相对狭窄，组织柔软。它们都是人类的头发。它们颜色的色相、明度和彩度都几乎完全相同。一个样品是用剪刀剪下的，另一个则保有发根，柔软扭曲，说明它是被猛拉下来的。它们的色素有些不同，但不足以让我下任何结论。不过，你在被害人的尸体上发现的头发的皮质层，比另一个样品的厚得多。”

“另一个样品是三个星期前嫌疑犯剪下的头发，”巴索雷米说，“有没有可能在那几个星期，皮质层变得比较……你怎么说的？”

“厚。”麦斯回答，“是的，有可能，尤其如果嫌犯曾用过化学染发剂，或过度暴露在阳光下或强风中。理论上，这两根头发可能来自同一个人，虽然看起来不大一样。但也有可能，来自不同的两个人。”他看向巴素雷米，“如果你要求我面对陪审团，我只能告诉他们，我无法确定这两根头发来自同一个人。”

巴素雷米感觉胸口像挨了一拳。他如此确定自己的判断没错而追到这里，翠克西·史东失踪一定是因为涉及谋杀杰森·安德希尔而潜逃。

“嘿，”麦斯看着他失望的脸，“我不会向大家承认，但显微镜鉴识并不是最精确的科学。就算我觉得样品吻合，我还是会告诉警官去做DNA分析，来佐证显微镜观察的结果。”

迈克叹气：“我只有一个样品有发根，不能做DNA分析。”

“不能做核DNA。”麦斯纠正他。他从他的桌肚里拿出一张名片，在名片后面写了几个字，递给巴素雷米，“思奇帕是我的一个朋友，他在维吉尼亚州的一家私人实验室工作。你可以说是我叫你去的。”

巴素雷米接下名片。**思奇帕·乔汉生**，他读道，**基因实验室**。**线粒体DNA**。

暴风雪袭来的时候，翠克西的脚趾早就已经没知觉了。严寒、坐在雪地摩托车上的疲惫，加上紧张过度，让她昏睡不已。冰雪直击脸颊，翠克西眨了眨眼睛醒来。他们还在冰河上，景色和一个小时前没什么两样，除了北极光没了，取而代之的是远处地平线上的灰云。

风在怒吼，能见度更差了。翠克西开始想象，她掉进爸爸的连环漫画书里充满科比式画法的场景。多年前漫画大师杰克·科比发明了用白色泡泡的爆炸表示能量场的画法。在爸爸的漫画里，黑暗中的奇形异状变成坏蛋，扭曲的树变成巫师带爪子的手臂，冰柱是恶魔露出来的毒牙。

威立减缓雪地摩托车的速度，最后停下了。他在呼呼的狂风中对翠克西喊：“我们必须等风暴过去才能走。天气明天就会转好。”

翠克西想回答，可她咬紧牙关太久了，一时之间无法开口讲话。

威立走到雪地摩托车后面，翻找东西又折了回来。他递给她一张蓝色的防水布。“把这个塞到踏板下面，”他说，“我们可以用它挡风。”

他离开她，消失在了漫天飞舞的大雪中。翠克西很想哭。她冷得都不知道是不是更冷了。她不知道他说的踏板是指什么，她好想回家。她把防水布抵着自己的外套，没有动，希望威立能够回来。

她看着他在雪地摩托车前灯的光圈里进进出出。他似乎在折河岸旁一棵枯树的树枝。他看到她还坐在雪地摩托车上，便走向她。她以为他会对她吼，说为什么不动，可是他紧闭着嘴唇，扶她下车。“下来。”他说，他让她背靠着雪地摩托车坐着，然后拿防水布盖住雪地摩托车，再盖到她身上，遮挡寒风。

一切都不怎么好。挡风篷有三个大缝，冰和雪准确地钻了进来。威立蹲到翠克西脚旁，剥下他刚折的树枝的树皮，把它们收拢到白杨木和赤杨木之间。他从雪地摩托车里取出一点汽油，倒到那堆树枝上，再从他的口袋里拿出打火机点火。她的皮肤终于能感觉到火了，她才敢去想，夜宿在此可能会有多冷。

翠克西记得学过，人体大约有60%是水。那零下几度会把人冻死?

“来，”威立说，“我们去弄点草来。”

翠克西现在最不想做的就是抽草[①]。她试着摇头，可她连头颈的

① 抽大麻的另一种说法。

肌肉都不听使唤。她没有起身，他转头就走，仿佛她都不值得他多说一句。“等一下。”她说。他虽然不看她，可他停了下来。她想解释自己的脚感觉像木头，手指刺痛得必须一直咬着下唇，要制止肩膀颤抖就会很痛。她想告诉他，她好怕。她之前想象逃亡生涯时，没有设想到这种情况。“我不能动。”翠克西说。

威立跪到她旁边：“你不能感觉到什么吗？”

她不知道该怎么回答。安全？舒适？

他开始脱翠克西的靴子。像理所当然的一样，他用双手握住了她的一只脚：“我没有睡袋，让我堂哥厄尼拿走了，他是参赛的雪橇手之一，比赛开始之前主办单位检查了他有没有带睡袋。”翠克西的脚趾能动了，灼烧般的痛从她的脚趾甲辐射到脚掌。威立站起来走开。

几分钟后他抱着满怀的枯草回来了。上面还沾着雪，威立把它们从河岸上拔出来的。他把枯草塞进翠克西的靴子和连指手套里，又叫她把一些草塞进外套里。

“雪会下多久？”翠克西问。

威立耸肩。

“你为什么不说话？”

威立很惊讶，他的靴子在雪地上吱嘎作响。“你为什么觉得要找话讲？”他脱下连指手套，把双手放在火上取暖，“你得冻结伤了。”

“那是什么？”

“冻伤的前兆。”

翠克西试着回想她仅有的冻伤常识。冻伤的部分会变成黑色然后掉落吗？“哪里？”她恐慌地问。

“你的眼睛之间，还有你的脸颊。”

她的脸要脱落了吗？

威立比了个手势，矜持地让她知道他想靠近她一点，他要把手放到她身上。那一刻翠克西突然意识到，这个男孩远比她强壮，而在一个人迹罕至的地方，方圆二十五英里内都没有人会听到她的尖叫。她往后倾离开他一点，摇摇头，喉咙发紧得像一朵在暗夜里合上的玫瑰。

他用手指抓住她手腕，翠克西的心开始狂跳。她闭上眼睛，想着最坏的情况，想着如果你曾活在噩梦里，或许第二次就不会那么糟。

威立的手掌热得像阳光下的石头，按到她的脸颊上。她感觉他的另一只手触碰她的前额，然后移到脸下面去捧起她下巴。

她可以感觉他的皮肤上有茧子，她想知道那些茧是怎么来的。翠克西睁开眼睛，发现她认识威立·莫西斯以来，他第一次直视着她。

线粒体DNA专家，思奇帕·乔汉生，是个女人。巴索雷米看着她把糖倒进咖啡里，然后详读他带来的数据。“你的名字挺特别的。”他说。

“我妈妈按芭比娃娃系列给我们取的名[1]。”

她长得很漂亮，白金色的直发垂到背中间，绿色的眼睛藏在黑色粗框眼镜后面。她在看数据的时候，嘴巴会嘟成那些数字的唇形：“你对线粒体DNA了解多少？”

“希望你可以用它来比对两根头发？”

“嗯，可以的。真正的问题是，你要怎么处理比对的结果。”思奇帕靠回椅子，“感谢电视剧《犯罪现场调查》，大家都听说了DNA分析。大部分他们谈的是核DNA，来自父母各一半基因。还有另一

① 思奇帕是芭比的最大的妹妹的名字。

种DNA在鉴识界里日渐重要，线粒体DNA。你，还有世界上大多数其他人，大多对它所知不多，直到美国史上最大的灾难‘9·11事件’，它才派上大用场。”

“辨识尸块？”

“答对了，”思奇帕说，“当时传统的辨识方法没有用，他们找不到完整的牙齿、破碎的骨头，甚至任何可以用X光照的东西。但线粒体DNA可以通过烧毁的、成粉末的，或任何形式的东西，描绘出样品的原始的粗略样貌。科学家只需要，拿死者的某个家族成员的唾液样品来比对即可。”

她拿起麦斯前一天放在显微镜下细瞧的头发样品。“我们测试头发的DNA不需要发根是因为，一个细胞不只由一个细胞核构成，它有很多其他部分，包括线粒体，那是使得所有的细胞正常运作的‘发电厂’。相较于只有一个细胞核，一个细胞里有数百个线粒体。每个线粒体包括几个相同的线粒体DNA。”

“如果线粒体的DNA比细胞核多那么多，为什么不都用它来做犯罪鉴识呢？”巴索雷米问。

“有个问题是，不同人拥有同一个细胞核DNA的结构的概率是六百万分之一。但线粒体DNA的概率高得多，不像核DNA，你只会从母亲那里继承线粒体DNA。这表示你和你的兄弟姐妹都会有同样的线粒体DNA……而你外婆和你妈妈的兄弟姐妹也是如此，以此类推。它真正的迷人之处是，相较于精子，一个女性的卵子拥有更多线粒体。卵子的线粒体不只在数量上完全超越只有几个线粒体的精子，而且受精时，它们实际上会毁灭精子的线粒体。”思奇帕灿烂地微笑，“适者生存。”

“可惜一颗卵子周围先得有一堆我们的精子才能受精。”巴索雷米冷冷地说。

“喔，你应该去看看隔壁的无性生殖实验室在做些什么。”思奇帕回答，“总之，我的观点是，如果你要在两个亲兄弟姐妹之间找出嫌犯，那么线粒体DNA就毫无用武之地，可是你如果想要排除某人与一件调查案无关，那么它会是个好工具。据统计，你如果在DNA螺旋链上测试十五个点，你会得到超过一千的九次方种核DNA基因图谱。那么当你面对陪审团，指证某个嫌犯，会很有说服力。可线粒体DNA，迄今只实验记录了四千八百种序列，还有六千种只在科学文献里提及。如果换成检测线粒体DNA，那么相对频率为0.14左右，也就是说，世界上有4%的人口会拥有同一个线粒体DNA基因图谱。要找出确切的一个罪犯，这还不够，陪审团会产生合理的怀疑，可是它可以让你排除某个人的嫌疑，因为他或她没有某种特定的DNA基因图谱。”

“所以如果在被害者身上发现的头发线粒体DNA特征与翠克西·史东的头发不吻合，”巴索雷米说，“那么我就不能将她视为凶手。”

“对。”

“如果吻合呢？”

思奇帕抬眼看他：“那么你有合理的根据逮捕她。”

太阳把阿拉斯加冰原遗忘了。至少，对劳拉而言似乎是这样的，否则为什么早上九点天色还是暗黑的？他们终于在贝瑟尔降落了，她焦急地等着空姐打开机舱的门。她有恐高症，痛恨飞行已经够糟了，这架飞机还只是半架客机，真的，飞机的前半部分是货舱。

“你还好吗？”丹尼尔问。

“很好。”劳拉试着以轻松的口吻说，“如果是赛斯纳公司的小飞机，可能更不平稳，不是吗？”

丹尼尔在他们即将走出飞机出口时转身，帮她戴上她外套的帽子。他拉兜帽的绳子，在下巴下面绑好，就像以前翠克西还小，要去雪地玩之前，他为她做的那样。“外面比你想象的冷。”他说，然后踏上通往飞机跑道的楼梯。

她太低估外面的情况了。风像刀子一样切进劳拉的肋骨，每一次呼吸都像吞进玻璃。劳拉跟着丹尼尔走过跑道，匆匆进了航站楼。

机场里只有几排空间狭小的椅子和一个票务柜台。柜台没人，因为唯一的职员去了金属探测器那里，从屏幕上看下机的旅客。劳拉看到两个原住民女孩拥抱一位较老的妇人，她们三个哭着一起慢慢向大门走去。

指示牌都用英语和尤皮克语双语标明。“那是洗手间的意思吗？”劳拉指着一个门上标了ANARVIK的字问。

“喔，尤皮克语里没有‘洗手间’这个词。”丹尼尔淡淡地微笑，“事实上应该翻成‘拉屎的地方’。”

一个门进去，分成左右边。男厕和女厕没有标示，不过她瞥见一边有小便斗，于是她走向另一边。洗脸槽是用踏板的，她踩了几下，然后泼一些水到脸上。她望着镜子里的自己。

她想，*如果有人进厕所，我就不再做懦夫。*

如果外面那家人通过了安全检查，走到大门，我就不再做懦夫。

如果我出去的时候，丹尼尔正视着前方，我就不再做懦夫。

她经常跟自己玩这种游戏。如果在她数到十之前，红绿灯变了，那她下课后就去希斯家。如果丹尼尔在第三声电话铃响前接听，那她就多待五分钟。

她把这些随机事件提升到神谕的高度，假装它们足以为她的行为辩护。

或者没有他们，就可以不去做。

她双手在外套上擦了擦，走出厕所，发现那一家人还在靠近金属探测器的地方哭，丹尼尔面向窗外。

劳拉放松地叹了口气，走向他。

翠克西颤抖得很厉害，她把威立当成被子盖、保持他们温暖的枯草都抖落了。它不像你可以拉过来盖好的毯子。你必须窝着不动，想些令你感觉温暖的事，保持乐观。她的脚还在痛，头发结冰了。她意识清醒，不知怎的，她觉得睡着睡着她可能就会身体变蓝，僵硬、死掉，可能没有发出任何声音，就默默地走到了人间的另一边。

威立呼出的气息形成了小小的白云飘浮在空中，像用绳子吊着的中国灯笼。他的眼睛闭着，那意味着翠克西可以随心所欲地凝视他。她猜想在这里长大是什么滋味，整天遭受像这样的暴风雪侵袭，知道该怎么救自己，而不需要别人帮忙。她猜想爸爸是否也知道该怎么救自己。关于生和死的基本知识，对他来说是否稀松平常，就像他知道怎么画恶魔、换保险丝，还有不把煎饼煎糊。

“你醒着吗？”她呢喃。

威立没有张开眼睛，他轻微地点点头，一条白色的小河流下他的鼻孔。

他们躺着，彼此的身体离半米多，中间堆着一些草，连接着他们的温暖。翠克西每次转向他那边，都可以感觉热量经过干草传导过来，像星星穿过夜空发出一闪一闪的亮光。她觉得他可能不会注意的时候，就缓慢地向他靠近一点点。

“有没有你认识的人死在野外？”翠克西问。

“有。”威立说，“不要在雪堆里挖个洞。不然要是死了，没有人找得到你，灵魂会永远不得安息。”

翠克西感觉她的眼睛湿了，那样很糟，因为眼睛几乎立刻就被结了冰的睫毛封住。她想到手臂上割出来的阶梯形伤口，她曾试着用这种真正的痛，来取代内心的腐蚀。现在她得到她想要的实质的痛苦了，不是吗？她的脚趾痛得像火在烧，手指肿得像香肠而且痛楚不堪。想到精致的剃刀片划过她的肌肤，和眼下相比似乎很滑稽，像一场苦情戏，而过去的自己根本不懂什么是悲剧。

或许当知道你可能会死，反而有了求生的意志。

翠克西抹抹鼻子，用指尖压压睫毛把上面的冰弄掉。“我不想冻死。”她低语。

威立吞咽口水：“呃……有个办法可以温暖一点。”

“怎么做？”

“把我们的衣服脱掉。”

“呵，是喔。”翠克西嗤之以鼻。

“我没在乱说。”威立撇开目光，“我们两个都……你知道……然后靠在一起。”

翠克西看着他。她不想跟他靠在一起。她一直想着上次她跟一个男孩靠得这么近时发生了什么事。

“只是那样做而已，”威立说，“不代表任何意义。我爸爸跟其他男人必须在野外过夜时，他们也会脱光挤在一起互相取暖。”

翠克西想象她爸爸那么做，想到爸爸没穿衣服的样子，她立刻停止了。

“我爸爸上次必须那么做的时候，整晚依偎着老艾利司·普夸他克睡觉。他发誓他再也不会出门不带睡袋。”

翠克西看着威立说话时吐出来的气在极低温中形成结晶，犹如雪花，她知道他说的是实话。

“你要先闭上眼睛。”她迟疑地说。

她脱下牛仔裤、厚外套和厚运动衫。她没脱胸罩和内裤，她必须这样。

“现在该你了。”翠克西说。她在他脱外套和其他衣服的时候她转开眼睛。不过，她偷瞄了一下。他的背是杏仁皮的颜色，肩胛骨那里像活塞一样。他脱了牛仔裤，在雪地上跳，发出细微的声音，像一个人在市立游泳池进入冷水中。

威立把一些草铺在地上，然后躺上去，示意翠克西也那么做。他拿他们的外套当毯子盖在他们身上，然后上面再覆上更多枯草。

翠克西紧闭眼睛。他靠近她时，她可以听到干草的窸窣声，他俩之间的草令她赤裸的肌肤发痒。威立的手碰触她的背，他从她背后搂抱她时，她浑身僵硬。他靠近她缩起来的身体，她像个空碗一样弯起膝盖。她连续做深呼吸，努力不去回想上一个她碰过的，上一个碰过她的男孩。

地狱之火从他的手指搁在她肩膀上开始，延伸到他们的肌肤接触的每一个点。翠克西紧贴着威立，发现她并没有在想杰森，或被强奸的那天晚上。她没感觉到威胁或害怕，几个小时来她第一次感到温暖。“有你认识的人死掉了吗？”她问，“像我们年纪的？”

威立过了一下才回答：“有。”

刺骨的寒风吹打着他们的防水布，像个多嘴老太在喋喋不休。翠克西松开拳头。“我也有。”她说。

贝瑟尔严格来说算个城市，但不能以一般的标准来界定。虽然它是沿河地带五十三个原住民村庄的中枢，人口却少于六千人。大约只有十三英里路铺设了道路，其中大部分不是柏油路。丹尼尔打开航站楼的大门，转身对劳拉说："我们可以搭出租车。"

"这里有出租车？"

"大部分人没有私家车。如果你家有船或雪地摩托车，倒没问题了。"

出租车司机是个矮小的亚裔女人，头顶上盘着粗大的圆发髻，像会随时雪崩。天色很黑，但她依旧戴着仿冒的古驰太阳眼镜，收音机里放着二十世纪五六十年代天后佩茜·克莱恩的歌。"你们要去哪里？"她问。

丹尼尔犹豫了一下。"你就开吧，"他说，"我会告诉你什么时候停下来。"

太阳终于冲破地平线，像个蛋黄一样升起了。丹尼尔望着窗外的景色：寒风吹着煎饼般平坦的不透明的冰面。车辙的路旁，可以零星地看到一些房子，从简陋的小木屋，到较大一点的20世纪70年代错层式住宅。一条路边有张丢弃的没有坐垫的长沙发，它肥胖的扶手上布满了冰霜。

他们的车经过了劳司镇、鳄鱼地附近、阿拉斯加商店、尤皮克族爱斯基摩人可以免费接受治疗的医疗中心。他们经过"白色爱丽斯"，那是个巨大的弯形建筑，像露天电影院的银幕，事实上，它在冷战时期是个雷达系统。丹尼尔小时候闯进去过无数次，他常常爬上去，穿过漆黑的中间区，坐到上面喝温莎威士忌一直到醉。

"好了，"他对出租车司机说，"停在这儿吧。"

长屋旅馆被乌鸦覆盖。屋顶上至少有一打，还有一群围着旁边的垃圾车，为了争食破掉的垃圾袋里的东西在吵架。丹尼尔付钱给司机，然后看着整修过的建筑物。当年他离开时，它都快废弃了。

有三辆雪地摩托车停在屋前，那已在丹尼尔的心灵深处归档。他想到了要往哪个方向去找翠克西后，他发觉自己需要一辆。如果他还记得，那么他不需要钥匙就可以发动一辆。或者他也可以走正当途径，用他的万事达信用卡租一台。它们还可以在阿拉斯加商店里买到，它们摆在乳品区的尽头，标价6.99美元的牛奶标价牌再过去。

“你知道一群乌鸦被视作不友善的象征吗？”劳拉站到他旁边说。

他看着她。不知为何，他们之间的距离在阿拉斯加变近了。或许必须离开犯罪现场够远，才能开始忘记细节。“你知道乌鸦最喜欢吃泰国菜吗？”他套用她的问话方式。

劳拉的眼睛一亮：“你赢了。”

一条横幅挂在旅馆的门口：K300总部。丹尼尔跺跺脚震落靴子上的雪，走了进去。这个狗拉雪橇比赛刚开始组织起来的时候，他还是个孩子，那时本地人像瑞克·史温森、杰瑞·奥斯汀和米隆·安格司曼赢了比赛才拿了几千块奖金。现在奖金是两万块，来参加的雪橇手——杰夫·金、马丁·布瑟和狄狄·琼罗威都是明星，有大企业支持他们的狗群。

屋里很挤。一群原住民小孩坐在地板上，喝着罐装可乐，传阅一本漫画书。两个女人在接电话，另一个认真地在白板上用印刷体写最新分组。尤皮克族的妈妈们抱着满月的娃娃，老年人阅读报纸剪贴簿，绑着蓝黑色辫子的女学生们拿现成的自助炖肉和水果派时，用手掩着嘴咯咯笑。每个人都穿着几层冬衣在移动，像航天员在遥远的星球表面行走。

丹尼尔想，与其上太空，还是这样的好。

他走到问讯台前。“不好意思，”他说，“我想找一个女孩……”一个女人伸出一根手指，示意等一下。

他拉开外套的拉链。在他们离家之前，他打包了一整袋寒冬的装备。他们出门后又立即去买了一些厚衣服。缅因州天气很冷，但是和爱斯基摩村的冷比起来简直是小巫见大巫。

那个女人挂断电话。“嗨，我可以……”电话铃声又响起了，她不说了。

丹尼尔失望地转身走开。不耐烦是离开阿拉斯加后发展起来的特征，在这里成长的孩子并不具备。冰原上的时间是有弹性的，它能拉伸得很开，然后在你没留神的时候，“啪”的一声弹回来。真的按时间表在运作的，是学校和教堂，大部分尤皮克族人去那些地方都会迟到。

丹尼尔注意到一位坐在椅子上的老人正在凝视着他。老人是个尤皮克人，脸上的肌肤表明他的一生多半在野外饱受风霜。他穿着绿色绒裤和毛皮连帽外套。“Aliurturua.”老人低语。我看到鬼了。

“不是鬼。”丹尼尔上前一步靠近他，“Cama-i.”

满脸皱纹的老人伸手握丹尼尔的手：“Alangruksaaqamken.”你意外出现，令我大吃一惊。

丹尼尔十五年没有说尤皮克语了，可那些话像一条河涌向他。事实上，这位叫尼尔森·查尔斯的老人是教他讲第一句尤皮克语的人：iqalluk，鱼；angsaq，船；terren purruaq，你这舔鸡巴的——那是尼尔森教他对因为他是kass'aq（白人）而捉弄他的小孩说的话。丹尼尔伸手碰了碰劳拉，她正惊讶地望着他们对话。“Una arnaq nulirqaqa.”他说。她是我太太。

“真漂亮。”尼尔森用英语说。他握她的手，但没有看她的眼睛。

丹尼尔对劳拉说：“尼尔森以前是个代课老师。原住民小孩有政府补助去安克拉治玩，我因为是白人不准去。尼尔森就带我短途郊游，去看渔网和动物的陷阱。”

“好些年没有代课了，”尼尔森说，“现在我是比赛裁判。”

丹尼尔明白，那意味着从有K300的比赛以来，尼尔森就在这里了。“听着，”他说，他发现他自己不经意地回到尤皮克语，因为那些话，即使像在舌头和喉咙长的刺，也不像讲英语那么难过，“Paniika Tamaumauq.”

我的女儿失踪了。

他不必向尼尔森解释为什么他认为孩子明明住在像隔了一个国家那么远的地方，失踪后竟可能在阿拉斯加出现。尤皮克族人了解，睡了一觉醒来，就未必是同一个人了。你可能变成一只海豹或一头熊，你可能越入死亡之地，你可能在梦里无意中大声说出你的愿望，然后发现你自己活在其中。

“她十四岁。”丹尼尔说，他试着描述翠克西，可不知道要说什么。她的身高、体重、头发的颜色？如何才能描述当她笑的时候，她的眼睛会眯得像闭起来？或者她涂三明治的时候坚持要把花生酱抹在上层，果酱抹在下层？或者她有时候半夜，她梦见一首诗，就起床写下来？

原本在打电话的女人从桌子后面走出来。“对不起，不断有人打电话来询问。我不认识这里的耶稣会的义工，其他人我都认识。有个女孩因为暴风雪班机延后来晚了，现在他们已经到吐鲁克萨克，去检查站就位了。”

“她长什么样？”劳拉问，“那个迟到的女孩？”

“有点瘦小。黑头发。”

劳拉转头对丹尼尔说：“那不是她。”

“这个女孩没有保暖外套，”女人说，“对一个知道要来阿拉斯加的小孩来说，我觉得那真是疯狂。她甚至连帽子都没戴。”

丹尼尔记得一个冬天他们开车去高中，翠克西坐在他的卡车副驾驶座上。外面好冷，他说，他递给她一顶他在外面砍木头时戴的亮橙色羊毛绒线帽，戴着这个。她回答，爸爸，你要让别人以为我是个大怪胎吗？

以前他住在阿基亚克时，有几次他会在事情发生之前就有预感。简单的，比如，他想到一只红狐，然后一抬眼就看到了。难度高一点的，意识到他身后有人准备打架了，那样他能及时转身挥出第一拳。有一次那种感觉甚至在他睡觉的时候唤醒了他：他听到开枪的声音，子弹打翻装篮球的手推车，篮球弹跳起来。

他妈妈说那是巧合，可尤皮克族人不那么认为。人们的生活像一片编织紧密的蕾丝，拉紧一条丝线可能会产生另一条皱折。虽然他年少时在阿基亚克不在意他那样的能力，但现在他意识到太阳穴的皮肤绷紧，眼前的光线移动得太快，然后他在脑中看到了女儿，她没有戴帽子，或穿戴任何东西，像在干草堆里发抖。

丹尼尔感觉心狂跳起来：“我必须去吐鲁克萨克。”

“Ikayurnaamken.”尼尔森说。让我帮你。

以前丹尼尔在这里时，不想要任何人的帮助。以前在这里时，他主动把所有帮助推开。现在他转而问尼尔森：“我可以借用你的雪地摩托车吗？”

吐鲁克萨克的检查站设在学校里，靠近冰河。雪橇手在岸边的草堆里安顿好他们的狗群后，走进室内吃热的食物。所有参与K300比赛的雪橇手要经过吐鲁克萨克两次，一次是去阿基亚克的路上，另一次是回程。他们会被强制休息四个小时，兽医会在其中一个检查站检查狗的状况。翠克西和威立抵达的时候，一队狗正在河岸边闲晃，雪橇手不在场，只有一个带着写字夹板的青年在看着它们，问他们在路上是否见到别人。在所有参赛的雪橇手之中，还有一个还没经过土鲁克萨克，他可能被暴风雪耽搁了。他在阿基亚克报到后，没有人再听到过他的消息。

今天早上翠克西没有跟威立讲过话。她醒来时讶异已经早上六点多了。她先注意到没有下雪了，又发现自己不冷了。威立的手臂盖在她身上，他的气息吹拂着她的颈背。最尴尬的是，翠克西感觉到他那个坚挺的东西压着她的大腿。她慢慢地移动离开他，她的脸发烫，努力集中精力让自己在他醒来明白他出丑之前，穿好所有衣服。

威立把雪地摩托车停在学校外面后下了车。“你不进去吗？”翠克西问，可他在修引擎，似乎一点没打算介绍她跟里面的人认识。“随便吧。”她低声咕哝，走进大楼里。

一进门就是一个玻璃的奖杯盒，里头有用羽毛和毛皮装饰的木制面具和一个铭刻着篮球的可爱奖杯。一个马脸的高挑的男孩站在奖杯盒旁。“你不是安蒂。”他诧异地说。

负责土鲁克萨克检查站的耶稣会义工是一群大学生年纪的孩子，他们在贝瑟尔当地的诊所做和平志工队。翠克西本以为耶稣会里都是神职人员，但他们显然不是。她问威立他们为什么取这个名称，他只以耸肩来回答。

“我不知道安蒂的事，”翠克西说，“我只是被告知要来这里。”

她屏住呼吸，等这个男孩指着她尖叫说她是冒充的！可在他做出任何反应之前，威立走进来，跺跺靴子。“嗨，威立，你好。”高男孩说。威立点点头，走进其中一间教室，朝一张上面有炖锅和沙锅的桌子走去。他给他自己舀了一碗不知道什么东西，然后消失进另一个门。

“喔，我是卡尔。”男孩说着伸出手。

“翠克西。”

“你曾经做过这些事吗？”

“喔，当然，”翠克西谎称，“做过不知道多少次了。”

“太好了。”他领她进教室，“现在事情有点疯狂，因为比赛分秒必争，一支队伍抵达，我们只有五秒钟的时间让他们熟悉这里：第一件也是最重要的事，食物在哪里。”他指着说，“本地人整天都会送食物过来，如果你还没吃，我建议你喝海狸汤。你刚才进来的门的另一边是一间教室，那里是雪橇手进来中途休息睡觉的地方。他们基本上会抓个垫子，告诉你几点要叫醒他们。我们轮班，每半个小时必须有个人坐到河边，在这种天气那实在是残忍又不寻常的惩罚。一个雪橇手进来，如果你在值班，一定要告诉他，他到的时间，并打电话去总部，然后带他去看哪个胶合板围栏里有他的装备。现在大家都有点担心，因为暴风雪之后，有一队还没有出现。”

翠克西听着卡尔说话，该点头的时候点头，可是他简直在说非洲斯瓦希里语。或许如果她看看别人怎么做的，然后到时候模仿就可以了。

“还有，你得知道，”卡尔说，“雪橇手可以把狗丢在这里。”

为什么？翠克西想，看它们的脚是不是能着地吗？

手机铃响了，有人喊卡尔的名字。翠克西一个人晃来晃去，希望能避开威立。他似乎很容易就避开了她。整个学校好像只有两间教室，翠克西想到贝瑟尔高中复杂的校园设计，在九年级开始之前，整个夏天她都在默记地图。

“你到了。”

翠克西转身，是和她同机由安克拉治飞来的兽医。“是啊，不可思议。”她说。

“我等下还会在外面见到你。外面有个棘手的冻伤病例要我去处理。”他拉上外套的拉链，挥了挥手走出门去。

翠克西饿死了，可还没饿到想吃可能有海狸在里面的东西。她被教室角落的煤油炉吸引了过去，伸出双手到炉前。它还没有威立的皮肤温暖。

“你准备好了吗？”

就像她的想法召唤了他来一样，威立忽然站在她旁边：“准备什么？”

“在这里工作。”

“喔，对，”她说，“简单。”他假笑一下，开始走开。“嘿，你要去哪里？”

“回家。我的村子在这里。”

直到那一刻，翠克西都还没想到，她必须靠自己了。作为一个未成年女孩，她一直都是一个群体的一分子——家庭、班级、团体。总有人插手管她的事。有多少次她跟妈妈吵架后，怒气冲冲地走开，喊叫着她只想独处？

许愿的时候得小心，翠克西想。一天的独处后，她正为将失去一个完全陌生的男孩的陪伴而沮丧。

她努力从脸上抹掉所有的情绪，而威立在她面前也显得同样冷淡。然后她想起她还穿着属于威立的外套，她挣扎着要脱掉。

威立把她的手推离拉链。“你穿着吧。”他说，“我晚一点会回来拿。”

她跟着他走出学校，感觉冷风在她的头皮上铲起短发。威立朝一簇比较小的房子走去，远处看起来像一幅烟灰色和棕色的写生画。他把双手插进口袋里，转过身来倒着走，那样就不必迎风了。“威立，”翠克西喊道，他没有抬头看，但停下脚步，“谢谢你。”

他把头缩得更低，表示他听到了，然后继续倒退着走向村子。这很像翠克西现在的感觉：就算能到达目的地，它也是以错误的方式到达的。她望着威立，即使已经看不见他了，她还假装看到他，直到被河边的狗吠声转移了注意力。

她和威立刚抵达时看到的耶稣会志工还站在岸边的冰地上，守着同样的狗队，狗喷出来的气宛如结霜的小标点符号。义工对翠克西微笑，递给她写字夹板：“你是来跟我换班的吗？这里冷死了。嘿，听着，芬·汉隆上去上厕所了，他在等兽医检查完整支狗队。”

“我该做什么？”翠克西说，可是男孩已经抄近路爬上一个小坡，想赶快进学校取暖。翠克西紧张地四下张望。兽医太忙了没有理她，几个原住民小孩在踢雪碧罐子玩，他们的爸妈一边换着脚跳着躲避严寒，一边谈论今年谁会赢得比赛。

领队的狗看起来很累。翠克西同情这些可怜的小东西。她跟它们走同样的路程，一路坐在雪地摩托车后座，结果还差点没命，而它们还要赤脚光着身子在雪地上奔跑，那是什么感觉？她瞟兽医一眼，他会留心警戒着，以防最后一个雪橇手进来的，不是吗？她离开狗队去一排胶合板储物柜那里。她把手伸进其中的一个，抓出一把狗食，走回爱斯基摩犬。她摊开手掌喂狗，它们狼吞虎咽时粗糙又温暖的舌头刺激着她的肌肤。

“天哪，”一个声音喊道，“你想害我被取消资格吗？”

一个戴着十二号码牌的雪橇手低头看着她。她瞟向她的夹板：芬·汉隆。

“你在喂我的狗！”

“对……对不起，”翠克西吞吞吐吐地说，“我以为……”

汉隆不理她，转身问兽医，“你的结论是？”

“它没事，但再跑下去就会出事。”兽医站起来，双手在外套上抹了抹。

雪橇手跪到一只狗旁边，揉揉它的两耳之间，然后松开它的缰绳。“我丢下它了。”他把颈绳交给翠克西。她握着颈绳，看汉隆重新调整曾经是裘诺的伙伴的缰绳，把雪橇拉直。“记录我的出发时间。”他命令道，接着踏上雪橇的滑板，握住环状把手。“好了。”他叫道，然后狗队往北方沿着河慢跑起来，在河岸上的观众的欢呼声中加快速度奔跑。

兽医收拾袋子。“我们让裘诺舒服一点。”他说。翠克西点头，拉着颈绳，开始牵着狗走向学校的建筑物。

“真是好笑。”兽医说。

她转身，他正站在河边一根打入草地的木桩前。“可是这里好冷……”她说。

“你也注意到了？把它系好，我去拿些草。”

翠克西把狗的颈绳扣到木桩上。兽医回来了，怀里抱着一些草。“你会惊讶这有多舒服。”他说。翠克西想到了她和威立共度的夜晚。

一小群观众突然振奋起来，他们指着地平线冰河消失的某个点。翠克西用她戴连指手套的手抓着夹板，看向远处针孔那么小的点。

“是埃德蒙！”一个尤皮克男孩大叫，“他到了！”

兽医站起来。“我去告诉卡尔。”他说。他留下翠克西一个人。

雪橇手穿着长及膝盖的白色连帽毛皮外套，他是六号。“停。”他叫，他的爱斯基摩狗儿们停下脚步，喘着气。最接近雪橇的一只狗在冰上蜷曲得像船首雕饰，闭上了眼睛。

小孩子涌到河岸来，拉雪橇手的外套。“亚历士・埃德蒙！亚历士・埃德蒙！”他们叫道，“你还记得你去年见过我吗？”

埃德蒙摆脱他们。“我必须弃权。”他对翠克西说。

“嗯，好。”她回答，怀疑他为什么要声明大家都知道的事。埃德蒙从她手里拿走夹板，在他的名字上面画一条线，又交还给她。他从雪橇的篮子里拉出睡袋，一个尤皮克族的老人露了出来，他散发出浓烈的酒味，边打呼边打颤。“我在路上发现了他。他一定是在暴风雪中昏迷了。我昨晚嘴对嘴给他做人工呼吸，他才重新呼吸了，天气太糟，不能送他去贝瑟尔医疗中心。这里是最近的检查站……有人能帮我把他抬进里面吗？”

在翠克西跑去学校找人之前，卡尔和其他义工匆匆赶到河边。“哇噻，”卡尔看着醉汉说，“你可能救了他的命。”

“无论如何都值得。”埃德蒙回答。

翠克西看着义工把老人拖出雪橇，抬进学校。旁边的人用夹着英语的尤皮克语讲话，翠克西能捕捉到一些句子：**埃德蒙以前是个急救员……金古饶坦・约瑟夫该死的丢脸……应该付出代价**。一个戴着猫头鹰形眼镜、长着小巧弓形唇的尤皮克女人走近翠克西。她倾身看夹板，指着划掉的埃德蒙的名字。“我赌了十块钱他会赢。”她抱怨道。

所有的狗队都经过了，观众们散去，朝威立的村子走去。翠克西好奇，威立是否和任何一个为埃德蒙欢呼的小孩子有亲戚关系。她想知道他回家后在做什么。像她在家里时那样，倒酒或柳橙汁？洗澡？躺到他的床上想她？

就像所有的活动都来得那么突然一样，散场后河岸上一下子空无一人。翠克西看向北方，芬・汉隆和他的狗队早已淡出视野。她看向南方，可她看不出她和威立来时的路了。太阳几乎爬到她头顶了，冰面微融，她想辨认白色冰原上的踪迹，但看得眼睛灼痛。

翠克西坐到裘诺旁边的枯草上，用她戴手套的手轻挠它的头。这是只哈士奇，它抬起头，用一只棕色一只蓝色的眼睛看着她，它喘气的时候，看起来好像在微笑。翠克西想象当一只雪橇狗的感觉，必须做好分内的工作，否则就会被抛弃。那是什么滋味？她想象在一块陌生的土地上靠自己的直觉来知道你来自哪里和要去哪里之间的差异。

冬天河流结冰以后，都会有公路号码。任何时候你都会看到老旧的卡车和雪橇队在冰上奔驰，没有特定的方向和平行的路线。和大部分的尤皮克族爱斯基摩人一样，尼尔森不戴安全帽或防风镜。丹尼尔骑着老人的雪地摩托车，为了抵御寒风，他必须低下身尽可能接近透明的挡风板。劳拉坐在他后面，脸贴在他的外套上。

冰河中央有一辆停着的白色卡车。丹尼尔放缓速度，他可以感觉到劳拉放松了下来。她虽然没抱怨，但她一定冷死了。“这里一定是个检查站。”他说。他下了摩托车，大腿似乎仍能感觉到引擎的震动。

一个编着细发辫的白人女人摇下驾驶座的车窗。“蒙上帝爱怜，金古饶坦·约瑟夫在一户人家的后院昏过去了。”

金古饶坦在尤皮克语里头是“太迟”的意思。丹尼尔拉下围着他脖子和嘴巴的颈套。“我想你认错人了。”他说，然后觉得他认识卡车里的女人。“黛西？”他迟疑地问。

当丹尼尔还是个孩子的时候，他们叫她“疯狂的黛西”，她以前驾着雪橇东奔西跑，负责给原住民的村子送信。她皱起眉：“你到底是谁啊？”

“丹尼尔·史东，”他说，“安奈特·史东的儿子。”

“安奈特的小孩不是叫那个名字。他叫……”

“华斯。”丹尼尔帮她说完。

黛西挠挠头皮：“你不是气得离开这里，因为……”

“没有，”丹尼尔撒谎，“我只是离开去上大学。”大家都知道疯狂的黛西在六十年代追随迷幻大师提摩西·李雷吸食迷幻药，所以她的脑袋有部分功能坏了。“你有没有刚好看到一辆雪地摩托车经过，上面坐了一个白人女孩和一个尤皮克男孩？”

“今天早上吗？”

“是的。”

黛西摇头。“没有，抱歉。”她指了指卡车后面。“你要进来暖和一下吗？我有咖啡和士力架。”

“不，谢了。”丹尼尔陷入了沉思。如果翠克西还没有经过阿基亚克，那他怎么会在路上错过她？

“或许晚一点，”黛西在他转身发动雪地摩托车时说，“我想跟你叙叙旧。”

丹尼尔假装没听到。可在他绕过卡车时，黛西像个疯女人一样挥舞着手，想吸引他的注意。“今天早上没有人经过，”她说，“不过昨天晚上暴风雪来袭前，有一个女孩和一个男孩经过。”

丹尼尔没有回答，他加速引擎，骑上河岸进入了阿基亚克，十五年前他逃离的小镇。他们以前会去洗衣服和洗澡的自助洗衣店，现在成了便利商店和录像带出租店。学校还在原址，是耐用的灰色建筑，它旁边的房子是他长大的地方，屋前的木桩绑着两只狗。丹尼尔猜想现在谁住在那里，是不是还是老师在住，她是不是已经有孩子了。篮球是否仍然有时候会莫名其妙地自己在体育馆里弹跳，最后一个为学校锁门的人可曾见过自杀的老校长的鬼魂，还挂在仅有的一间教室的横梁上。

他把雪地摩托车停到学校隔壁的房子前，一间和他家里还有点关系的小屋。屋子前停着一辆雪地摩托车。一艘铝制的船从一块蓝色的防水布下面露出来。雪花剪纸和红色的金属十字架贴在窗上。“我们为什么停下来了？”劳拉问，“不是找翠克西吗？”

他跨下雪地摩托车，转身对她说：“不要跟我去。”

她不习惯这种刺骨的冷，他也不肯为了她冒永远失去翠克西的危险而减慢骑车的速度。当丹尼尔找到翠克西，有一部分的他想独自面对女儿。有好多事情他必须解释。

劳拉凝视着他，哑口无言。她的眉毛结了霜，她的睫毛被冰凝在一起，她终于开口，但她的话语像一条在他们中间的横幅。“请你别这么做，”她哭了起来，“带我去吧。”

丹尼尔把她拉进怀里，猜想劳拉以为这是个惩罚，以为他以这样的方式报复她的不忠。她似乎变得脆弱了，那令他想起他们多么容易依旧在互相伤害。“如果我们必须走过地狱去找翠克西，我会跟着你去。可是这是不一样的地狱，我是知道路的那个人。我请求你……我哀求你信任我。”

劳拉张开嘴巴，她可能说出来的回答，出了口却成了无法言说的烟圈。信任正是他们之间不再存在的东西。“如果我不必为你担心，我可以走得快一点。”他说。

丹尼尔在她眼中看到真正的恐惧。“你会回来吗？”她问。

“我们两个都会回来。”

劳拉环顾满是雪地摩托车车辙的街道，街上放着储存公共用水的容器。这个小区安静，风大，酷寒。丹尼尔知道，它看起来像一条了无生气的死巷。

“跟我来。”他领劳拉走上木头楼梯，没有敲门便打开门，进入一个像是湿衣间的门厅。塑料袋钉在天花板的木框上，地上是成堆的报纸，一双靴子向右边翻倒，一张鞣过的兽皮摊开在后面的墙上。从旁边的门可以进到正屋里。门厅的亚麻油地毡上有个被切下来的麋鹿蹄和半副冷冻的肋排。

劳拉迟疑地跨过地上的东西。“这里是……你以前住的地方？”

里面的门打开来，一个年约六十岁的尤皮克族女人走了出来，怀里抱着一个婴儿。她看了丹尼尔一眼便往后退，眼中泛出泪光。

“不是，”丹尼尔说，“是肯恩的家。”

查尔斯和米妮·强森夫妇是丹尼尔唯一童年玩伴的父母，他们对待丹尼尔就像对待一个坐在他们餐桌旁喝咖啡的鬼那样尊敬。查尔斯肤色很深，皱纹多得像肉桂棒，他穿着起皱的牛仔裤和红色的牛仔布衬衫，仍叫丹尼尔的另一个名字，华斯。他的眼睛因为罹患白内障而浑浊不清，好似人生是倒进身体里的什么东西，在记忆漂浮过意识的窗消失之前，这艘身体的船只能承载那么多了。

“好久了。”查尔斯说。

“是的。”

“你一直住在别的州？”

“是的，和我的家人。”

沉默良久。“我们猜想过你什么时候会回家。”米妮说。

尤皮克人不会谈死亡，因此丹尼尔也不会谈。可是他对沉默已缺乏练习。在尤皮克人的家里，问题和回答之间可能相距十分钟。有时候你甚至不必回答出声，因为那些时间已足以让发问的人思索你的回答。

他们沉默地围着餐桌坐着，直到一个年轻的女人走进前门。她显然是米妮的女儿，她们有着同样灿烂的笑容和山核桃木般平滑的肌肤，丹尼尔记忆中的她还只是喜欢用刀说故事的小女孩——用抹刀在软泥地上画她讲的故事。不过现在，她抱着她自己的、在怀里蠕动的胖小子，婴儿看了劳拉一眼，指着她笑。

“对不起，”依莲羞怯地说，“他从来没见过那种颜色的头发。”她解开围巾，拉下外套的拉链，然后帮孩子这么做。

“依莲，他是华斯，”查尔斯说，“他很久以前住在这里。”

丹尼尔站了起来，婴儿向他伸出手。他微笑着接住扭动着要离开妈妈怀抱的男孩：“这个小家伙叫什么呀？”

“我儿子，”依莲说，“他叫肯恩。”

依莲跟她父母住在同一栋房子里，还有依莲的两个较大的孩子和她丈夫。她姐姐欧若拉也是，她比依莲大十七岁，正大肚子。与他们同住的还有一个接近三十岁的弟弟，劳拉看到他在屋里唯一的卧室里狂热地玩任天堂的棒球游戏。

餐桌上的碗里有一大块冷冻的肉。如果劳拉必须猜的话，她觉得它和放在门厅那里的麋鹿蹄有密切的联系。厨房有炉子可是没水槽，取而代之的是角落里一只装满了水的五十五加仑的大圆桶。干鱼饵和古董手刻小艇的桨从天花板上悬挂下来。五加仑的提桶里满是猪油和干鱼，放在破旧的沙发旁。墙壁上挂满了与宗教相关的东西：教堂活动表，耶稣和玛利亚的饰板，印着圣人节日的月历。任何空出的方形空间上都钉着照片：最近的娃娃照，依莲、欧若拉和兄弟们的旧学生照，还有男孩丹尼尔被控谋杀的剪报。

劳拉被留在这里真是一个巨大的讽刺，劳拉想想就冒冷汗。她想到丹尼尔说过，阿拉斯加的荒僻冰原是人们容易消失的地方。那是翠克西的什么预兆，或是丹尼尔的？这对劳拉自己而言又意味着什么？

在缅因州，当劳拉的人生颠簸脱轨时，她感到陌生和害怕。在这里，她虽然没有标准可比较，但不知道接下来会发生什么事变成正常的。她不懂为什么大家都不看她的眼睛，不懂为什么在玩电动玩具的男孩不出来自我介绍，为什么房子比车库还小，却有最新的电动玩具设备，为什么一个家庭曾经相信你杀了他们的儿子，却欢迎你进他们家。这里的世界颠倒了过来，天地间的裂缝变换了方向。

丹尼尔平静地跟查尔斯讲关于翠克西的事。“对不起，”劳拉倾身对米妮说，“我可以借用一下洗手间吗？”

米妮指向走廊。它的尽头是个压扁的冰箱的外包装硬纸箱，像个屏风立在那里。“劳拉。”丹尼尔预备站起来。

“我没问题！”她说，因为她想，如果她能让丹尼尔相信她没问题，那么或许他也会说服她一切都好。她走到屏风后面，她的下巴都快掉下来。没有浴室，没有马桶，只有一个白色的桶，像客厅里装干鱼的桶，上面安了个马桶座。

她脱掉滑雪裤坐上去，全程闭着气，祈祷没人在听。当劳拉和丹尼尔刚开始同居的时候，他们之间还有某种羞涩。毕竟，她怀孕了，那加速了原本可能得花上许多年才能达成的承诺关系。劳拉记得丹尼尔在最初几个月，把他的衣服和她的分开来洗。她也留心避免在丹尼尔淋浴时进去上厕所。

她想不起来确切地什么时候开始他们的衬衫、牛仔裤和内衣才一起放进洗衣机里，或者他离她只有两英尺的地方刷牙，她在尿尿。当两个人的历史连接成了一个，事情就简单了。

劳拉拉直她的衣服，从屏风后面走出来，洗手甚至不是个选项。丹尼尔在狭窄的走廊上等她：“我应该先告诉你马桶的事。”

她想到平常如果洗碗机里的碗碟没有多到满出来，丹尼尔就不会用，还有他淋浴一向不会超过五分钟。她总是以为他节俭，现在她明白，当你在一个水是奢侈品、自来水管是个遥远的希望的地方长大，那可能就成了根深蒂固的习惯。

“我得走了。”丹尼尔说。

劳拉点头。她想对他微笑，可她笑不出来。现在和下一次看到他之间，可能发生太多事情。她拥抱丹尼尔，把脸埋在他胸前。

他领她进厨房，他握了握查尔斯的手，用尤皮克语说：“Quyana. Piurra.”

劳拉跟着丹尼尔走进门厅。她站在前门，看着他发动雪地摩托车。他挥手告别，用嘴形说出他知道她不可能越过引擎的咆哮声听到的话。

我爱你。

“我也爱你。”劳拉呢喃。丹尼尔将一切都甩在了身后：疲惫的身影、雪地上的车辙，和他们很久都没说出的真相。

巴索雷米看着思奇帕·乔汉生给他的分析结果报告。“你有多确定？”他问。

思奇帕耸肩：“和这个特别的基因类型一样确定。世界上有万分之一的人口和你嫌疑人的线粒体DNA基因图谱相同。那就是六十万人，他们中的任何一个都可能到过犯罪现场。”

“可那也排除了九千九百九十九分之一的人到过那里的可能性。”

“对。至少根据你在被害人身上发现的头发，是这样的。”

巴索雷米看着她：“而翠克西·史东不在那九千九百九十九分之

一的人里面？”

“是的。”

“所以我不能排除翠克西·史东。”

“线粒体分析是这么说的。”

从这个角度来看，可能性增加了，巴索雷米想：“即使麦斯说……”

“我没有要侮辱麦斯的意思，可相较于像我这样有效的科学实验，没有一个法庭会重视用人眼观察所得到的分析。”思奇帕对他微笑。“我想，”她说，“你找到嫌犯了。”

强森家族是电玩迷。他们尤其喜欢会亲吻任何有两条腿的生物的理查德·道森主持的抢答益智游戏。米妮常用手肘轻撞她老公说，“我要跟理查德私奔。”

“没错，他会奔，当他看到你要追他了，就会马上开始狂奔。”查尔斯笑道。

他们有卫星电视、平面电视、索尼的家用电视游戏机、任天堂的家用电视游戏机、DVD播放器，和令劳拉汗颜的音响设备。罗蓝，就是那个不喜欢社交的弟弟，用今年阿拉斯加永久基金公司给他的支票买了所有这些设备。那个基金是自1984年以来，政府分给每个阿拉斯加人的石油红利。强森家一整年只靠查尔斯拿的1100美元支票过活，再狩猎驯鹿以及把夏天时钓的鲑鱼做成鱼干。罗蓝告诉她，阿基亚克的居民甚至可以免费无线上网，他们能得到政府基金的技术支持，因为他们既是镇民也是原住民，可是没人用，因为你必须先买电脑，那得花掉将近永久基金公司给予的一整年红利。

当劳拉看够了理查德·道森，她穿上外套走到外面。有人在电线杆上钉了个篮筐，球半埋在圆丘形的雪堆中。她把球挖出来，拍了拍，惊讶地听到了回声。这里没有除草机、刺耳的收音机或饶舌音乐的声音。没有运动型多用途汽车的摔门声、小孩涌下校车的喧哗声和附近的公路传来的“咻咻”的汽车开过的声音。在这里，你能把想法都拼凑在一起，试着按它行动，你会听到在滚动的心思逐渐变得清晰。

劳拉知道翠克西绝对没有谋杀杰森，她不懂女儿为什么要逃走。只是害怕吗？或者她知道更多关于那晚发生的事，只不过还瞒着？

劳拉怀疑是否可能永远逃亡。丹尼尔做到了。她知道他的童年与众不同，但她从没想过会是如此全然的不同。她在大学时代认识的坏男人和现在与她在一起的好丈夫之间，已经有了一个莫大的二分法。但其实有条更大的鸿沟，落在她刚认识的丹尼尔和在爱斯基摩村里困顿成长的华斯之间。劳拉想，丹尼尔把他的那些个性放到哪里去了。如果你了解一个人，其实也只能了解那一刻的他，因为离现在一年后，甚至一天后，他就可能变得不同。劳拉想，如果一个人重新创造他自己，是否会和动物蜕皮那么自然。

如果要说实话——她不是早就该这么做了吗——劳拉必须承认翠克西也变了。她想要相信，关上了的卧室门后面，女儿还在玩电子游戏和娃娃屋。可事实上，翠克西隐藏着秘密，不断突破底线，变成了某个劳拉不认识的人。

丹尼尔则密切关注着翠克西的变化。他一直很紧张，担心女儿会长大，要迎接世界的挑战，被它压扁。结果，在丹尼尔被他太太的背叛短暂分心转身的时候，翠克西在一瞬间长大。

令人震惊的，不是不了解你爱的人，而是不想承认你不了解自己。

门突然打开，劳拉跳了起来，思绪像一群乌鸦一样散开了。查尔斯站在台阶上抽烟斗：“你知道如果走到外面，附近又没有尤皮克人，那意味着什么吗？”

“不知道。”

“站在这里太冷了。”他拿走劳拉手里的篮球，漂亮地投篮入网，他们一起看着球滚进邻居家的院子。

劳拉把手插进口袋。“好安静。”她说。多么讽刺，她想，因为没话可说所以才开口说话。

查尔斯点头：“时常会有人搬去贝瑟尔，然后再搬回来，因为那里太吵了。那里发生太多事情。”

很难想象有这种事——劳拉都不觉得贝瑟尔是个大都市。“那纽约可能会令他们的头爆炸。”

“我去过一次，”查尔斯的话令她惊讶，“喔，我去过很多你想不到的地方，加州、佐治亚州，在我当兵的时候。还有俄勒冈州，我去那里上学。”

“大学？”

查尔斯摇头：“寄宿学校。他们立法让每个村子都有学校之前，政府曾用船把我们载去和白人小孩一起学习。你可以选学校，一个在俄克拉荷马州，可我选择去了俄勒冈州的齐马瓦，因为我的堂哥们在那里上学。我吃的全是白人的食物，水土不服到你无法想象，差点被高温融化。有一次我企图用鞋带设陷阱抓兔子而惹上麻烦。”

劳拉试着想象那是什么感觉，被送离你唯一的家，只因为别人认为那样对你最好：“你一定很痛恨那样。”

“那时候是的。”查尔斯说。他倒掉烟斗里的东西，踢雪覆盖余火，“现在我不那么确定了。我们大部分人都会回来，可我们看过了外面的世界，看到了那些人是怎么生活的。现在一些小孩从来没有离开过村子。他们见到的kass'aq（白人）只有老师，而那些老师之所以会来这里，不是因为没法在自己的城镇里找到工作，就是为了逃避什么，他们都不是模范教师。现在的孩子都在谈论要离开村子，可当他们真的那么做，像搬去贝瑟尔，都感觉一百倍的糟糕。外面的人们步调太快，话太多，只不过出去混了一趟后，年轻人很快就回到了这个他们不想待的地方。他们知道没有别的地方可去。”查尔斯瞥向劳拉，把烟斗塞回他的外套口袋，“我儿子就是那样。”

她点头：“丹尼尔告诉过我他的事。”

“他不是第一个。那一年在他之前，一个女孩吞药自杀。更早一点，两个球员上吊。”

“我很遗憾。”劳拉说。

“我一直都知道华斯没有杀肯恩。肯恩无论如何都会那么做，他会自杀。有些人，他们掉进一个洞里太深了，他们不知道要抓住什么才能爬出来。”

而有些人，选择放手，劳拉想。

虽然才两点，太阳已经落到了地平线。查尔斯走回台阶。“我知道这个地方对你来说像火星。我和你，我们的差异极大。可我也知道失去一个孩子的感觉。”他在最上面一阶转身，“别冻死了，否则华斯永远不会原谅我。”

他把劳拉留在外面看晚霞。她发现静寂能安抚她的情绪。渐渐习惯于沉静比你想象的容易。

耶稣会的义工努力提高金古饶坦·约瑟夫的体温，他们割开他结冰的衣服，用毯子盖着他。他们发现他随身带着一只用骨头做的精致鸽子、一把雕刻刀，还有藏在靴子里的三百元。卡尔告诉翠克西，这塞在袜子里的现金，相当于约瑟夫的健康保险。

翠克西刚从河岸换班回来，她冷到快冻僵。“你们两个何不一起取暖？”卡尔建议，他留下她照顾老人。

她不介意接下这个工作。在雪橇手从吐鲁克萨克跑到卡司卡格和阿基亚克，再回来之前，大部分义工都会趁机补觉。可翠克西很清醒，她在路上和威立一起睡过了，她还在倒时差。她记得每年夏令时结束的时候，要把时钟调回去，爸爸会坚持不调，那样他就有了额外的一小时，可以做更多工作。问题是，当他利用每天早上的额外时间，他晚上就会更早在电视机前累得睡着。最后他终于放弃，和全世界一起活在同一个时间里。

她希望爸爸现在在这里。

“我想念你。”他回答。翠克西在学校幽暗的教室里转过身。她的心脏怦怦跳，可没有其他人。

她看着约瑟夫。他有一张尤皮克族人的轮廓分明的宽脸，白发下垂缠结成螺旋状，短胡须在月光下闪动着银光。他的双手在胸前交叉，翠克西想这手和爸爸的完全不同，约瑟夫的手粗短结茧，是劳工的手；爸爸的手指修长光滑经常沾着墨水，是艺术家的手。

“喔，奈蒂，”他呢喃，张开眼睛，“我回来了。”

“我不是奈蒂。”翠克西说，她退开了一点。

约瑟夫眨了眨眼睛：“我在哪里？”

“吐鲁克萨克。你差点冻死。”翠克西迟疑地说，“你喝得大醉，在K300的路上昏了过去，一个雪橇手退出比赛把你送到这里。他救了你的命。”

“不该麻烦的。”约瑟夫轻声说。

约瑟夫的某种神情让翠克西感觉有点熟悉，她多看了一眼他眼睛周围的皱纹和他的眉毛弓起来的样子。“你是耶稣会的义工吗？”

“这里有耶稣会的义工，”翠克西说，“但我不是。”

“那你是谁？”

这可不是“六万四千奖金机智问答”的电视节目。即使约瑟夫拿枪指着她的头，她也答不出来。她只是报名字解释不了任何事情。她记得她以前是谁，那画卷就像在雪花玻璃球里，如果用力摇它，就会模糊不清，只有屏住呼吸等待，才可能看得清楚。她可以看看自己，然后告诉你，她多么惊讶自己会来到这么远的地方，她觉得多么不可思议，说谎竟和呼吸一样简单。她说不清到底出了什么事，让她变成了另一个人。

她爸爸以前告诉过她，她八岁的时候，曾在半夜因为感觉四肢灼痛而醒来，好像它们刚从插座拔出来。那是生长痛，他同情地说，然后她大哭，以为等第二天早上醒来，会变得和他一样大。

奇妙的是，她真的那么快就长大了。在上中学的那些早上，她每天仔细检查胸部，看它是否又长大了一点点，她在浴室里对镜练习亲吻，确保当她期待的那一天来临时，她的鼻子不会挡路。她殷殷苦等一个男孩注意她。结果，长大就如同她害怕的那么可怕。某一天闹钟响起，你起床，发现脑子里装满了如同是别人的想法……或者那些是你的旧想法，只不过减去了希望。

见翠克西没回答，约瑟夫又问：“你确定你不是奈蒂吗？”

那是他刚才叫她的名字：“谁是奈蒂？”

“喔。”他的脸转去面向墙，“她死了。”

“那么我不是她的概率很高。”

约瑟夫似乎感到讶异：“你没听说过女孩死后会回来吗？”

翠克西翻白眼：“你还在说醉话。”

“一个年轻女孩死了，”约瑟夫说，好似没听到她的话，“可是她不知道她死了。她只知道她去旅行了，她到了一个村子。她奶奶也住在那个村子里，她们一起住那里。她们不时去另一个村子，女孩的爸爸会给她毛皮外套。她不知道的是，他其实是把毛皮外套送给了他女儿过世后才出生的与她同名的女孩。”

约瑟夫小心翼翼地坐起来，一股浓烈的酒味扑向翠克西：“有一天，她们要从那个爸爸的村子回家，女孩的奶奶说她忘了带某样东西。她要女孩一个人去拿回来。奶奶告诉她，如果她遇到了一棵倒下的长青树，看起来好像她应该从下面钻过去或绕过去，但她必须从上面过去。”

翠克西双手在胸前交叉，她不想听荒诞的故事，但还是听下去。

“女孩走回那个村子，的确遇到了倒下的树。她按奶奶说的做，可当她要从上面爬过去时，她跌倒了，然后就什么都不记得了。她想不起回奶奶家的路怎么走。她开始哭。就在那时候，一个村里的男人从qasgiq（男人群居地）走出来，他听到哭声，循声去找，看到了这个已经死了几年的女孩。他试着抓她，但只抓到了空气。”

当然，翠克西想，因为你变得越多，剩下的就越少。

“男人用食物摩擦他的手臂，这样即使女孩挣扎，他也能抓着她了。他把她带回qasgiq（男人群居地），可他们两个不断从地板上浮起来。一个老人给女孩擦海豹油灯流下来的油，她就能站住了，不再飘浮。他们看到，这个女孩长得和死掉那个女孩一模一样。她穿着多年来她爸爸送给与她同名的女孩的毛皮外套。你可以猜到，她回来后，跟她同名的女孩过了没多久就死了。她最后活到很老。”他说，“她告诉人们她去过的那个叫Pamaalirugmiut的地方是什么样子，朦胧的、看不清的样子。”

“真的吗？”翠克西一点也不相信这个故事的真实性，“让我猜，那里有白光和竖琴的乐声？”

约瑟夫困惑地看着她：“不，她说那里很干燥。人们死后总会口渴。那就是我们为什么要用新鲜的水送死者上路。以及为什么，我总是在找一点东西来滋润我的喉咙。”

翠克西想到了杰森，她蹲了下来，不禁颤抖：“你没有死。”

约瑟夫倒回垫子上。“你会感到惊讶的。”他说。

“外面还不至于冷到让我不想散步。”欧若拉·强森以完美的、没有口音的英语对劳拉说。她站在那里，等劳拉回答，好像这是一个问题。

或许欧若拉想找人讲话，但不知道该如何表达。劳拉能理解。她站起来，拿起外套：“你介意我陪你去吗？”

欧若拉微笑，套上一件长及膝盖的大衣，设法把拉链往上拉过她的大肚子。她踏进像消防员的防火鞋那么厚鞋底的靴子，朝外面走去。

劳拉走在她旁边，她们轻快地逆着风走。丹尼尔已经离开两个小时了，现在才下午，但天色已经相当暗。没有照亮路的街灯，没有远处公路上发亮的车灯。不时有某间房子内透出电视的绿光，像窗户上出现了幽灵。但这里的大部分时候，天空是绵延的深蓝色天鹅绒，好厚，仿佛可以挥动手臂切开它们。

欧若拉的头发是棕色的，有橙色的条纹。长长的卷发被风吹离了毛皮外套的兜帽边。她只比翠克西大三岁，但她却已经快生孩子了。

“你的预产期是什么时候？”劳拉问。

“BIB日是1月10日。”

“BIB日？”

“就是去贝瑟尔的日子。”欧若拉解释，“住在村子里的人如果怀孕了，就必须在预产期之前六个星期搬去镇上的准妈妈之家。那样，医生才能够来得及帮助你。否则，如果有某种并发症，医疗中心必须找anguyagta搭黑鹰直升机飞进村子。那样一次得花上国民警卫队一万美金。”她瞟向劳拉，“你只有一个吗？我是说孩子。”

劳拉点头，想到翠克西她不由得低下头。她希望不管翠克西现在在哪里都很温暖。会有人给她一点东西吃，给她毯子盖。她希望翠克西能像女童军时学到的那样留下记号，例如折断的树枝和圆锥形的石子堆。

“你知道吗？米妮是我的第二个妈妈。”欧若拉说，“我是领养的。这里的家庭都是这样。如果你的孩子死了，你的姐妹或阿姨可能会把她自己的孩子给你。在肯恩死后，我出生，我妈妈把我送给米妮，当她的女儿。”她耸肩，“我要把我的这个孩子给我亲生妈妈的表妹抚养。”

“你就这样把你的孩子送走了？”劳拉大吃一惊。

“不是送走。我这么做她就能有两个妈妈。”

“那爸爸呢？”劳拉问，“你和他还有来往吗？”

“我大约一个星期去见他一次。”欧若拉说。

劳拉停下脚步。她在跟一个肚子已经很大的尤皮克女孩讲话，可是她看到的是翠克西的脸，听到的是翠克西的声音。要是翠克西刚认识杰森的时候，劳拉对她多一些关怀，而不是只关注自己的外遇呢？那么翠克西还会跟他约会吗？他们分手后，她还会这样迷恋他吗？她会在那天晚上去丽芙儿家参加派对吗？她还会被强奸吗？

每一个行动，都会有反作用。可或许你能防止别人犯同样的错误，来化解自己的错误。“欧若拉，”劳拉缓缓地说，“我想见他。你的男朋友。”

尤皮克女孩眉开眼笑："真的吗？现在？"

"最好不过了。"

欧若拉抓起她的手，拉着她走过阿基亚克的街道。她们到了一幢长长的灰色矮建筑物前，她们走在嘎嘎作响的木制的坡道上。"我只是必须休学一段时间。"她说。

门没锁，里面没人在。欧若拉打开灯，匆匆进入相连的房间。劳拉拉开她外套的拉链，看向右边的体育馆，它擦得发亮的地板闪着微光。如果仔细看，她还能看到肯恩的血吗？还能追溯丹尼尔多年前的脚印吗？他逃离了这里才跑进了她的生命。

劳拉被一个声音分散了注意力……不可能是马桶的冲水声吧？她推开欧若拉进去的那道门，上面标着Nas'ak。欧若拉站在一个有自来水的白色瓷器水槽前。"它压到了我的膀胱。"欧若拉微笑着说。

"这里有水管？"劳拉四下张望。在厕所隔间的上边，晾着胸罩、裤袜、长袖运动衫和袜子。

"只有学校里有，"欧若拉说，"门外每天都是排队等着洗头的女孩子。这里是唯一的水不会结冰的地方。"

她给劳拉用这个设备，或者说体会或感恩比较贴切。然后她们再走到外面。"你男朋友住得远吗？"劳拉问，心想万一丹尼尔回来了发现她不见了会怎样。

"他就在这个坡过去。"欧若拉说。可她们爬到坡顶，劳拉没看到任何房子。她跟随欧若拉走进一圈尖木篱笆，小心地走在踏出来的小径上，不去踩高及大腿的雪堆。幽暗的夜色中，花了好一阵子劳拉才明白，她们正走向远处的一个小公墓，那里布满了白色的木十字架，几乎全被雪淹没了。

欧若拉在一个干净的坟墓前停下脚步。木十字架上刻着：阿瑟·M·彼得森，生于一九八二年六月五日，殁于二〇〇五年三月三十日。“他驾雪橇经过冰河，那时候已经是三月底了。他的领队狗咬着牵狗队的皮带去了我们家。我一看就知道出事了，等我们赶到河边，阿瑟和雪橇都已经沉进去了。”她面向劳拉，“三天后我发现我怀孕了。”

“我很遗憾。”

“不必遗憾。”欧若拉说得理所当然似的，“他可能像平常一样，上路之前喝了点酒。”她说话的时候，身体往下倾，温柔地把最近积上去的雪抹掉。

劳拉转身，给欧若拉隐私。她看到另一个用心清理的坟墓。墓碑前有整只和残缺的长毛象牙，有些几乎和木十字架一样高。每一只象牙上都雕刻着很多精致的花朵：玫瑰、兰花、牡丹、羽扇豆、勿忘我和兜兰。那是个没有颜色的花园，它的美丽永远不会消逝，即使在最糟糕的天气，花也一样绽放。

她想象雕刻那些花的艺术家，走过冻雨、冰雹和冰风暴，布置这个永恒的花园。她期盼从希斯身上得到的，正是这样的浪漫和热情，他会把诗塞进她的行程本和零钱包里。

劳拉沉思着，被那样深爱着是什么滋味。她想象一个木十字架上面写着她的名字。她看到一个人不畏恶劣的天气送礼物到她的坟墓。想象这个男人痛哭着他失去了所爱的人，但他并不是希斯。

是丹尼尔。

劳拉把墓碑上的雪抹掉，想知道能令人如此挚爱的女人的身份。

“喔，我正要带你看那座墓。”欧若拉说，劳拉读墓碑上的名字：安奈特·史东。是丹尼尔的妈妈。

翠克西擅离职守了。她说不出她这么做为什么会感到愧疚，尤其她本来就不是真的应该在吐鲁克萨克的检查站工作。她在黑暗中跟着威立一起跑着，呼出来的气立刻散开了。

翠克西没有真的预期威立会来，但就像他答应过的，他会回学校找她。她打算在她准备离开的时候——不管什么时候，或者去哪里——把他借她的外套转交给一个义工。威立在翠克西还在照顾约瑟夫的时候来了。他跪在打鼾的老人的另一边，摇摇头。他认识约瑟夫，显然附近八个村子里的每个人都认识这个到处饮酒作乐的老人。尤皮克人叫他Kingurauten，“太迟”，因为约瑟夫曾经答应一个女人他会回来，他在她过世一个星期后才回来。

威立来邀请翠克西去享受蒸汽。她不懂那是什么意思，但对连续两天来几乎都冷得发抖的她来说，那听起来像是要去天堂。她跟着威立，蹑手蹑脚地走过约瑟夫和在睡觉的耶稣会义工，走出学校的大门。

他们跑了起来。夜晚延伸到远方，圆顶的天空像结了冰，星星不断落到翠克西脚边。很难分辨是这没有遮掩的美令她呼吸困难，还是因为太冷了。他们跑到一条两边有小房子的小路，威立缓下脚步。

“我们要去你家吗？”翠克西问。

“不是，我爸爸在家喝酒。我们要去我堂哥家。他和几个好朋友弄了个蒸汽室，但他们去下游参加城市联盟篮球赛了。”几只拴在屋外的狗开始吠叫。威立笨拙地碰了下她的手，可能想牵着她快走，可并没有奏效。翠克西因为威立的触碰，她的一切都变慢了：她的心跳、呼吸、血液流动的速度。

虽然贾尼丝告诉过她别这样，但翠克西再也不想让任何家伙的手碰到她。可是当威立碰她，她已记不得杰森碰她的感觉。那几乎就像是在做数学的约分题，一个把另一个约去了。威立的皮肤比杰森光滑。他的手大小跟她比较接近。他前臂的肌肉不厚，不是强力射门一百万次的产物，但它们精瘦强壮，像雕刻出来的。以他们的出身背景而论，这么说实在没道理，可是她有个奇妙的感觉：她和威立是平等的，他们两个都没有在掌控对方，他们对彼此的陪伴感到羞怯。

他们在其中一幢房子后面停了下来。透过窗内奶油色的灯光，翠克西看到一间除了一张长沙发外没什么家具的客厅。几个年轻人在穿外套和靴子。“走吧。”威立说，他拉她走。

他打开一间小屋的门，它比厕所大不了多少。里面分为两个房间，他们进去的是较大的房间，翠克西前面的另一个房间门关着。外面传来威立堂哥们的雪地摩托车飞驰离开的声音，他脱下他的外套和靴子，示意翠克西也这么做。“好消息是，我的堂哥已经做了今晚最辛苦的工作，提水和砍木头。他几年前盖了这间maqi（蒸汽室）。”

“要在里面干什么？”

威立微笑，牙齿在幽暗中发亮。“流汗，”他说，“流很多汗。通常男人先进去，因为他们可以耐高热。女人晚一点进去。”

“我们怎么会一起来了这里？”翠克西问。

威立低下头。即使她看不见，也知道他脸红了。

“我打赌你常常带女孩子来这里。”她等待他的回答，其实她只是半开玩笑。

“我从来没有带女孩子来蒸汽室过。”威立说，他脱下衬衫。翠克西闭上眼睛之前看到他内裤的白光一闪。

他打开门，消失在了相连的房间里面。翠克西等他回来，可他没有。她听到里头有冒蒸汽的嘶嘶声。

她凝视着木门，想着里面有什么。他想在她面前表现他多强、多么耐高温吗？他说他没有带女孩进过蒸汽室是什么意思？他带她们去别的地方，还是说这是邀请她跟随的意思？她感觉她仿佛掉进爸爸的漫画书里的宇宙，在那里你口是心非，词不达意。

翠克西迟疑地脱下衣服。这样的动作，而威立就在附近，立刻令她联想到那天晚上在丽芙儿家的派对里玩脱衣扑克。可这次没人在看，这个游戏没有规则，没人告诉她必须做什么。她明白，这完全不同，选择权在她手里。

如果她穿着胸罩和内裤走进里面，那就像是穿着比基尼泳装，不是吗？

她颤抖了一下，打开矮门爬了进去。

热气扑进她的身体，像一道固体的墙。不只是热。它是个桑拿加蒸汽室加篝火全部一起享受，然后再上升一个等级。她脚下是光滑的胶合地板。蒸汽弥漫，她什么也看不见。

在漂浮的雾气中，她看到一边有个五十五加仑的铁油桶，里面在烧火。桶上面放了个铁鸟笼，笼子里摆了些石头，鸟笼旁有个装了水的金属容器。威立蹲在地板上，他的膝盖弯到胸前，他的皮肤一块一块红红的。

他看到她时没说什么，翠克西知道，因为如果她张开嘴巴，喉咙一定会喷出火来。他什么都没穿，两腿间只有黑影，不知怎的，她感觉自己穿太多了。她坐到他旁边。这么小的空间里实在没有选择的余地。她感觉他把什么东西包在她头上。一块浸过水的布，用来遮盖耳朵以防过热。他帮她把那块布打结的时候，上臂的肌肤碰到了她。

炉门的缝隙里透出的橙色光线照亮了威立。他的侧影发红，精瘦如猫。那一刻，即使他变成豹，翠克西也不会惊讶。威立拿着一个用铁丝将木棍和汤罐头绑在一起的长柄勺。他把勺子放进水桶里，舀出水倒在石头上，小房间里顿时充满了更多新鲜的蒸汽。他回到翠克西旁边，他的手在地板上离她很近，他们的小指头碰到了。

翠克西很痛，几乎超过极限。房间里像有脉搏跳动的声音，想在里面呼吸几乎是不可能的。热量以灵魂的形式上升，脱离了翠克西的肌肤。汗水流下她的背和腿间，她全身都像在哭泣。

当翠克西的肺快爆开了，她跑出门，进入冷的房间。她坐到地板上，热潮还在她身上翻滚，威立冲进来，腰间围着一条毛巾。他坐到她旁边，递给她一个罐子。

翠克西不知道里面是什么就喝了下去。水冷却了她的喉咙。她把罐子还给威立，他的头后仰着，大口大口地喝水，每一次吞咽喉结都跟着蠕动。他转头面向她，微笑："很疯狂，是吧？"

她发现自己在笑："非常疯狂。"

威立靠着墙闭上眼睛："我总是猜想佛罗里达是什么样子。"

"佛罗里达？跟这里一点都不一样。"

"你去过佛罗里达？"威立好奇地问。

"是啊。它只是，你知道，另一个州。"

"我想看长在树上的柳橙。我想去看除了这里的任何地方。"他转向她，"你在佛罗里达的时候做什么？"

那是好久以前的事了，翠克西得想一下。"我们去卡纳维拉尔角和迪士尼乐园。"

威立开始用手指抓地板："我打赌你一定能适应那里。"

"因为那里俗不可耐？"

"因为你像小仙女。老是和彼得·潘在一起的那个。"

翠克西爆笑："小叮当？"

"对。我姐姐有那本书。"

她想说他疯了，可是然后她想起《彼得·潘》讲的是一个不想长大的男孩的故事，她决定不介意这种比较。

“她很漂亮，”威立说，“她的身体里面有光。”

翠克西看着他：“你觉得我漂亮吗？”

威立没有回答，起身爬回了蒸汽室。等到她跟进去，他已经舀水倒在石头上。冒出的大量蒸汽让翠克西什么都看不见，只能靠摸索前进。她的手指摸到粗糙的木制地板，摸到与地板连接的墙，然后捋过了威立平滑的肩膀微凹的地方。在她把手抽回来之前，威立的手抓住了她的手。他把她拉近，他们在蒸腾的热气里面对面，膝碰膝。“对，你很漂亮。”威立说。

翠克西感觉她在坠落。她染了一头丑死了的黑发，手臂上下都有疤痕，可他好像都没注意到。她低头看他们交错的手指，深色与白色的肌肤交织。她让自己假装她的身体里可能有光。

“第一批白人来冰原的时候，”威立说，“我们本地人以为他们是鬼。”

“有时候我也以为我是鬼。”翠克西呢喃。

他们互相靠着，也许是蒸汽让他们如此接近。就在翠克西以为这里快没空气了的时候，威立的唇覆到她唇上，帮她呼吸。

威立尝起来像烟和糖。他的手落到她肩膀上，规矩地放在那里，即使她渴望他爱抚她。当他们彼此抽身，威立望着地上。“我从来没有这么做过。”他坦诚地说。翠克西知道了，当他说他从来没有带女孩子来过蒸汽室，他的意思是，他从来没有和女孩子在一起过。

翠克西很早就失去了她的童贞，那时她以为那是个给像杰森那样的人的礼物。他们性交过无数次，在汽车后座。在他的卧室，当他爸妈不在时。在冰场的球员休息室，当所有的人都走光了后。但她和他所做的，完全无法与她和威立亲吻相比，不能画一条线来连接两者。

她甚至不能说她是公分母，因为那个时候的她与现在在这里的她，已是完全不同的女孩。

翠克西倾身靠近威立，这次，她主动吻他。“我也是。”她说，而她知道她没有说谎。

丹尼尔十一岁的时候，马戏团第一次，也是唯一的一次到冰原来。贝瑟尔是福特兄弟马戏团巡回表演的最后一站，他们史无前例地远赴阿拉斯加冰原。肯恩和丹尼尔说什么都不愿错过。他们打零工，为老人家油漆房子，为肯恩的叔叔的蒸汽室盖新屋顶，直到他们都赚到十五块钱。空中飞人的表演场架在所有的村子里的学校里，阿基亚克也是，听说入场券要八块钱，他们剩下的钱还足以买爆米花和纪念品。

大部分村民都打算去看表演。丹尼尔的妈妈搭校长的便车去，最后，肯恩邀请丹尼尔搭他们家的船去。他们坐在船肚，铝船的边缘冰冰地贴着他们的背和屁股，他们沿路说着关于大象的笑话。

为什么大象巨大、灰色、有皱纹？

因为如果它娇小、白色、圆形，它会是一颗阿司匹林。

大象为什么会有那样的鼻子？

因为它的鼻子要是像汽车仪表板下面的储物箱，看起来会很笨。

整个三角洲有六千人赶来，许多人午夜过后就上路，那样他们才能看到马克赫克航空公司的飞机在黎明时载着表演者和动物抵达。马戏团在国民兵训练中心的体育馆演出，那里的洗手间被改装成了演员更衣室。肯恩和丹尼尔在活动场地的边上跑来跑去嬉闹着，在马戏团搭帐篷的时候，还帮忙拉一条粗绳。

有受过训练的狗穿着破旧的短裙，两只狮子名叫露露和草莓，有一只美洲豹，在帐篷外喝泥坑里的水等待上场，有气笛风琴音乐、花生和棉花糖，小朋友还可以去充气屋弹跳，骑雪特兰矮种马。如雷的马蹄声响起，矮个子赛拉出场，他骑在巨马朱诺的背上要变绳术，雄伟的马后腿站立，塔一般傲视众人，引得大家尖叫起来。

一群坐在丹尼尔和肯恩后面的尤皮克男孩也在欢呼叫好。丹尼尔靠近肯恩跟他讲话，后面的其中一个男孩恶言相向："看，我早就知道kass'aq（白人）是马戏团的。"

丹尼尔转头说："闭上你他妈的大嘴巴。"

一个尤皮克男孩对另一个说："你听到了什么没有？"

"想要感觉下什么吗？"丹尼尔握起拳头威胁。

"别理他们。"肯恩说，"他们是蠢蛋。"

马戏团的主持人在热烈的掌声中现身："各位女士们，先生们，我们恐怕得宣布令人失望的消息。我们的大象提卡生病了，无法表演。可是，我很乐意介绍……从马达加斯加远道而来的……佛罗伦斯和她大开眼界的、会跳华尔兹的鸽子！"

一个穿着弗朗明戈舞衣的娇小女人走了出来，有一些鸟儿栖息在她的肩膀上。丹尼尔对肯恩说："大象能病得多厉害呢？"

"是呀，"肯恩说，"真烂。"

一个尤皮克男孩用手指头戳肯恩："你也烂。我猜你喜欢白肉。"

丹尼尔一辈子都被村里的小孩嘲弄。因为他没有爸爸，因为他是kass'aq（白人），因为他不懂原住民拿手的一些打猎捕鱼的事。肯恩常常跟他在一起，但学校里的尤皮克男孩会饶过他，毕竟，肯恩是他们的族人，也是一个村的。

但这些男孩是不同村的。

丹尼尔看到了肯恩脸上的表情，他感觉他身体里有个东西松脱了。他站起来，打算离开。“别走。”肯恩说。

丹尼尔尽可能压下眸中的怒火。“我没有邀请你跟我走。”他说完走了出去。

他没花多久就找到了大象，它被关在临时的栅栏里，没人看守。丹尼尔从来没有这么近地看大象，那是他和住在正常地区的小孩相同的地方。大象跛着脚，用象鼻把干草丢到空中。丹尼尔从铁丝网下面钻进去，缓慢地走向这个庞大的动物。他抚摸它温暖的皮肤，皱纹很多，他把脸颊搁在它的后腿上。

他和肯恩的友谊最好的部分是，肯恩是个消息灵通的人，那让丹尼尔可以知道很多事情。但他从来不知道那样也会有不好的地方，他们的友情可能让肯恩被轻蔑。如果唯一能让肯恩不被排挤的方法是离他远一点，那么丹尼尔会那么做。

你会为你关心的人做你该做的事。

大象摆动它硕大的头转向丹尼尔。它眨着深色的眼睛，嘴巴不断地在无声地说话。丹尼尔可以清楚地听到她的心声，所以他大声回答：**我也不属于这里**。

第二天早上货机抵达的时候天色仍暗，飞机从一个村子飞到另一个，去接被雪橇手沿路丢下来的狗，它们要被空运回贝瑟尔，那里的驯养者会把它们接走。

威立开着堂哥的卡车去小机场，翠克西坐在副驾驶座。他们的手在他们之间握着。

卡车后面的平台上是亚历士·埃德蒙的狗，还有裘诺，以及金古饶坦·约瑟夫，他要被送回医疗中心。威立停下卡车，把狗交给翠克西，她牵着狗去有菱形铁丝网的围篱那里，拴好它们。每次她回来再牵一只狗，他就对她微笑，她觉得她好像又回到蒸汽室，快融化了。

昨天晚上，在蒸汽消失后，威立用布浸温水帮她洗澡。他用海绵在她的胸罩和内裤上擦。然后他们回到冷的房间，他用毛巾把她擦干，在她面前跪下来，帮她擦膝盖后面和脚趾之间。他们帮对方穿衣服，把对方的扣子扣好，把衣服塞好，这似乎比解开扣子和拉开拉链更亲密，好像是秘密地把一个人恢复成完整的他，而不是把他拆开。“我必须向你要回我叔叔的外套。”威立说，然而他把自己有衬里的帆布外套给她。

每一次翠克西把鼻子埋进衣领，感觉它闻起来就像是他。

跑道的灯突然神奇地亮起来。翠克西转过身，附近都看不到塔台。“飞行员在他们的飞机里有遥控器。”威立笑着说，他确定十分钟之内，翠克西就可以听到飞机接近的声音。

飞机降落，看起来像曾载翠克西去贝瑟尔的那架。飞行员跳了出来，他是个比威立大不了多少的尤皮克男孩。“嘿，”他说，“只有这些吗？”

他打开货舱，一打狗已经拴在D形金属环那里。威立把雪橇狗牵上货舱，她扶约瑟夫爬下卡车后面的平台。他们走向跑道，约瑟夫重重地靠着她。他踏进货舱，里面的动物开始吠叫。“你让我想起我以前认识的某个人。”约瑟夫说。

你已经跟我说过了，翠克西想，可是她对他点头。或许他无意要她听，他只是必须再说一次。

飞行员关上舱门，跳回飞机，加速离开跑道，直到翠克西无法区分飞机的着陆灯和星星的光。跑道的灯闪了闪，又恢复了黑暗。

她感觉威立在黑暗中靠近她，可在她的眼睛能适应之前，另一道灯光向他们接近。它直接照进她的眼睛，她举起一只手来遮蔽刺眼的光。一辆雪地摩托车停了下来，它的引擎在完全停止之前隆隆作响，一个人在雪地摩托车上站起来。

“翠克西，”她爸爸说，“是你吗？”

爸爸！
救命！
崔西！
什么……？

第十层地狱是为那些欺骗自己的人而设的。在这里你必须面对真正的自己。
只有一面镜子反射出的是真正的你，其余都是假的。
选对的话，你不只会找到你女儿……还会找回你自己。
选错的话……那将会是你最后一次撒谎。

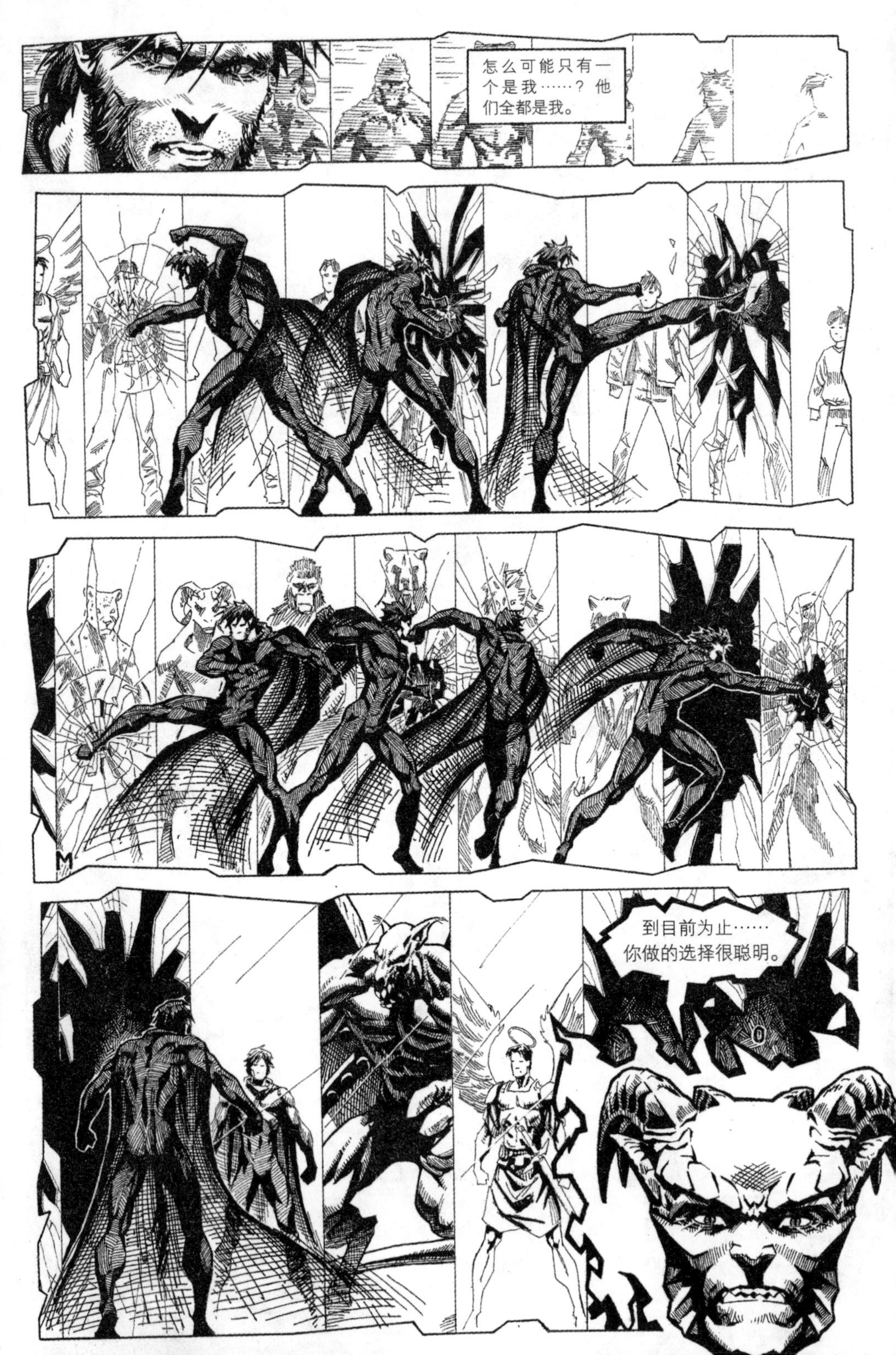
怎么可能只有一个是我……？他们全都是我。
到目前为止……你做的选择很聪明。

这似乎是现在的我……
这是我害怕我会变成的模样……
这是我本应该变成的样子……
哦，我的上帝！
崔西。
爸爸！

8

在阿拉斯加的冰原上凝视着他几乎认不出的女儿，丹尼尔回想起了一个他和翠克西之间的一切注定会改变的时刻。

那就像许多爸爸和女儿平常相处的时刻一样。季节可能是夏天，或秋天。他们可能裹着厚外套，或穿着平底人字拖。他们可能要去银行存钱，也可能正走出书店。出现在丹尼尔脑海里的是一条街。一条繁忙的街，在镇上的闹市区。他牵着翠克西的手在街上走。

她七岁，头发绑成法国辫，绑得很糟，他从来都无法掌握绑那种辫子的技巧。她试着避开破损的人行道。他们到了十字路口，丹尼尔和平常一样伸出手要去牵翠克西的手。

她故意溜开他身边，没有看两边有没有车，自己过马路了。

那是个你可能从来不会去注意的小事，但事实是，它可能像个裂缝，越来越大，直到变成他们间的峡谷。一个小孩要做的，表面上就是长大。可为什么当他们长大了，大人会感到失望?

这一次，不是越过繁忙的街，翠克西自己几乎越过了整个国家。她站在丹尼尔面前，穿着过大的帆布外套，戴着一顶羊毛帽。她旁边是个头发不断吹进眼睛的尤皮克男孩。

丹尼尔不知道什么更让他震惊：怀疑他曾经扛在肩上、帮她盖好棉被的女儿，是否犯了谋杀罪；还是明白如果不想让她被逮捕的话，他的余生会跟翠克西一起在阿拉斯加藏匿。

“爸爸……？”翠克西投进他怀抱。

丹尼尔感觉一阵战栗落下他的脊椎骨。当终于能够完全放松，那种感觉与恐惧没多大的差别。“你，”他对站在隔了一小段距离，以警戒的表情注视着他们的男孩说，“你是谁？”

“威立·莫西斯。”

“我可以借用你的卡车吗？”

丹尼尔丢给他雪地摩托车的钥匙做交换。

男孩凝视着翠克西，好像想要说话，不过他垂下目光，走向了雪地摩托车。丹尼尔听到发动引擎的咆哮声，加速离开的呼啸声，然后他领翠克西走向卡车。和阿拉斯加大部分的车一样，这部车绝对不会通过其他州的车辆检验。车身侧板上的锈迹被磨光了，里程表停在每小时八十八英里，一挡根本完全失效。不过后视镜的灯还是好的，丹尼尔用它来看女儿。

除了她眼睛下面有黑眼圈之外，她看起来似乎还好。丹尼尔伸出手去，脱下她的羊毛帽，露出光滑的黑色头发。“喔，”她在他张大眼睛时说，“我忘了这个。”

丹尼尔滑过座椅，将她拉进怀抱。

上帝，有什么比知道你的孩子在他该在的地方，感觉更踏实更安心吗？“翠克西，”他说，“你把我吓坏了。”

他感觉到她抓着自己的外套。他有一千个问题要问她，一个先涌到表面，他忍不住问：“你为什么要来这里？”

“因为，”翠克西呢喃，“你说这里是人们会消失的地方。”

丹尼尔缓缓地放开她：“你为什么想消失？”

她的眼睛充满泪水，一滴泪终于溢出眼眶，流到她的下巴。她张开嘴巴要说话，可是没说出来。丹尼尔抱住她，她单薄的身体开始发抖："我没有做大家以为的……"

丹尼尔仰头，对上帝说了他从来不曾真正相信过的祈祷：**谢谢**。

"我要挽回他。我并不真的想像丽芙儿教我的那样鬼混，可我愿意做任何事，如果那能让一切回到杰森和我分手之前。"她困难地吞咽口水，"等到大家都离开了，他一开始对我很好，我想我的努力或许有效了，我们可以恢复关系。可是然后事情发生得好快。我想聊天，他不想。当他开始……当我们开始……"她做个不顺畅的呼吸，"他说他需要的正是这个，只有性关系的朋友。那时我才明白，他不要我再做他的女朋友。他只想在那十五分钟要我。"

丹尼尔没有动。如果他动了的话，他肯定会碎掉。

"我努力挣扎，可是我挣脱不了。那感觉像我在水里，像我告诉我的双手和双腿移动，可它们不够强壮，动得不够快。他以为我在玩游戏，我没办法用力反抗，他以为我做作，不想让他轻易得逞。他把我压到地上，然后……"翠克西的皮肤发红流汗，"他说，别告诉我你不想要。"她在头上的光晕下仰头看丹尼尔，"但我……我不想要。"

翠克西看过一部科幻电影，它说我们每个人都有面貌长得与我们极像的人，只是我们从来都不会遇见他们，因为两边的世界会抵触。现在爸爸来救她，就像那样。今天早上和威立从maqi（蒸汽室）走回去，她还以好玩的心态，想象留在吐鲁克萨克会怎样。或许他们会需要一个老师助理。或许她可以搬去和威立的某个表姐一起住。可是她爸爸来了，晃动的世界停止了。他不属于这里，她也是。

她告诉他她的秘密：她是个爱说谎的骗子。不只是曾说她是处女，还有玩彩虹游戏的事……还有更多。她那天晚上没有对杰森说她不要，虽然她告诉检察官她说了。

那么被下药呢？

她就是买药的人。

那时候她不知道，那个卖大麻给高中生的大学生，就是和她妈妈偷情的家伙。她为了要去参加丽芙儿的派对去买大麻，希望她能够放松。如果她想要像丽芙儿为她计划的那样放浪形骸，那么她需要一点药物的帮助。

希斯没有大麻了，他说克他命的效果和迷幻药差不多。它会使你失去控制。

结果与她预期的完全不同。

这部分不是谎言：她那天晚上没有吃克他命，至少不是故意吃的。她和丽芙儿计划要一起吸，可是它毕竟是真正的毒品，不是大麻，在最后一分钟，翠克西胆怯没有吃。她都忘了那回事，直到检察官提起她的身体里可能有毒品。翠克西不知道后来丽芙儿怎么处理那个小药水瓶的：不知道丽芙儿是否自己吃了，或把它搁在厨房的台子上，然后派对里的某个人先发现了它。她不能说是杰森把它倒进她的饮料里的。她那天晚上喝了很多，到处都是半空的可乐罐，还有“螺丝刀”鸡尾酒。杰森可能跟克他命一点关系都没有。

翠克西不知道把毒品加进酒里会使杰森被当作成人审判。她不想毁掉他的人生。她只想要设法挽救她自己的人生。

翠克西想，“不要”和“知道”听起来押韵，很像，并非巧合。应该说一个神奇的词，让你的“要”，或“不要”，变得水晶般透明。可是在做双方都同意的性交时，没有人曾说过“好的”。你会从两个人在一起时身体语言中得到暗示。那么，为什么，摇头或用手用力推对方的胸膛，不能被视为大声说“不要”？为什么一定要在当时说出“不要”，才能被视为强奸？

那个“不要”，说了或没说，不会使杰森强奸的罪恶减少一点，不会使她的愚蠢减少一点。它的作用不过是在沙地上画一条线，以便让不在现场的人——摩斯、丽芙儿、父母、警官、检察官——作为选择站队的依据。

可是沿着线的某处，它也让她明白，她不能怪杰森，不能把罪过全推到他身上。

她想过一旦开庭会怎样，可能比现在的情况糟糕一百倍，杰森的律师会在法庭里站起来，把翠克西说成一个淫贱的荡妇和骗子。她怀疑在她放弃争辩，承认他们说的都对之前，她能撑多久。她开始恨自己，一天晚上，当黑暗像苍鹭的翅膀那样裹着翠克西时，她希望杰森·安德希尔死掉。那只是个秘密，无声的想法，没有大声说出来的不算，对这一点她比任何人都明白。然而一件事推着另一件事发生，杰森被以成人起诉，而不是青少年。杰森在冬节遇到了她。然后，不知怎的，她的希望成真了。

翠克西知道警察在找她。她爸爸一直说，*我们会处理的*。可杰森死了，是她的错。现在不管她说什么，或不说，都不能令他起死回生了。

她怀疑她是否会取代杰森被送进监狱，那里不知道会不会像在电影里看到的那么可怕，那里是否会充满像翠克西这样的人，他们都了解有些错误永远也擦不掉。

爸爸去向耶稣会的义工解释，他们将失去一个假义工。翠克西坐在卡车里哭。她以为到现在，她已经完全干了，只剩一个外壳，可是眼泪就是停不下来。她所要的只是再感觉她的人生恢复正常，可是每一件事都错得离谱。

有人敲卡车的车窗，她抬眼看到威立，他的手指伸进一个碗中某种粉红色的东西里。在她摇下车窗时，他用中指和食指舀出一点。

“嘿。”他说。

她抹抹眼睛：“嘿。”

“你还好吗？”

翠克西就要点头，可是她已经厌烦说谎。“不太好。”她坦承。

威立甚至没想说什么来让她好过一点。这样很好，他只是让她的悲伤搁着。“他是你爸爸？”他问。

她点头。她想对威立解释所有的事，可她不知道该怎么说。对威立来说，她是个耶稣会义工，是被暴风雪所困的人。和他在一起时，她不是个强奸受害者或谋杀嫌疑犯。你要如何告诉一个人，你不是他以为的样子？更重要的是，你要如何告诉他，虽然关于你的其他事情都是谎言，但你对他说的话都是真心的。

他递出碗：“要吃一点吗？”

“那是什么？”

“Akutaq. 爱斯基摩冰淇淋。”

翠克西把手指伸进去。那不是本杰瑞牌冰淇淋，可是还不错，有草莓和糖，还混着某些她吃不出来的东西。

“海豹油和起酥油。”威立说。她一点不惊讶他知道她在想什么。

他低头，透过窗子看她：“我如果真的去了佛罗里达，或许你可以在那里跟我见面。”

翠克西不知道她明天会如何，明天之后更是茫然。可她发现尽管发生了那么多事情，她还有能力去假装，去想象可能永远不会成真的未来。“那会很酷。”她轻柔地说。

“你住在附近吗？”

“顶多离这里一千五百英里吧。”翠克西说。威立微微一笑，她也笑了。

突然间翠克西想告诉一个人事实——全部的事实。她想从头开始讲，就算她只能令一个人相信她，至少这是个开始。她抬起脸面向威立。“在我的家乡，我被一个我以为我爱他的家伙强奸了。”翠克西说，因为对她来说就是那样，永远都是那样。当你的腿间在流血，当你感觉你由里到外都破碎了，当你的自由意志被剥夺，语义学的定义无关紧要。

“所以你离家出走？”

翠克西摇头：“后来他死了。”

威立没有问，她是否该为他的死负责。他只是点头，呼出来的气像挂在空中的蕾丝。“我想有时候，事情就是会那样。”他说。

那天晚上是村委员举办的宾果狂欢夜，劳拉独自留在小屋里。她读了贝瑟尔的地方报《冰原鼓声》两遍，连叠在门口要丢掉的都读过了。她看电视，看到她的眼睛痛。

她在想，什么样的人会选择住在这样的地方，在这里对话似乎是不正常的，连阳光都与这里疏离。是什么让丹尼尔的妈妈来这里定居的呢？

劳拉和安奈特·史东一样，也是老师。她知道在一段时间内可以改变一个学生的世界。可是为了教育别人的孩子，你愿意牺牲你自己的孩子的幸福多久？

或许她不想离开。丹尼尔告诉过劳拉关于他流浪的父亲的事。有些人重重地打击了你的人生，他们在你的前途上留下一点污渍。但劳拉明白，你多么可能花上你的整个人生，苦等那种男人回来。

那是丹尼尔的妈妈所做的选择，这个选择显然不利于她的儿子。

对劳拉而言，那似乎太自私，而安奈特应该知道。

让你的孩子的人生犹如走过地狱，那是严厉的爱吗？或者那是保证你的孩子没有你也能生存的最佳的为人父母之道？如果丹尼尔没有被别的孩子戏弄，他可能在冰原里感觉自在。他可能成为一个像肯恩那样的无名小子，找不到离开的出路。他可能永远待在阿拉斯加，等待着不会来临的未来。

或许安奈特·史东只是确保了丹尼尔有逃走的路，她自己却没有。

外面，一辆卡车开进院子。劳拉跳起来，跑到门厅，去看是不是丹尼尔和翠克西回来了。可卡车的车顶有一条闪动着蓝光的横杆，在雪地上投下长长的阴影。

劳拉挺起背脊。你会做任何事来保护你的孩子。即使别人不可能理解。

“我们在找翠克西·史东。”警察说。

丹尼尔用他自己的套头防风帽和毛皮外套把翠克西包裹起来，在他骑雪地摩托车去阿基亚克的路上，翠克西双手抱着他的腰，脸颊贴在他背上睡着了。他追逐下沉的太阳，晚霞像模特舞弄的粉红色丝带，逐渐消失在地平线的舞台。

丹尼尔并不真的知道该如何解读女儿的坦白。在这里，人们相信一个想法可能在任何时刻转变成行动，一句搁在心里的话和说出来的话，具有同样的伤害或治愈的能力。在这里，翠克西有没有说都没有关系，但杰森·安德希尔对翠克西所做的，的确是强奸的行为。

他也痛苦地了解到其他翠克西没有说出来的事情。她没有杀杰森，她是无辜的。

到了阿基亚克，丹尼尔在河岸上加速，经过邮局，靠近肯恩的家。他转过转角，看到了警察的卡车。

有那么一个瞬间，他想，*我曾经重新开始，我可以再来一次*。他可以继续把雪地摩托车骑到没有油，日后他可以为他自己和翠克西盖一间小屋。他会教她如何跟踪、如何打猎，当天气转变时，要到哪里去找鲑鱼。

可他不能丢下劳拉，他不能稍后再来找她。他们一旦离开，他得确定他们永远不会再被找到。

他感觉背后的翠克西变得僵硬，她已经看到警察了。更糟糕的是，当警察下车，他明白他们也被看到了。

“别说话。”他转过头去说，“让我来处理。”

丹尼尔骑着雪地摩托车到肯恩家前面，关掉引擎。然后他下车，双手按在翠克西的肩膀上。

当你爱某个人，你会做任何你以为对他最有利的事，即使在那个时候看起来完全是错的。男人会为女人这么做；妈妈会为儿子这么做；丹尼尔知道他会为翠克西赴汤蹈火，在所不辞。是什么让英雄成为英雄？像超人那样总是胜利吗？或者像蜘蛛侠那样该出手时才出手？或者像X战警，学习在任何时刻从雅痞变成恶棍？或者像阿兰·摩尔画的人物罗夏，如果一个人该死，就很享受地看着他死？

警察靠近了。“翠克西·史东，”他说，“你因谋杀杰森·安德希尔被逮捕了。”

“你不能逮捕她。”丹尼尔坚持道。

“史东先生，我有逮捕证……”

丹尼尔的眼睛没有离开女儿的脸。“可是，”他说，“我才是杀害他的人。”

翠克西无法讲话，无法呼吸，无法思考。她呆滞到无法动弹，如同在泥土上生根，警察也愣住了。爸爸刚刚承认他是杀人犯。

她惊骇地凝视着他。“爸爸。”她低语。

“翠克西，我跟你讲过了，一句话都别说。”

翠克西想到小时候，他常常抱她坐到他肩膀上。她和妈妈一样有恐高症，可是她爸爸会用双手稳固地握住她的双腿。*我不会让你掉下来*，他说。而因为他从来不会让她掉下来，从那个高人一等的地方看到的世界不再那么吓人。

还有一千个其他的回忆：例如，有一整年，他把她午餐的三明治切成字母，让它们每个星期拼出不一样的字：BRAVE（勇敢）、SMART（聪明）、SWEET（甜蜜）。还有，他总是在他画的漫画书里藏一幅她头像的夸张漫画。还有，她总是会在翻找背包里时发现一包M&M花生巧克力，她把它塞进口袋，知道那是他留给她的。

她的眼中盈满泪水。“可是你说谎。”她轻声说。

警察叹气。“唉，”他说，“有人说谎了。”

他瞟向警用卡车，翠克西的妈妈已经坐在了里面，她透过玻璃窗凝视着他们。

阿拉斯加的州警打电话告诉巴索雷米，他们凭逮捕证执行逮捕翠克西·史东的任务。可是，其他两个人承认犯罪。这简直是一场闹剧，他该怎么办？

巴索雷米警官没拿到州长所发的越州逮捕他人的授权，他必须自己飞过去，跟史东一家人面谈，再决定要逮捕谁，如果他们三个人之中的确有嫌犯的话。

丹尼尔·史东被带进贝瑟尔警察局的会议室，他和他太太分别在那里认罪。未成年的翠克西被拘留在贝瑟尔青年中心，那里是青少年拘留所。暖气吐出不稳定的热气，吹动垂挂在它外壳上的金属丝。

丹尼尔知道明天是圣诞节。

“你知道这改变不了什么，”巴索雷米说，“我们还是必须逮捕你女儿，视为青少年罪犯。”

“什么意思？”

“等我们回缅因州，她必须待在青少年拘留所，直到被当作成人谋杀犯来审讯。然后，如果她没能获得保释，被提讯之后，她会回到拘留所。我想以她所受到的指控的严重性，她不会有保释的机会。”

“如果是我犯的罪，你就不能拘留她。”丹尼尔说。

“我知道你在做什么，史东先生，”巴索雷米说，“我甚至不怪你，真的。我有没有告诉你，我最后一次跟我女儿说的话？她下楼告诉我，她要去看高中橄榄球赛。我对她说，玩得愉快。问题是，那时候是五月。没人在那时候打橄榄球，而我心知肚明。”巴索雷米说，“根据现场的目击者说，我女儿开车转弯的时候根本没踩刹车，车直接以全速撞了上去。他们说车滚了三圈或四圈。当医疗检验员告诉我，撞上栏杆之前她已吸毒过量，我真的说感谢上帝，她去的时候没有感到痛苦。”

巴索雷米双手在胸前交叉：“你知道我还做了什么吗？我回家，翻遍她的房间，直到我找到她藏匿的毒品和她用过的注射针筒。我把它们塞到垃圾的最底层，开车去垃圾场丢掉。她已经死了，而我还想保护她。”

史东直直地盯着他：“你不能将我们全部起诉。你最后还是得让她走。”

“我有证据可以证明那天晚上她曾在桥上。”

“那天晚上有一千个人经过那座桥。”

“他们没有留下血迹。他们的头发没有被杰森·安德希尔的表带钩住。”

史东摇头：“那天晚上翠克西和杰森曾在靠近杂货卖场的停车场争执。她的头发一定是在那个时候被钩住的。我正好在他抓着翠克西时出现，我去追他。我成为嫌疑犯的时候告诉过你我跟杰森打架，但我没告诉你打架之后发生的事。”

“接着说。”巴索雷米说。

“他跑开后，我跟踪他到桥上。”

“然后呢？”

“然后我杀死了他。”

“怎么杀的？你打他的下巴吗？还是从后面袭击他？或者推他一把？”史东哑口无言。巴索雷米摇头：“史东先生，你无法告诉我，因为你不在场。你已被物证排除……但翠克西没有被排除。”他迎着史东的目光，“她以前就做过一些事，但没告诉你。或许这只是又多了一件。”

丹尼尔·史东垂眼盯着桌子看。

巴索雷米叹气：“你知道吗？身为警察与身为父亲没有多大的不同。你尽力而为，但还是无法使你关心的人不伤害自己。”

“你搞错了。”史东说，但他的声音中有一丝绝望。

“你自由了，可以走了。”巴索雷米回答。

青少年监狱不关灯。在青少年监狱里，没有单人房住。同性别的人住在一间大寝室里，那让翠克西想起电影《安妮》里的孤儿院。

在这里的女孩，有的偷了她们工作的店里的现金，有的向她的校长扔刀子，有吸毒成瘾者，有殴打同性女友，甚至有个八岁女孩，她是大家的吉祥物——小女孩在继父强奸她后，拿球棒猛打他的头。

因为是平安夜，她们可以吃圣诞大餐：火鸡蘸蔓越莓酱、肉汁、土豆泥。翠克西坐在一个手臂上下都有刺青的女孩旁边。“你是什么故事？”她问。

“我没有故事。”翠克西说。

晚饭后，一个宗教团体来给女孩子们送礼物。关了最久的女孩得到最大包的礼物。翠克西得到一盒彩色铅笔，塑料盒盖上印着Hello Kitty。她把彩色铅笔拿出来，一根接一根地涂在她的指甲上。

现在如果在家里，他们会关掉屋里所有的灯，只留下圣诞树上的小灯串。他们会打开一个礼物，那是传统。然后翠克西会上床，假装睡着了，让父母有充分的时间在阁楼的楼梯上上下下准备礼物，假装那是圣诞老人给她的。她在他们希望她长大之前，就已经提前好几年长大了。

她猜想新罕布什尔州游乐园的假圣诞老人今晚在做什么。可能这是扮演的人一年中唯一可以休息的一天。

关了大灯后，有人在寝室里开始唱《平安夜》。一开始是细微的，像随风飘来的芦笛声，然后另一个女孩加入，另一个又加入。翠克西听到了自己的声音，感觉她的灵魂脱离肉体，像气球那样飘浮起来。**万暗中，光华照**。

她以为她在青少年监狱里的第一个晚上会哭，结果她连一滴眼泪都没流。大家都忘了特别版的歌词，她听着八岁孩子哭到睡着的啜泣声。她想知道树是怎么变成化石的，人的心是否也会像那样变成石头。

劳拉待在狭小的牢房已经超过四个小时了，这里没有一样东西是柔软的，只有钢筋、水泥，和有直角的东西。她发现自己在打瞌睡，梦到雨和卷云，天使蛋糕和雪花——那些你一碰就塌陷的东西。

她想知道翠克西在他们送去的地方过得好不好。她想知道丹尼尔是不是在这面厚墙的另一边，他们是否已经审问过他了，像审问她那样。

丹尼尔跟在一个警察后面走进牢房，劳拉站了起来。她把自己压到铁条围栏上，从铁条间向他伸出手。警察离开，他走向围栏，伸手进去碰触劳拉："你还好吗？"

"他们放你走了。"她低语。

他点头，用额头抵着她的额头。

"翠克西呢？"

"他们把她留在街尽头的青少年中心。"

劳拉放开他。"你不必为翠克西顶罪。"她说。

"我想我们两个都不会让她被关进监狱。"

"她不会，"劳拉说，"因为是我杀了杰森。"

丹尼尔凝视着她，无法呼吸："什么？"

她坐回金属板凳上，抹了抹眼睛："冬节那天晚上，翠克西失踪，我准备回家等，以免她回家了。可是在我走回车子时，我看到有人在桥上。我叫翠克西的名字，但杰森转过头来。"

她痛哭着说："他醉了。他说……他说我的贱货女儿毁了他的人生。毁了他的人生。他站起来，开始走向我，而我……我害怕，把他推开。他失去平衡，翻出了栏杆。"

劳拉在讲话的时候，不自觉地手抬到耳朵，丹尼尔注意到她经常戴着的小金环耳环不见了。血。表带上的红头发。雪地上的鞋印。"栏杆钩住他的衣服。他往下掉的时候衣服被撕裂了。"她说。丹尼尔死死地盯着她。"他一只手挂在栏杆上，另一只手往上举高。我往下看，觉得好晕。他一直喊着要我帮他。我伸出手去碰他的手……然后……”劳拉闭上眼睛，“然后我放手了。”

恐惧会让一个人做出极端的事，这并非偶然，它就像爱一样无孔不入。恐惧和爱是情绪的连体婴：如果你不知道在危急关头的恐惧之下会失去什么，那你也没什么好为爱抗争的了。

“我回家，等你和翠克西。我以为在你回到家之前，警察会找到我。我打算告诉你……”

“可是你没说。”丹尼尔说。

“我试过。”

丹尼尔想起他载翠克西从冬节回家，劳拉颤抖得很厉害。*喔，丹尼尔*，她说，*出事了*。他以为那个时候劳拉是因为翠克西失踪，和他一样狂乱。他以为劳拉是在问他问题，事实上，她试着要给他答案。

她双手抱着自己：“起先，他们说是自杀，我想或许我只是做梦，事情根本没有像我想的那样发生。可然后翠克西离家出走。”

那让她看上去像畏罪潜逃，丹尼尔想，*连我都怀疑了*。

“劳拉，你应该告诉我的。我可以……”

“恨我。”她摇头，“丹尼尔，你以前看我的目光，好像我能把星星挂上天空。可是在你发现了……你知道，我跟别人……你的目光就不一样了。你甚至不肯直视我。”

当一个尤皮克族爱斯基摩人遇到别人，他会移开目光。这并非由于轻蔑，正好相反，目光要保留到当你真正需要它的时刻，例如当你在打猎，当你需要力量时。只有在你的目光转开，不看一个人的时候，你才能看到最真实的景象。

“我只是要你像以前一样看着我，”劳拉说，她的声音支离破碎，“我只想回到和以前一样。所以我没有告诉你，不管我试了多少次。我背叛了你。如果我再告诉你我杀了人，你会怎么做？”

“你没有杀他，”丹尼尔说，“你不是有意的。”

劳拉摇头，她的唇抿得很紧，好像害怕说出话来。他理解她，因为他自己也有过这样的感觉：有时候我们的希望成真了，而有时候那却是可能发生的事中最可怕的。

她双手掩脸：“我不知道我是不是有意的。都太混乱。我甚至不认识我自己了。”

当你忙着对抗自己的心魔时，人生可能以任何样貌呈现。可是如果你和你身边的人以同样的速度改变，其他的都无所谓了。你永远会在她身边。

“我懂。”丹尼尔说。

他相信有这个可能性，即便在现在这个年代，即便在离尤皮克村千里之外的地方，人们还是可能变成动物，反之亦然。只因为你选择离开一个地方，并不代表你可以逃避它跟着你。一个男人和一个女人住在一起够久的话，可能互换特征，直到他们在对方身上发现部分的自己。你可能发现，被你抛弃的性格竟住进你至爱的人的心里。

劳拉抬起脸面对他：“你觉得之后会发生什么？”

他不知道答案。他甚至不确定正确的问题是什么。可他会去接翠克西，他们会回家。他会尽力找最好的律师。迟早，当劳拉回到他们身边，他们会重新创造自己。他们或许无法重新来过，但他们一定会重新开始。

就在这时，一只乌鸦飞过警察局，在院子里滑翔，叫声像流水的声音。丹尼尔用过去学到的方式，小心地注视着。一只乌鸦可以代表很多事情——创造者，魔术师——全在于它以什么形式出现。可当它绕个半圆又飞了过来，那可能只有一个意思：它要把运气洒下，让刚好看到运气降落在哪里的人去捡。

真厉害啊，邓肯。这一次……你赢了。嘿，维吉尔——来瓶新的可乐吗？

喔。那里是他们要去的地方吗？

爸爸，回头见。
我会在这里等你。

亲爱的读者：

在《第十层地狱》里，丹尼尔·史东是个漫画家。他追求太太劳拉的方式，是画了一幅她的素描，并在背景中隐藏了信息：用字母拼出见面的地点。我沿用这样的方式，在这本小说的插图里藏了一句话等你去发现。从第9页开始，每一页的插图都有几个字母藏在背景里。每一页有两三个字母，总共是86个字母。这些字母能拼出一个引言，那道出了《第十层地狱》的主题和引言作者的名字。读者们可以访问我的网站，www.jodipicoult.com，去看你找到的对不对。（如果你的眼睛够锐利找出来了，请你别破坏别人的兴致，把答案视为秘密哦！）

朱迪·皮考特

图书在版编目（CIP）数据

第十层地狱 / (美) 皮考特著；林淑娟译. -- 北京:
北京联合出版公司, 2015.6
ISBN 978-7-5502-5345-2
Ⅰ. ①第… Ⅱ. ①皮… ②林… Ⅲ. ①长篇小说—美
国—现代 Ⅳ. ①I712.45
中国版本图书馆CIP数据核字(2015)第106272号

THE TENTH CIRCLE
by Jodi Picoult

著作版权合同登记号：01-2015-2257

第十层地狱
作者：[美]朱迪·皮考特
译者：林淑娟
责任编辑：徐秀琴
选题策划：读客图书　021-33608311
特约编辑：王菁　梁余丰　杨菊蓉
封面设计：陈艳丽
版式设计：陈宇婕
责任校对：张新元　姜瑞清

北京联合出版公司出版
（北京市西城区德外大街83号楼9层　100088）
北京正合鼎业印刷技术有限公司印刷　新华书店经销
2015年10月第1版　2015年10月第1次印刷
字数 280千字　890毫米×1270毫米　1/32　12印张
ISBN 978-7-5502-5345-2
定价：42.00元